Februari

Lisa Moore

Februari

ROMAN

Vertaald door Lucie van Rooijen

MEULENHOFF

De vertaalster ontving voor deze vertaling een werkbeurs van
het Nederlands Letterenfonds.

Deze uitgave kwam mede tot stand dankzij een vertaalsubsidie
van de Canada Council for the Arts.

 Canada Council **Conseil des Arts**
for the Arts **du Canada**

Eerste druk juni 2010, derde druk juli 2011

www.meulenhoff.nl
ISBN 978 90 290 8798 8 / NUR 302

Voor mijn ouders, Elizabeth en Leo Moore

'S OCHTENDS VROEG

Zonsopkomst of zonsondergang, november 2008

Helen kijkt hoe de man het schaatsijzer tegen de slijpmachine houdt. Er zit een roestvrijstalen kap omheen om de opspattende oranje vonkenregen op te vangen. Een laag raspend geluid wordt schril en ze denkt: Johnny komt naar huis.

De slijpmachine trilt door in de toonbank onder haar vingers; John had vannacht gebeld vanaf het vliegveld van Singapore. Het gebrul van een landend vliegtuig op de achtergrond. Ze had zich op een elleboog overeind geduwd en naar de telefoon gegrepen.

Haar kleinzoon Timmy staat gebiologeerd voor de toverballenautomaat. Op een kartonnen bordje erboven staat met balpen geschreven dat het schaatsen slijpen gratis is als je een zwarte reuzenbal te pakken krijgt.

Ik moet hier ergens een kwartje hebben, zegt Helen. Ritst het kralenbeursje met kleingeld open. Ze is moeder van een zoon en drie dochters en heeft twee kleinkinderen.

Mijn dochters waren gehoorzaam, denkt ze terwijl ze naar het kwartje zoekt. Ze denkt aan een tintelende, harde klap: ze heeft Cathy één keer een pets op haar wang gegeven – de witte handafdruk werd snel rood –, jaren geleden al, een eeuwigheid geleden. Helen had de meisjes ingeprent dat ze moesten luisteren, dat ze deden wat zij zei, maar John vertikte het gewoon.

Een jongetje, net als Cal, had ze gedacht toen ze ontdekte dat ze zwanger was van Johnny. De verpleegster had die eerste keer niet gezegd welk geslacht de baby had, maar ze wist dat het een jongetje was. De echo zou om vijf uur 's ochtends worden gemaakt en ze ging op de fiets. Lime Street bedekt met de eerste rijp van oktober. Op dat tijdstip stonden de sterren nog aan de hemel. Koude handen op het stuur. Ze moest met de fiets aan de hand Carter's Hill op lopen.

Wat wilde haar zoon als kleine jongen toch veel. Hij had het jonge hondje willen houden dat hij achter de supermarkt op een stuk karton had gevonden. Ze had gezegd dat een hond geld kost en vlooien heeft en moet worden uitgelaten. Maar Johnny moest en zou die hond hebben.

De slijpsteen zwoegt en snerpt als het ijzer ertegenaan wordt gehouden, en Helen haalt een handje kleingeld tevoorschijn en laat Timmy een kwartje pakken. Zijn moeder zal wel kwaad zijn. Timmy lust geen groente, teert op macaroni met kaas. Ze hebben regels; Helens dochters hebben allemaal keiharde regels. Een toverbal kan van levensbelang zijn. Als je nee zegt, dan is het ook nee.

Helen leest dat alle winst naar de Canadese Vereniging voor Geestelijke Gezondheid gaat. Ze kijkt toe terwijl de jongen het kwartje in de sleuf laat glijden en aan de stroeve knop draait. De toverballen achter het glas rollen over elkaar heen en Timmy duwt het klepje omhoog. Zwart. Er rolt een zwarte reuzenbal in zijn hand. Hij draait zich om en laat hem aan Helen zien. Zijn bleke, sproeterige gezicht straalt. Die blauwe ader op zijn slaap. Knalrood haar. Sprekend zijn moeder. Precies dezelfde mond. Heerlijk, die kleurloze wimpers, die groene ogen met roodbruine vlekjes erin. De slijpmachine tegen de andere schaats. De geur van brandend metaal. En de oranje vonkenregen. Jimmy houdt de zwarte toverbal omhoog en de man achter de slijpmachine zet het apparaat uit en schuift zijn veiligheidsbril op zijn voorhoofd.

Een gratis slijpbeurt, zegt hij. Fronsend laat hij zijn duim over het snijvlak gaan.

Vannacht had Johnny gebeld om te vertellen dat de zon op-kwam boven Singapore. Alleen wist hij niet of de zon opkwam of onderging.

Ik weet niet wat voor dag het is, zei hij. Hij kwam uit Tas-manië en had geslapen in het vliegtuig, hij had geen flauw benul meer van de tijd. Zijn mobiele telefoon viel steeds weg, of zijn stem werd telkens harder en zachter. Hij had haar wakker gebeld. Ze schrikt zich altijd rot als 's nachts de telefoon gaat.

Misschien is het maandag, zei hij. Of anders zondag. Er hing een grote rode bal boven de palmbomen aan het eind van een landingsbaan.

Heb je wel eens geprobeerd te begrijpen wat het verschil is tussen wat je bent en wat je moet worden? vroeg hij. Hij zei het zachtjes en Helen kwam verder overeind. Bij vlagen klonk zijn stem glashelder.

Johnny kon enorm filosoferen als hij een zonsondergang zag; meer was het niet. Misschien was er wel niets aan de hand, had ze gedacht. Hij was vijfendertig. Hij zat ergens in Singapore.

Ze dacht aan hem: een dag op het strand toen hij zeven was, zijn gebruinde lijf, zijn benen onder het zand. Een stel grotere jongens had hem geslagen met slierten zeewier, hem verder de golven in gejaagd. Helen had opgekeken uit haar boek. Het ene moment was ze verdiept geweest in een roman, het volgende stond ze tot aan haar knieën in het water en waadde ze keihard schreeuwend de zee in. De jongens konden haar niet horen vanwege de wind.

Rotjongens, schreeuwde ze. Vuile rotjongens. Schamen jullie je niet? Toen was ze bij hen en verstijfden ze.

Hij begon, mevrouw.

Kijk nou hoe groot jullie zijn. Kijk nou. Kies dan iemand van je eigen lengte. En de jongens waren weggegaan, ploegend door de golven, met een blik achterom die het midden hield tussen brutaal en bang.

Waar waren de meisjes die dag geweest? Cal was waarschijnlijk voor haar ingevallen. Een dagje aan het strand, lang geleden, zeker dertig jaar, en nu stond daar de toilettafel; haar fles parfum waar het licht van een straatlantaarn doorheen scheen dat een stil vuur deed opgloeien in de bruine vloeistof, de franje aan het kleed, haar ochtendjas aan een haakje; Johnny was een volwassen man. Ze omklemde de hoorn. Ze was vijfenvijftig; nee, zesenvijftig.

Wat je moet worden, had ze herhaald.

Johnny was zo'n jongen die zijn moeder niet vaak belde, maar áls hij belde was hij beurtelings kortaf en onsamenhangend, en de verbinding was per definitie slecht. Of er was iets aan de hand. Hij wilde haar over de zonsondergang vertellen, meer niet, had ze gedacht. De zon ging onder. Of hij kwam net op. Maar nee, het ging om meer dan een zonsondergang. Ditmaal had hij iets te vertellen.

De eigenaar haakt knalrode beschermers om de ijzers en strikt de lange veters aan elkaar zodat Timmy de schaatsen over zijn schouder kan hangen.

Ziezo, jij kunt gaan schaatsen, zegt hij. Hij geeft Timmy een zachte draai om zijn oren. Timmy duikt verlegen weg. Helen ziet de toverbal van de ene naar de andere wang gaan.

Lekker het ijs op zeker, zegt de man.

We gaan het eens proberen, zegt Helen.

Binnenkort zijn de vijvers goed, zegt de man. Het is al een flinke poos koud.

Ze draaien zich allemaal om en kijken uit het raam. De straat is weggevaagd door een sneeuwvlaag.

Basiliek, februari 1982

De Ocean Ranger begon op Valentijnsdag 1982 te zinken en was de volgende ochtend vroeg verdwenen. Alle bemanningsleden kwamen om. In 1982 was Helen dertig. Cal was eenendertig.

Het duurde drie dagen voordat vaststond dat alle mannen dood waren. Drie dagen lang bleven de mensen hopen. Sommige mensen. Helen niet. Zij wist dat ze waren omgekomen, en het was niet eerlijk dat zij dat wist. Die drie dagen had ze ook graag gehad. Iedereen heeft het erover hoe moeilijk het was om het niet te weten. Helen had het fijn gevonden om het niet te weten.

Ze benijdde de mensen die wisten dat het windkracht negen was en toch nog in een soort geloofsextase naar de basiliek konden komen. Tijdens de mis voor de Ocean Ranger stonden er drie gezindten naast elkaar op het altaar en de hele stad liep uit. Het werd geen herdenkingsdienst genoemd. Helen weet niet meer hoe de mis wel werd genoemd en óf er wel een naam aan was gegeven, of hoe ze daar terecht was gekomen. Wat ze zich herinnert is dat er met geen woord over werd gerept dat de mannen dood waren.

In 1982 had Helen niet zoveel met de kerk. Maar ze weet nog dat ze zich naar de basiliek gezogen voelde. Ze had er behoefte aan om bij de andere gezinnen te zijn.

Ze kan zich niet meer herinneren dat ze zich klaarmaakte om naar de mis te gaan. Misschien had ze haar spijkerbroek aan. Ze weet nog dat ze lopend naar de basiliek ging. Ze weet nog dat ze om sneeuwbanken heen liep. De sneeuw was door de sneeuwschuivers vlak gemaakt. Hoge, witte, glad afgeschraapte muren die het straatlicht opzogen. Je kon nergens lopen. Het Mariabeeld met sneeuw in de ooghoeken en over één wang en de mond, als een roverszakdoek. Dat kan ze zich herinneren omdat er toen al iets in haar begon op te wellen: het gevoel ergens ten onrechte van te zijn beroofd.

En toen ze de heuvel over kwam stonden er mensen buiten op de trap voor de basiliek. Het was zo druk dat ze er niet allemaal in konden.

Maar Helen baande zich een weg naar binnen. Ze had afgesproken met haar zus maar ze kan zich niet herinneren of ze Louise überhaupt zag. Mensen die zich van alle kanten naar binnen wrongen, het orgel en kaarsen en wierook. Ze herinnert zich de kaarsen en de lelies. Ontelbaar veel lelies.

Helens schoonmoeder Meg zat ook in de kerk, maar Helen zag haar evenmin. Meg zat waarschijnlijk voorin. Cals moeder wilde vast voorin zitten. De nacht dat het booreiland zonk had Meg een droom. Ze droomde over een baby. Ik stond op en keek uit het keukenraam en er zat een baby'tje in de takken van de boom, dik ingepakt in een witte deken. Ik zei tegen Dave, ga die baby eens halen, zeg ik, voordat er iets mee gebeurt.

Iedereen heeft wel iets gedroomd in de nacht dat het booreiland zonk. Iedereen in de hele provincie weet nog precies waar hij of zij die avond was. Een van Helens vriendinnen gaf op dat moment tennisles op de Jongens- en Meisjesclub in Buckmaster's Circle. Helens vriendin en een veelbelovende leerling, een zevenjarig tenniswonder alleen in de sporthal, ze mepten de bal snoeihard heen en weer en hadden geen idee van de storm die buiten raasde. Toen ze de sporthal uit kwamen was de auto een vage bult onder een dikke laag sneeuw, een eenzame marshmallow op de verlaten parkeerplaats. De hele stad lag plat. Een andere vriendin had zullen serveren bij een valentijnsdiner dat al helemaal was volgeboekt. Op elke tafel een brandende kaars en een roos in een vaasje, en het hoofdgerecht was eend met bosbessensaus, maar het restaurant had moeten sluiten en de eigenaar vroeg Helens vriendin of ze met hem mee wilde eten voor ze naar huis gingen. Na het eten was de eigenaar langs alle tafeltjes gegaan om de kaarsen uit te blazen.

Er waren mannen op het booreiland die afscheid namen voor ze het dek op gingen, dat was het gekke. Sommige mannen belden hun moeder. Mannen die niet de gewoonte hadden om de telefoon te pakken. Veel van de mannen waren niet gewend om over gevoelens te praten. In die termen dachten ze niet. Ze zeiden zeker geen *dank je wel*? Of *het ga je goed* of *ik hou van je*?

Ze hadden de gewoonte om dat soort emoties om te zetten in daden. Ze gingen houthakken of sneeuwruimen. Een grote stapel hout onder het blauwe zeil naast de schuur. Ze brachten elandbiefstuk mee. Ze bouwden een appartement aan voor hun schoonmoeder. Ze gingen met een emmer teer het dak op. Zo zeiden ze *dank je wel*. Sommigen waren zo jong dat het niet eens in ze opkwam om afscheid te nemen. Zo ver konden ze niet vooruit denken. Maar zelfs knapen van begin twintig hadden naar huis gebeld. Hun vriendinnetje gebeld. Gezegd dat ze het dek op moesten en nog even wilden bellen voordat ze gingen.

Veel mannen die omkwamen op de Ocean Ranger hadden er alles aan gedaan om afscheid te nemen, en dat was raar. Zo ging het de herinnering in. Daar had iedereen het jaren later nog over. *Vlak voordat hij naar buiten ging belde hij nog op.*

Op de avond van de mis voor de Ocean Ranger liep Helen de trappen van de basiliek op en vroeg: Mag ik er even langs? Met haar schouders baande ze zich stukje bij beetje een weg naar binnen en ze voelde zich er totaal niet schuldig over.

Ze kan zich Louise niet herinneren en ze zag Cals vader of moeder nergens in de kerk, maar ze moeten er wel zijn geweest.

Uit het orgel dreunde een lange, lage toon, als menselijk gekreun. Ze voelde die toon in haar voetzolen; hij trilde tussen haar benen, in haar schaambeen en onderbuik, waar hij haar ingewanden week maakte, en in haar neus. Ze kreeg er een zere neus van en tranen in haar ogen. De orgelmuziek ging dwars door haar heen.

Ze had niets met de kerk, maar ze had vast gehoopt dat haar duidelijk zou worden hoe ze dat wat komen ging het hoofd kon bieden. Ze was verdoofd en kon het niet geloven, maar ze had drie kinderen en voelde ergens dat ze weer zwanger was, al was ze nog niet eens over tijd. En als dat wel zo was, dan had ze het niet gemerkt.

Louise zegt: Ik was er wel. We zeiden nog wat veel mensen en ik gaf je een zakdoek. Ik had een zakdoek in mijn mouw. Maar Helen kan zich niet herinneren dat Louise er was.

De kaarsen – er moeten er honderden op het altaar hebben gestaan, elk in een klein rood glaasje – gleden allemaal opzij toen ze tranen in haar ogen kreeg. Ze knipperde en de kaarsvlammen werden scherpe sterren waar speren uit staken, en ze kreeg weer tranen in haar ogen zodat de vlammen een muur van vloeibaar licht werden.

Het is een grote kathedraal, de basiliek, met gewelfde plafonds en meestal tocht, en die avond kon je geen vin verroeren omdat het zo vol was. En de orgelmuziek klonk hard. Zelfs de mensen in Water Street moeten het hebben kunnen horen.

En de stemmen klonken net zo hard. Zodra de mensen begonnen te zingen, hielden de kaarsen hun adem in en begonnen toen harder te flakkeren. Of de deuren achterin waaiden open en de koude wind ging helemaal door het gangpad en de kaarsen vlamden op.

Wie was er op de kinderen komen passen? Helen had de kinderen niet meegenomen naar de kerk. Daar heeft ze spijt van. Johnny was negen en Cathy was acht en Lulu was zeven. *Bam, bam, bam*, de een na de ander.

Drie kleintjes in de luiers, kruipend over de grond, had haar schoonmoeder Meg gezegd, alsof het zo was voorbestemd. Ze had de kinderen die avond wakker moeten houden, ze hun skipak moeten aantrekken. Had ze dat maar gedaan.

De kinderen hadden bij haar moeten zijn tijdens de mis, maar op dat moment dacht ze daar anders over. Ze weet niet wat ze toen dacht. Ze had het idee dat ze hen kon beschermen. Haha.

Het kaarslicht bewoog mee op de orgelmuziek. Een muur van goudkleurig licht achter de priesters – of wat het ook waren: dominees, vast wel een aartsbisschop – in hun witte gewaden met hun armen geheven. Ze begonnen te zingen en ze moest naar buiten.

De beverige hoge stemmen van de oude dames voorin. Die stemmen zijn doordringend, ze mengen niet, ze zijn zuiver maar schril, en ze mengen of harmoniëren of versmelten geen moment; ze leiden alleen maar, oude dames die elke ochtend naar de kerk komen, lopend van Gower Street of King's Road of Flavin Street nadat ze wat voer voor de kat hebben neergezet en een theedoek over de geelbruine kom met een rijzend brooddeeg hebben gelegd. Ze komen op rubberlaarzen met een rits aan de voorkant, laarzen die je over je pantoffels kunt aantrekken en die vroeger van hun inmiddels overleden man waren, en de oude dames hebben een plastic regenkapje dat ze vaststrikken onder hun kin en een wollen jas met grote knopen en permanent en een rozenkrans in hun zak, naast verfrommelde zakdoekjes. Die oude vrouwen konden maar niet geloven dat ze zo laat in hun leven nog zoveel verdriet moesten aanzien. Dat soort dingen hoorden zij nu achter de rug te hebben. Ze zongen en het schrille geluid was er een van berusting. Je doet er zeventig of tachtig jaar over voor je kunt berusten, maar de oude vrouwen weten dat het een noodzakelijk kwaad is.

Er waren ook mannenstemmen, laag en doordrongen van moeizaam nadenken. De mannen probeerden te bedenken hoe ze het gezang en de mis moesten doorkomen en na afloop de auto moesten zoeken en terug moesten rijden naar de kerk om hun vrouw en de kinderen op te halen zodat die de kou niet in hoefden – ik kom jullie dadelijk wel halen, anders worden jullie maar nat, wacht maar hier op de trap, kijk naar me uit – en die mannen dachten aan de verkeersdrukte, en of hun zoons of broers dood waren. Ze wísten dat ze dood waren – dat wisten ze allemaal – maar vroegen het zich gewoon af. Ze hielden het gezangboek op een armlengte voor zich, die mannen, want ze waren verziend, en ze knepen hun ogen tot spleetjes en knikten alsof ze het eens waren met de woorden die ze zongen, of gewoon omdat ze blij waren dat ze ze konden lezen.

De mannen met het gezangboek in de hand hadden gefronste wenkbrauwen en hun vrouw stond naast ze. In de kathedraal rook het naar natte wol en winter, koude steen, wierook, en bij het altaar hing de geur van kaarsvet en lelies. In sommige banken stonden hele families, kleine meisjes met pijpenkrullen of vlechten en een jurk die over hun skibroek hing, met rode wangen, gapend, heen en weer wiegend. Peuters zaten bij hun moeder op schoot te slapen.

Hierom liep Helen halverwege de mis de kerk uit: sommigen van die mensen waren vol hoop. Krankzinnig van hoop, en ze zeggen dat hoop vermiste matrozen weer thuis kan brengen. Dat zeggen ze. Een mens kan uit de dood opstaan, als je maar genoeg hoop hebt.

Ze was blij dat ze de kinderen niet mee had genomen. Wie brengt zijn kinderen nou mee naar zoiets, dacht ze.

Helen wist zeker dat Cal dood was en dat ze van geluk mocht spreken als ze zijn lichaam terugkreeg.

Ze wilde zijn lichaam hebben. Dat weet ze nog. Ze wist dat hij dood was en dat ze hunkerde naar zijn lichaam. Niet dat ze dat toen onder woorden had kunnen brengen.

Wat ze toen had kunnen zeggen was: zij stond erbuiten. De beste manier om te omschrijven hoe ze zich voelde: ze was verbannen. Verbannen van iedereen, en van zichzelf.

Buiten, 1982

Vanwege de kinderen voelde Helen zich genoodzaakt om net te doen alsof er geen buiten was. Of om áls er een buiten was, te doen alsof zij eraan was ontsnapt. Helen wilde dat de kinderen dachten dat zij bij hen binnen was. Buiten was een afschuwelijke waarheid die ze voor zichzelf wilde houden.

Het was één grote poppenkast, dat liegen over waar ze werkelijk was: buiten.

Ze deed alsof alles normaal was door het ontbijt klaar te maken en eten te koken (hoewel ze vaak terugviel op kipnuggets en diepvriespizza) en ze hielp de kinderen met hun huiswerk.

John beet de gummetjes van zijn potloden, kauwde op het goudkleurige metaal totdat ze zijn tanden erin zag staan, en als ze haar hand uitstak, viel er alleen nog maar een stukje rubber vol spuug van het puntje van zijn tong. Nadat het booreiland was gezonken was hij op dingen gaan kauwen. Zijn juffrouw zei dat John tijdens de les zijn potlood zat op te eten. Hij at een potlood per week, schatte de juf. Dat kan niet goed voor hem zijn, zei die juf tegen Helen. Hij kauwde ook op de manchetten van zijn overhemden tot de rafels erbij hingen. Als hij thuiskwam waren de manchetten nat van het spuug. En tussen de middag at hij met zijn mond open, zodat je het eten kon zien.

De juffrouw zei: Daar gaan de kinderen hem mee pesten. Wijs hem er gewoon af en toe subtiel op, zei ze. Mond dicht als je eet. Zo hoort het gewoon. Op een dag kwam ik de kantine binnen en zat hij helemaal alleen. Aan een grote tafel.

Dat zei Helen tegen John, en daarna at hij met zijn lippen stijf op elkaar geperst, zijn ogen wijd open omdat hij zo hard zijn best deed zich netjes te gedragen.

Helen hielp John met rekenen, en ze zei tegen hem: Je vijven staan verkeerd om.

Ze maakten een werkstuk over pinguïns met foto's uit de *National Geographic* en bordkarton en dikke stiften. Pinguïns blijven hun hele leven bij elkaar. Ze glijden op hun buik van ijskliffen. Af en toe wordt er eentje opgegeten en blijft de andere alleen achter. Dat waren de dramatische, sentimentele weetjes over pinguïns. Johnny knipte foto's uit met zijn stompe schaar en plakte ze op het karton, en met een liniaal maakte hij schuine strepen voor de bijschriften. Zijn blokletters waren afzichtelijk.

Van Helen moesten de kinderen samen aan tafel voor het avondeten. Altijd. Samen eten was de belangrijkste pijler van haar toneelstukje.

Ze bakte niet zelf. Helen stopte fruitcakejes en blikjes frisdrank in hun lunchtrommeltje. Van casinobrood maakte ze boterhammen met ham en mayonaise. Alle gezinnen van de verdronken mannen zaten te wachten op de schadevergoeding, want hoe moet je anders vier kinderen te eten geven en de energierekening betalen?

Na een tijdje kreeg ze een baan achter de bar. Meg paste op de kinderen en Helen ging werken als het café belde, en kwam tot de ontdekking dat ze geen wisselgeld kon uittellen. Dan keek ze naar het wisselgeld in de la en de muntjes in haar open hand en het briefje van vijf in haar andere hand en had geen idee wat het allemaal betekende.

Ze vergiste zich in de bestellingen. Sommige mensen dronken op de pof maar ze wist niet wie. Toen ze een keer weigerde om een man te bedienen, bood die aan om haar twee blauwe ogen te bezorgen. Dan piep je wel anders, zei hij. Hij pakte de telefoon, belde de eigenaar en gaf haar de hoorn, en de eigenaar zei: Jij bent er om bier te tappen. Geef die man verdomme z'n bier.

Ze ruimde kots op in de wc's en ze ging altijd om vier uur 's nachts lopend naar huis. In Duckworth Street kwamen er auto's naast haar rijden. Mannen die vroegen of ze een lift wilde. Stap je in? Ik heb iets voor je.

Eén keer schreeuwde ze een man in zijn gezicht en barstte in tranen uit en wilde weten: Waar is je vrouw? Waar is ze? Heb je soms geen vrouw? Het spiegelende raampje ging zacht zoemend omhoog en ze zag haar vlekkerige gezicht en het snot en de tranen en het aureool van haar haren, beschenen door de straatlantaarns, en ze wist niet wie het was. Schreeuwde toen de auto met gierende banden wegreed. De geur van rubber en haar gezicht dat wegflitste in het glas.

Het geld van het café was genoeg om de boodschappen voor haar gezin te betalen totdat een man een bierflesje op de hoek van een tafel stuksloeg en het zijn vriendin voor de neus hield. Toen de uitsmijter hem eruit gooide brak hij de man z'n rug, en toen nam Helen ontslag.

Ze riep de kinderen van onder aan de trap met haar hand op de leuning: Aan tafel.

Johnny nam een krantenwijk en op winteravonden liepen de meisjes en zij achter hem aan, wachtend op straat terwijl hij bij de mensen langsging om geld op te halen. Hij was tien en de kleine Gabrielle zat in een rugdrager. John had het idee dat hij het gezin moest onderhouden. Hartstikke bijdehand. Dan zag ze hem aanbellen en werd hij binnengevraagd.

Johnny kletste tegen de mannen aan die in hun ochtendjas op pantoffels naar de deur kwamen sloffen. Helen luisterde naar het gepiep van de hordeur en zag de oude mannen de straat in kijken of ze een ouder zagen, en als ze haar en de meisjes zagen werd Johnny gauw binnengevraagd.

Kom binnen, jongen.

En dan waren er de huisvrouwen die in hun tas rommelden. Tien jaar oud, en Johnny zag dat ze bij de kapper waren geweest of zei dat het eten zo lekker rook.

Hij bewerkte ze voor een fooi, met tien jaar oud. Hij aaide de hond en maakte een praatje terwijl hij de krant gaf.

Helen en de meisjes liepen de hele buurt door als Johnny geld ophaalde voor de *Telegram*. Als ze thuiskwam ging ze op een stoel zitten en hield Johnny de rugdrager vast terwijl zij de riempjes losmaakte, en als ze haar schouders eruit wurmde voelde het alsof ze zweefde. Ze legde Gabrielle met skipak en al in de wieg. Zelfs van het geluid van de rits kon de baby wakker worden.

Ze denkt aan de geur van de *Telegram*-tas die John over zijn schouder droeg, de geur van vorst en inkt. Aan het kleingeld dat uit zijn portemonnee op de keukentafel terechtkwam. Dat hij zijn hand plat op de wegrollende kwartjes sloeg voor ze van tafel vielen. Hij wilde boodschappen halen, dus liet ze hem dat doen. Hij kocht emmers ijs en koekjes. Dan gaf hij de meisjes elk een lepel en zaten ze allemaal aan de keukentafel zo uit de emmer te eten. Eén keer kocht John een biefstuk voor haar. Hij was apetrots.

Wat kon Helen doordraaien als de kinderen niet meteen voor het avondeten naar beneden kwamen: Ik zet hier eten op tafel en dan verwacht ik verdomme ook dat jullie direct komen als ik roep.

De meisjes ploften neer op hun stoel. Lachen, door elkaar heen praten, de ketchup pakken. Gabrielle leerde de trap op klauteren, haar volle luier wiebelend in het verwassen gele pyjamaatje. *Pas op dat ze niet valt. Letten jullie wel op de baby?*

Als Gabrielle midden in de nacht wakker werd, stond Johnny op om een flesje melk voor haar te halen. Hij was bang in het donker maar ging de trap af naar de keuken, en dan hoorde Helen de ijskast en John die zo snel hij kon de trap weer op kwam. Dan gaf hij Gabrielle haar flesje en kroop hij bij Helen in bed, met zijn ijskoude voeten tegen haar schenen. Hij had altijd buikpijn. Wrijf eens over mijn buik, zei hij altijd. Het was stress. Een klein joch met stress. Toen noemde niemand het stress. Groeistuipen, zeiden ze.

Ellebogen, zei Helen aan tafel. Niet aan je mouw. Gebruik je servet. Moeten die stoelpoten soms kapot? Hoe vaak moet ik het nou nog zeggen? Niet achteroverleunen. Niet met de bal tegen de muur stuiteren.

De tv mocht van haar niet aan tijdens het eten. Ze had een idee van hoe een gezin eruit hoorde te zien en ze zou zorgen dat zij er een waren. Zet de tv uit, zei ze. Als ze een kwartje kreeg voor elke keer dat ze zei: Deur dicht. We stoken hier niet voor de straat.

John die vergat zijn vork te gebruiken. Gebruik je vork. Gebruik verdomme je. Ik snij het wel voor je. Moet mama het voor je snijden? John had er een hekel aan om aan tafel te moeten blijven zitten. Mag ik opstaan? Nee, dat mag niet. Ik ben klaar. Jij bent pas klaar als iedereen klaar is; wij zijn een gezin. Gabrielle is klaar. Lulu is klaar. Mag ik nu opstaan? Ga dan maar. Ga maar. Ga maar als je wilt. Ga maar weg. Ga dan. Ga in godsnaam weg.

En John vloog de hoek om en de gang door en de deur uit. Deur dicht. Deur dicht verd...

Of John werkte zijn eten naar binnen en ging dan tegen de muur stuiteren met de basketbal. Die bal maakt vlekken op de verf. Wat zei ik nou over die bal? Niet tegen de muur zei ik. Moet je die muur zien! Kijk nou eens naar die plek op de. Wat zei ik nou?

Bij de tafel staan dribbelen met de bal. Brutaliteit pikte ze niet, zei Helen tegen haar kinderen.

Als je weet wat goed voor je is zet je geen grote bek op, jongedame, zei ze.

Een pak voor je broek kun je krijgen, zei ze.

Zo'n kind was John; je moest zeggen: Niet dribbelen. De harde pets weerkaatste en het licht boven de eettafel trilde van het geluid. De lamp had een elektrische nepkaars met vier rookglazen paneeltjes eromheen en een bronskleurige ketting om het snoer gewonden. Hij hing aan het plafond, en als John stuiterde met de basketbal dansten er kleine rechthoekjes licht over het tafelkleed. Dat heb je met een jongen van tien, elf.

Konijnenoren, zei zijn zusje Lulu tegen hem. Eerst maak je de ene lus, dan maak je de andere lus en je vouwt die lus onder de andere lus en je trekt hem gewoon heel hard aan. Maar John kon zijn veters niet strikken.

De meisjes tekenden met kleurkrijt op de stoep – bloemen en een hinkelbaan. Cathy knoopte elastiek aan elkaar tot één lange lus en deed het ene eind om de telefoonpaal en het andere om Lulu's knieën en dan sprong ze op het elastiek en hield het met haar schoen op de grond. Of de meisjes speelden met een hoelahoep. Eén jaar moest de hele familie in oktober elke avond na het eten een half uur luisteren hoe Lulu op een viool stond te krassen. Lulu had een ijzeren discipline, haar kin in de plastic kinnebak geklemd, het gekras zo schril dat Helen haar tanden voelde meetrillen.

's Zomers haalden ze ijsjes en gingen ze bij de fontein voor het Colonial Building zitten. Als het begon te schemeren schoten er vanaf de bodem van het ondiepe waterbekken waaiers schuim omhoog. Op de zachte wind dreef een waas van mist mee die hun haar bedekte met een netje van piepkleine druppeltjes. Een vrouw hoort gewoon niet alleen achter te blijven om voor vier kinderen te zorgen, had Helen toen gedacht; de baby had een wespensteek, één oog was opgezet als bij een bokser. Muziek die zachtjes vanuit het centrum kwam aandrijven en de geur van barbecues, en kinderen die voorbijzwierden op skateboards – een vrijdagmiddag rond etenstijd na een dagje in het park.

Ze zat met John die stond te basketballen en Gabrielle die in een kinderstoel met eten knoeide. Cathy en Lulu konden wel stilzitten tijdens het eten. De meisjes gebruikten wel een servet. John veegde zijn mond aan zijn mouw af.

Met *buiten* bedoelde Helen dat er een doorzichtige muur was, een afscheiding tussen haar en de wereld. Ze kon zich rot schreeuwen – *Hou op met die rotbal* – maar niemand die haar hoorde.

Nadat de Ocean Ranger was gezonken moesten ze heel lang wachten op de schadevergoeding. Iedereen wil altijd weten hoeveel de gezinnen kregen, en Helen denkt er zo over: dat gaat je geen ene moer aan.

Iedereen die wil weten hoe hoog de schadevergoeding is, lijkt te denken dat er een prijskaartje aan een leven hangt. Hoeveel is een been waard? Een arm? Een romp. En als je nou een hele echtgenoot kwijtraakt? Hoeveel krijg je daarvoor? Ze denken dat je een echtgenoot kunt uitdrukken in een bedrag. Voor een dode man staat geen enkel bedrag, zou Helen tegen die lui willen zeggen. Lui die willen weten hoeveel geld ze kreeg weten niet hoe het buiten is. Zij zitten nog daarbinnen. Of ze zijn gewoon nog nooit verliefd geweest. Helen bekijkt die mensen vol belangstelling.

Wat ze zou willen zeggen is dat haar vier kinderen en zij heel lang op de schadevergoeding hebben moeten wachten. Er was een fonds voor de families, dat wel, en iedereen had het beste met hen voor, ze waren gul, maar met die liefdadigheid kwam je niet ver. Dat zegt ze tegen niemand. Maar met dat geld kwam je niet ver.

Het zou het beste zijn als de mensen er niet tegen haar over begonnen. Haar zus stond met boodschappen voor de deur, wil ze dan zeggen. Meer dan eens, en Louise had het ook niet breed. Louise stond gewoon voor de deur en begon de auto uit te laden en ze wilde geen dankjewel horen. Voor een hele week boodschappen.

Louise wilde geen dankjewel horen. Het was een nukkige bedoening tussen twee zussen, al die boodschappen in de kastjes opbergen. Louise was in de verpleging gegaan en ze was nog maar net begonnen, verdiende toen nog niet veel en had zelf twee kinderen.

Dit is het, zei Louise. Zeg maar niks.

Dank je wel, Louise, zei Helen.

Doe me een lol en hou je mond.

Helen vouwde de was op. Sokken bij elkaar zoeken was iets wat erg veel weg had van sokken bij elkaar zoeken. Het leek eigenlijk net alsof ze in de wereld stond, het klusje opknapte van: *Hier is één sok, waar is nou die andere sok?* En als ze klaar was lag er ook echt een stapel sokken.

Altijd stond de radio aan. Of ze zette hem uit.

Die kan ik tenminste de mond snoeren, zei ze dan. En deed de radio uit.

Hoe meer tijd er verstreek, hoe overtuigender Helen werd. Het rook naar kipnuggets; er lagen kruimels onder de broodrooster. Ze maakte lunchpakketten en liet de tank vullen door de oliemaatschappij en ze ging naar de kerstuitvoeringen van de kinderen. Het absolute dieptepunt was toen de leidingen bevroren. De kelder in met zijn aarden vloer, lage plafond en vochtige stenen muren om de leidingen te bewerken met een brander. Het agressieve gesputter toen de vlam eruit schoot, eigenaardig blauw, en het gesis. Ze was zich rotgeschrokken. Ze kon geen loodgieter betalen.

Louise sloeg nooit een kerstuitvoering van Helens kinderen over. Echtparen gaan altijd samen naar kerstuitvoeringen, dus ging Louise met Helen. Eén keer was er een programma dat drie uur duurde, met kostuums en zilveren sneeuwvlokken aan de balken, en een opgewekte, opdringerige piano, en dramatische gebaren van de muziekjuf met haar stokje dat het toegewijde, bloedserieuze koortje kleuters dirigeerde, *en nu, en nu,* en de kinderen die de lettergrepen overdreven netjes uitspraken. Louise die snakte naar een sigaret. Louise die in slaap viel. Louise die moest huilen toen Lulu haar solo speelde op de viool.

Maar de meisjes werden snel wereldwijs en lieten zich moeilijker voor de gek houden. Dus ging Helen ander werk doen, ze begon weer te naaien, en ze ging naar yoga. Niemand vroeg: heb je er wel eens over gedacht om iemand anders te zoeken? Lange tijd zou niemand dat hebben gedurfd.

John vindt het fijn om haar te bellen, november 2008

Helen slaapt met een oogmasker op om het licht te weren. Telefoon: Singapore. Heel even dacht ze dat dat in Thailand lag, maar het lag niet in Thailand. Singapore lag in China. Of was het Hongkong? Het was een tussenlanding. John was op weg naar New York. Hij vertelde over de zon. Het is maar een korte stop, zei hij. Kerosine tanken.

Ik ben een espressootje aan het halen, zei Johnny.

De telefoon was gegaan en het had Louise kunnen zijn met een hartaanval of god weet wat. Helen schoof het oogmasker omhoog en zag hoe verschillend de twee soorten donker waren. Ze kon geloven dat de wereld bestond uit atomen die rondschoten en -dwarrelden, en als ze wilde kon ze haar hand door de ladekast halen, duister en ijl, en haar panty tussen haar vingers wrijven, ze wegwrijven als condens van een spiegel.

Haar zwarte vest op een haakje aan de kastdeur. Altijd die gierende paniek als 's nachts de telefoon gaat: is er iets ergs gebeurd? Louise heeft hen een paar keer flink laten schrikken met angina. Vorig jaar winter een ambulance. Helen is bang voor de telefoon.

Haar vest zag eruit als een geestverschijning, een spook. Ze was tenslotte oud, en ja, er waren heel wat jaren verstreken. Het bed vloog over de rand van een afgrond en er klonk een sirene van over het water, en haar lichaam leek langzamer te vallen dan het bed en ze voelde het bed met een plons vallen, en toen viel zij op het bed en begon te zinken, maar het was de telefoon, geen sirene. Telefoon. Neem de telefoon eens op. Ik ben helemaal niet oud, dacht ze terwijl ze de hoorn van de haak griste voor ze het telefoontje zou missen.

Het was de telefoon maar; het was haar vest maar.

Waar zit je, John? vroeg ze.

Mam, je zit in mijn oor te toeteren. John kon nuchter uit de hoek komen als hij de draak met haar wilde steken. Hij kon droog zijn. Ze schreeuwde helemaal niet. Maar ze zou proberen om wat zachter te praten.

Ik sta op het vliegveld in Singapore en probeer een espresso te bestellen, zei hij.

Helen hoorde een kassala die werd dichtgegooid. John was voor zaken de hele wereld over geweest. Tasmanië was zijn laatste bestemming. Vergaderen in Melbourne en aansluitend een avonturenvakantie in Tasmanië. Iets met buitensport. Als je toch die kant op gaat, dan kun je er net zo goed nog wat dagen aan vastplakken, het land een beetje bekijken, had hij uitgelegd.

En ben je nu op weg naar huis? vroeg Helen.

Er is een baby op komst, november 2008

Eergisteren stond ik pinda's te voeren aan een wallaby, vertelde John aan zijn moeder. Nu sta ik op het vliegveld van Singapore.

Toen hij zijn hand in zijn zak deed om de espresso te betalen haalde hij een snoeppapiertje tevoorschijn, en vroeg zich af hoe dat daar terechtkwam. Een paars papiertje met een stripfiguurtje erop, een prinsesje dat stond te zwaaien – met aan haar vinger een enorme ring die ze door iemand wilde laten kussen – en John dacht aan de wallaby die haar jong voedde. Dat de moederwallaby er mak maar ook gevaarlijk uitzag toen het jong naar haar tepels zocht. De moeder had heen en weer zitten wiegen terwijl het kleintje dronk. Er vielen dansende lichtvlekjes door het dak van het regenwoud op de aangestampte grond en de keien.

Naast hem stond een Japans meisje van een jaar of acht, negen in een gele zomerjurk. Haar ouders stonden een eindje verderop op het pad. John kon hun stemmen door de bladeren horen. Het meisje stak haar hand uit om het jong te aaien en de moederwallaby siste. Trok haar lippen op zodat er vlekkerig tandvlees en gele tanden zichtbaar werden. John legde zijn hand op de schouder van het meisje. De schaduwen twinkelden over de grond als het beverige eind van een filmpje in een oude projector; hoog boven hen een windvlaag, trillend licht.

Hij maakte het meisje duidelijk dat ze een paar stappen achteruit moest doen, zonder zelf zijn blik van de wallaby's los te maken. De beesten waren niet groter dan een gemiddelde hond en leken zo onschuldig als teddyberen, zoals ze daar over het pad heen en weer hopten. Maar ze waren niet lief; ze waren wild, misschien wel hondsdol, wist hij veel.

John was ervan overtuigd dat de moederwallaby zou uithalen

en het meisje de keel zou doorbijten. Grote ogen met volle, vrouwelijke wimpers. John keek de moederwallaby in de ogen, maar als er in het beest iets van intelligentie school – wat hij betwijfelde – dan zag John er niets van. De ogen waren amberkleurig, een twinkeling van donker en licht, bruin, rossig, goud, maar verstoken van iets anders dan dom instinct. De moeder sidderde. De gespierde staart sloeg tegen een struik. Toen nieste het jong. *Hatsjoe.* Met zijn ogen dicht wreef hij met zijn pootjes over zijn neus, schudde zijn kop, en ontdeed zich zo potsierlijk van druppeltjes water en snot en moedermelk dat iedereen ervan schrok, dat alles weer goed was, en beide wallaby's sprongen het kreupelhout in en verdwenen. Het meisje bewoog haar schouder om hem uit Johns greep te bevrijden. Toen rende ze het pad af bij hem vandaan, haar steile zwarte haar zwiepend van links naar rechts.

Het was vijf uur lopen geweest naar Wineglass Bay; het zand van dat strand was spierwit als je vanaf het uitkijkpunt naar beneden keek. En op dat moment ging Johns mobieltje.

Ze stonden met een groepje toeristen op het uitkijkpunt. Het zoevende geklik van camera's, het crescendo van de branding beneden in de diepte. Het was een zware klim geweest en nu daalde er een mysterieuze plechtigheid over de groep neer. Ze voelden steeds meer ontzag, en toen kwam de onvermijdelijke omslag van ontzag naar irritatie. Had een van hen ook maar iets in zijn gewone leven dat zich kon meten met de pure ongereptheid van dat strand? Daar beneden hadden ze borden gezien met het verzoek geen schelpen op te rapen.

John had de indruk gekregen dat de ouders van het Japanse meisje onenigheid hadden. Ze wisselden bijna geen woord met elkaar toen ze eenmaal boven waren, en als ze wel iets zeiden klonken de woorden kortaf, scherpe keelklanken, uitgespuugd in de richting van hun schoenen. De moeder schoof een roodomrande zonnebril van haar haren op haar neus en sloeg haar armen stijf over elkaar.

De groep, misschien vijftien toeristen, had elkaar aangekeken toen Johns telefoon ging, een technodreun die hen terugvoerde naar kantoren en metro's en drukke straten en die het bovenaardse gefluister van ruisende palmbladeren wegvaagde. John klopte op zijn zakken alsof hij in brand stond.

Hij dacht dat het zijn moeder was, maar het was zijn moeder niet.

Het was een vrouw met wie hij maanden geleden naar bed was geweest. Een vrouw die hij nauwelijks kende.

Met Jane Downey, zei de vrouw.

John probeerde zich haar gezicht voor de geest te halen, maar dat lukte niet. Er hing een zweem van eucalyptus in de afmattende hitte. De geur deed hem denken aan Vicks Vaporub, aan het indigoblauw van het glazen potje. De *plok* als het metalen deksel open werd gedraaid en de geur die opsteeg en de waas van een licht onheilspellende, verleidelijke dromerigheid verdreef. Zijn moeder had er een lik van op zijn bovenlip gesmeerd en het op zijn borst gewreven. Ze had van iemand gehoord dat ze het op zijn voetzolen moest smeren. Hij was toen elf en had zo'n koorts dat hij drie dagen niet naar school kon. Hij had een rekenproefwerk gemist. Door dysgrafie – zo hadden de specialisten zijn aandoening later benoemd – zag hij alle cijfers en letters in spiegelbeeld en soms ondersteboven. John had het overwonnen, gecompenseerd, zich erdoorheen gebluft. Via een omweg wist hij altijd het antwoord te achterhalen. Uit rancune was hij civiele techniek gaan studeren aan de universiteit. Aan zijn lichte handicap had hij de onwrikbare overtuiging overgehouden dat schijn bedriegt.

Gaat het goed? vroeg Jane Downey. John vertelde over het strand en de klim. Hij vertelde over een tokkelbaan die hij een paar dagen eerder had uitgeprobeerd: een lange kabel over het dak van een regenwoud, dat hij een valhelm had gedragen en dat het net had gevoeld als vliegen.

Echt zó snel, zei hij. Als je eenmaal van die klif afspringt kun je niet meer terug. Alles wat hij zei klonk alsof het was vertaald uit een verdwijnende taal. Waarom had hij gezegd dat er geen weg terug was? Hoe meer hij zijn best deed om het gesprek luchtig te houden, hoe beladener het werd.

Ik moest voor mijn werk naar Melbourne, zei hij tegen Jane Downey, en ik heb er een week aan vastgeplakt. Met een veerboot naar Tasmanië. Ik dacht, ik ben er nu toch, dan kan ik net zo goed eens rondkijken.

Groot gelijk, zei ze. Tasmanië. Wauw.

Het was een waanzinnig jaar, zei hij. En toen: Ik dacht dat je mijn moeder was. Hij draaide zich om toen hij dat zei, half in de verwachting dat hij Jane Downey zou zien komen aanlopen om hem op de schouder te tikken. Hij liep weg van het groepje toeristen op het uitkijkpunt, maar het Japanse meisje liep hem achterna. Misschien had ze de zeurende toon gehoord die in zijn stem was gekropen. Zoals iedereen had hij een telefoonstem, maar die gebruikte hij nu niet. Hij klonk schuldig.

Hij moest zich ervan weerhouden om Jane te vertellen hoe onoverwinnelijk je je voelde als je je angst onder ogen zag. Hij vertelde niet dat de kabels tijdens de sprong snerpten en doorbogen onder zijn gewicht. Hij vertelde haar wel dat er een videocamera in de valhelm zat, en dat hij een dvd had gekocht van zijn avontuur.

Kapitalen vroegen ze ervoor, zei hij.

Dat wil ik wel eens zien, zei Jane Downey. Ze zei het met gemaakt enthousiasme.

John kon zich niets gemaakts herinneren van de week die hij zes of zeven maanden eerder in IJsland met Jane had doorgebracht. Hij had het gevoel dat ze hem iets ging vertellen wat echt en onontkoombaar was. Hij wilde het niet horen.

Jane Downey had een perfecte huid, wist John weer, blank en met sproeten en stralend van oprechtheid. Die moet een soort innerlijke goedheid bezitten, had hij gedacht toen hij haar ontmoette, anders zou haar gezicht niet zo'n ongerepte schoonheid uitstralen. Hij had folders gelezen die hem een wild weekendje Reykjavik beloofden, blondines in bikini die ronddartelden in de Blue Lagoon. Jane was geen IJslandse. Ze kwam uit Canmore, Alberta.

John was voor zaken in Schotland geweest en een vriend had gezegd dat hij eens naar Finland moest. Daar was hij maar een paar dagen gebleven; Finland was hem te grimmig. In Finland waren de mensen óf somber en nuchter óf stomdronken, constateerde hij. Maar van Finland was het maar een korte vlucht naar IJsland en hij dacht: waarom niet? Hij hield van eilanden. Hij had gehoord dat je Björk zomaar op straat kon tegenkomen.

Iets ouderwets, een ontwapenende eerlijkheid waar Jane Downey zich waarschijnlijk niet eens bewust van was en die ze niet kon onderdrukken – dat had hij in haar gezicht gezien. Een meisje uit Alberta dat aan het promoveren was in de antropologie. Ze was in IJsland voor een academische conferentie en ze leerden elkaar kennen in een café.

Het Japanse meisje op het plateau in Tasmanië stak haar hand in de zak van haar jurk en pakte een zakje van cellofaan dat ze openscheurde met haar tanden. Ze liet het zakje op de grond dwarrelen, en hoewel John zich niet kon herinneren dat hij het deed moet hij het hebben opgeraapt.

Geen afval laten slingeren, moet hij hebben gedacht. Hij had de telmachine van de deugdzaamheid blijkbaar aangezet, ging onbewust na wat hij de laatste tijd allemaal goed en fout had gedaan, voor het geval hij zichzelf moest verdedigen. Jane Downeys gemaakte toon gaf hem een draaierig gevoel, net zoiets als toen hij een paar dagen eerder van een klif was gesprongen om als een soort wezenloze vogel over het regenwoud van Tasmanië te zoeven en omlaag te duiken. Tijdens de rit had hij er niet van genoten. Het was iets – dat realiseerde hij zich zodra zijn voeten zich van de klif losmaakten – waar hij doorheen moest. Maar direct daarna – knikkende knieën, een opgedroogde klodder kwijl op zijn kin omdat hij door zijn mond had geademd en daar boven de boomtoppen zijn longen uit zijn lijf had geschreeuwd – was hij getroffen door een zalig gevoel van eenzaamheid, het gevoel dat hij altijd gelukkig zou zijn in zijn eigen gezelschap.

En nu hij op het vliegveld van Singapore zijn hand in zijn zak deed om zijn espresso te betalen, zat daar dat paarse snoeppapiertje.

In het zakje had een plastic ring met een enorme steen van snoep gezeten. Het meisje had de ring omgedaan en aan de snoepsteen gezogen, die rood was en geslepen als een robijn, en de kleurstof maakte een vlek op haar lippen. De Tasmaanse zon had ervoor gezorgd dat het snoepjuweel pulseerde, en in het schelle licht had John het gezien als een emotie: het doffe rood van de ring dat beurtelings flets en fel werd, als het oplaaien van liefde of angst.

John was ervan overtuigd geweest dat toen hij zeven maanden geleden op Heathrow afscheid nam van Jane Downey, ze duidelijk hadden afgesproken dat er niet zou worden gebeld. Hij had geprobeerd die eerdere afspraak aan te halen in zijn gesprek met Jane Downey. Een vage toespeling – niet bot of onvriendelijk – op het feit dat ze zich misschien eens moest afvragen hoe ze het goddomme in haar hoofd haalde om hem zo ineens te bellen.

En nu beende hij over het vliegveld van Singapore en had hij enorme behoefte aan zijn moeders raad. Hij had het nummer van zijn moeder ingetoetst zonder zich af te vragen hoe laat het thuis was. Hij realiseerde zich dat hij vrijgepleit wilde worden. John wilde dat zijn moeder plaatsvervangend verontwaardigd, wraakzuchtig was. Hij wilde dat ze de wereld naar de strot vloog.

De Singaporese zon boorde zich door de glazen wand van de vertrekhal heen. In het luchthavengebouw was het koel, maar van het asfalt steeg een sidderende muur van hitte op waardoor het vliegtuig dat langzaam naar het luchthavengebouw taxiede er golvend uitzag. John liep met het snoeppapiertje dat hij in zijn zak had gevonden naar een prullenbak en gooide het weg, maar doordat het kleverig of statisch was bleef het plakken. Hij schudde zijn hand boven de prullenbak heen en weer en het papiertje plakte aan de manchet van zijn overhemd en gleed over zijn broekspijp naar beneden en kwam onder zijn schoenzool terecht. Met dat papiertje onder zijn schoen liep hij naar de onafzienbare glaswand die uitkeek over de landingsbaan. De zonsopkomst of zonsondergang, wat het ook was, en de vervagende duisternis daarboven. Het meisje achter de koffiebar riep hem – *Meneer, meneer* – want hij had haar kop en schotel, maar hij luisterde niet.

Zijn moeder klonk slaperig en paniekerig tegelijk.

Het zit zo, zei John. Ik geloof dat ik iemand zwanger heb gemaakt. Toen voelde hij het snoeppapiertje onder zijn schoen. Hij ging met zijn andere voet op het papiertje staan en het kopje rammelde op het schoteltje, en hij tilde zijn ene voet op, achterom kijkend of iemand het zag. Het papiertje raakte los en toen zat het onder zijn andere schoen.

John, zei zijn moeder.

Ze zegt dat ze in verwachting is, zei John.

Wie zegt dat? vroeg zijn moeder.

Een vrouw, zei John. Waarmee ik naar bed ben geweest.

Met wie, zei zijn moeder. Ze sliep nog half.

Met wie ik naar bed ben geweest, zei John. Hij bukte om het snoeppapiertje van zijn schoen te halen en keek er eens goed naar. De prinses op het plaatje had een enorme, dreigende grijns en er stonden Japanse tekens onder. Hij duwde het papiertje door een sleuf van de airconditioner die in de richel onder het raam was weggewerkt. Het papiertje begon keihard te ratelen en werd toen uit zijn vingers gezogen, waarna het vast kwam te zitten in een flikkerend geval in de richel. Het maakte een zacht, akelig gepiep ver weg in het mechanisme.

Mijn god, zei zijn moeder.

De schrik in zijn moeders stem bezorgde John rillingen. Hij zag voor zich hoe ze rechtop in bed ging zitten. Dat stomme masker van d'r omhooggeduwd op haar voorhoofd, haar haren aan één kant platgedrukt. Buiten op de landingsbaan slenterde een groepje mannen in witte pakken naar het vliegtuig. Een van hen had een staaf in zijn hand met een fluorescerend oranje lampje erin, en hij draaide zich om naar John en zwaaide er langzaam mee heen en weer. Naar wie stond die man te zwaaien? Het leek wel een waarschuwing uit een droom: *Uit de weg*. Het vliegtuig kwam snel op de man met de staaf af, een zweem van roze zonlicht op de witte vleugels. De oranje staaf zwiepte door de klamme hitte heen en weer, en toen dook de man weg met zijn hoofd en draafde uit het zicht.

Wat heb je tegen haar gezegd, John? vroeg zijn moeder. Hij had nog nooit zo'n rode zon gezien. Door de tropische luchtvervuiling werd hij alleen nog maar roder. De zon stortte zijn schoonheid in horten en stoten de wereld in. De palmbomen aan het eind van de landingsbaan zagen eruit alsof ze de hemel boenden.

John had tegen Jane Downey gezegd: Waarom heb je geen abortus laten plegen?

Dat was het eerste wat hij had gezegd. Maakte dat hem slecht? Hij had het gezegd terwijl hij wist dat het al te laat was voor een abortus. Terwijl hij wist dat het geen zin had om het te zeggen.

En Jane Downey had opgehangen. Hij stond daar met het platform en de enorme keien en het lichtgele zomerjurkje van het Japanse kind en de rode snoepring die het licht reflecteerde.

Het was onwerkelijk: een vrouw zo ver weg met zijn kind in haar buik. John geloofde haar natuurlijk. Hij wist dat het zo kon gaan in de wereld: een vreemde kon je ter verantwoording roepen, je leven vergallen.

Nu boorde de Singaporese zon zich in zijn schedel en was hij in de greep van totale verbijstering. Verbluft over hoe onrechtvaardig het leek. Hem was onrecht aangedaan, en hij kon ook wel verkeerd zitten, maar misschien zou zijn moeder hem wel vrijpleiten. Alles om hem heen – de meubels van chroom en zwart vinyl, de zilverkleurige vloerbedekking, het witte espressokopje – was roodbevlekt, een zich verbreidende blos.

Op het uitkijkpunt boven Wineglass Bay wendde John zijn blik van het meisje af toen Jane Downey vertelde dat ze zwanger was, en hij zag dat de ouders van het meisje stonden te flikflooien. De man met zijn hand onder de blouse van zijn vrouw, de blouse omhooggeschoven over de pols van de man, de onderrug van de vrouw. Haar gitzwarte, kaarsrecht afgeknipte haar tot net onder de schouderbladen. Door haar strakke witte broek heen kon John haar slipje zien. Het elastiek van haar slipje, knalroze, kwam boven de lage tailleband van haar broek uit, sneed in haar billen en maakte een wulpse deuk in haar blote heup. De ouders hadden geen ruzie gemaakt. Ze hadden ernaar gesnakt om elkaar aan te raken. De lucht op het uitkijkpunt was komen aanwaaien vanaf Antarctica en het was de zuiverste, schoonste lucht ter wereld. Daardoor zag alles er te scherp uit. John had naar adem gehapt. Toen had hij eruit geflapt: Waarom heb je geen abortus laten plegen?

Hij wilde van zijn moeder horen dat de zwangerschap het gevolg moest zijn van een uitgekookt plan. Vooral omdat hij zo gul was geweest met lachen en fijne gevoelens en zelfs met geld: hij had een dure ketting voor Jane gekocht na een lang gesprek met de edelsmid die hem had gemaakt. Gehard vulkanisch gesteente, in brokken. Het oprotcadeau, bekende hij aan zichzelf op het uitkijkpunt in Tasmanië. De ketting was een manier om te zeggen dat hij zich die week nog lang zou herinneren. Of dat hij wilde dat Jane dat deed.

Er was een stilzwijgende afspraak geweest, bezegeld met de ketting, dat niemand aan die ontzettend leuke en zelfs bijzonder indrukwekkende week vol neuken en eten en fantastische wijn drinken en op sneeuwscooters over gletsjers racen en witte modder op hun gezicht smeren in onnatuurlijk blauwe geisers en dansen op live sambamuziek in IJsland – dat niemand daar iets anders aan zou overhouden dan leuke herinneringen.

Er was zeker niet afgesproken dat er een baby zou komen of iets wat ook maar enigszins op een baby leek.

Maar Jane was zes maanden zwanger. Hoe haalde ze het in godsnaam in haar hoofd om hem dat per mobiele telefoon te vertellen? Het Japanse meisje had haar snoepring met een hoorbare plop uit haar mond gehaald. Jane Downey hing op en John zei heel dom *hallo, hallo*, keek naar het mobieltje in zijn hand en hield het toen weer bij zijn oor.

Iedereen weet dat wallaby's planteneters zijn, had het meisje gezegd. En toen: Wat is abortus? John was ervan uitgegaan dat ze geen Engels sprak.

De rode zon van Singapore strekte een arm met een vuist uit en stompte John in zijn oog. Waarom zei zijn moeder niet dat Jane Downey op de een of andere manier minderwaardig moest zijn, een doortrapte hoer, een ouwe heks of een onafhankelijke en beeldschone vrouw – haar gezicht stond hem weer helder voor de geest: sproeten, een brede glimlach, ondeugend – die zich prima zelf kon redden.

John wilde dat zijn moeder diep in de geheime vrouwelijke kennis wroette die begraven was in de feromonen en cellen en bloed van dat ondoorgrondelijke, onweerstaanbare ding dat hij beschouwde als vrouwelijkheid, en dat ze zou antwoorden: John, jij bent die vrouw niets verschuldigd.

Een baby, zei zijn moeder.

Ochtendgloren in St. John's, november 2008

Helen gooide de dekens van zich af, pakte haar vest van het haakje en trok het over haar nachtpon aan. Ze ging naar beneden en deed de tl-buis aan terwijl ze naar John luisterde. De keuken veerde flakkerend op uit het donker.

Ze luisterde naar Johns ademhaling. Zelfs aan een mobiele telefoon, vanaf de andere kant van de wereld, konden ze lange stiltes laten vallen. Ze zou vandaag op haar kleinzoon Timmy passen, en na het middageten zouden ze naar Complete Rentals gaan voor een nietpistool, en dan zouden ze schaatsen laten slijpen. Morgen zou er een timmerman komen. Op de aanrecht lag een varkenskotelet te ontdooien.

Maar John had een meisje zwanger gemaakt. Er was een baby op komst.

Twee maanden nadat de Ocean Ranger was gezonken, had

Helens schoonmoeder verteld dat ze weer had gedroomd over de baby in de boom. Het was dezelfde droom die Meg had gehad toen het booreiland zonk.

Volgens mij ben je zwanger, zei Meg tegen haar. En Helen realiseerde zich dat haar schoonmoeder gelijk had. Sinds Cals dood had ze elke ochtend moeten overgeven.

Die baby daar in de takken van die boom was een beeldschoon meisje, zei Meg. Helemaal in een witte deken gewikkeld, en het sneeuwde en ik zei tegen Dave: Ga haar eens halen, en dat deed hij.

Helen deed de plafondlamp uit en ging in de brede vensterbank zitten met een knie tegen het koude raam. Het had gesneeuwd. De zwarte takken en de telefoondraden en alle daken en de relingen van de hekken hadden allemaal een wit randje.

Gut, Johnny, zei ze. Weet je nog toen Gabrielle werd geboren?

Gabrielle was eind september gekomen. Helens vliezen braken op de stoep voor de Bishop Feild School, toen ze de kinderen ging ophalen. Het vruchtwater liep in haar panty en veroorzaakte een koude, schurende plek. Cathy en Lulu met hun *Cabbage Patch Kid*-rugzakjes en lakschoenen; John met een lichtsabel van *Star Wars* die blauw oplichtte. Hij was vooruit gerend en bleef plotseling staan, zwaaide met beide handen grote cirkels met het zwaard om een onzichtbare vijand af te weren.

Niet zonder ons oversteken, jongeman, riep Helen. Niet van de stoep af, Johnny. Helen liep met kleine stapjes door Bond Street, bleef even staan als er weer een lichte wee kwam. Boven de South Side Hills stond de hemel vol goudkleurige wolken. Het had de hele dag geregend en vlak voor ze de kinderen moest gaan halen was het opgeklaard. In elke plas waren wolken te zien en een witte brandende zon ter grootte van een kwartje. Terwijl Helen langs de stroken water op het asfalt liep, gleden de witte kwartjes door de plassen totdat ze begonnen te beven van het verkeer en de weerspiegeling uiteenbrak in concentrische cirkels, zodat het water heel even doorzichtig werd en ze de modder en sigarettenpeuken en bruine blaadjes onderin kon zien liggen.

Helen belde Meg op om te vragen of ze op de kinderen kon komen passen. Toen maakte ze een bord crackers met pindakaas en jam. De schaduwen van de esdoorns in de achtertuin speelden over de kastdeurtjes en de vloer en de tafel. Met het botermesje rechtop in haar hand bleef ze roerloos bij de aanrecht staan terwijl haar enorme buik keihard werd. Het gekke was dat alle pijn zich concentreerde in haar dijen. Helen voelde de weeën voornamelijk in haar benen en dat werkte verlammend. Ze liet zich naast John op een stoel zakken.

Hij had haar oplettend zitten bekijken. Sinds Cals overlijden was John oplettend geworden. Hij had een paar keer bij het hoofd van de school moeten komen. Ze was gebeld door de school. Johnny was oplettend en hij hield zijn glas melk roerloos vast, vlak voor zijn lippen. Hij zat daar doodstil.

Nu komt het, zei ze tegen hem. Helen had het niet tegen hem, maar toen ze het zei keek ze hem recht in de ogen. Ze waren alleen in de keuken. Dat zeg je toch niet tegen een kind. Nu komt het.

Toen zette hij het glas melk voorzichtig neer. Zo ernstig zag hij eruit. Een jongen van tien.

Hij veegde met zijn mouw over zijn mond. Helen zat tegenover hem met het botermesje, rillend van een lichte zweetaanval. Er liep iemand met een gettoblaster langs het huis en de herrie was te horen in de gang en bonkte door tot in de keuken. Een stroom herrie die aanzwol en wegstierf.

Het is een middag waar ze ineens weer aan moet terugdenken. Niet aan de geboorte zelf; die ging zo snel. Wat viel daaraan te herinneren? Het botermesje in haar hand. Het weer. Hoe de straat glinsterde na de regen tijdens die wandeling van school naar huis met de kinderen. Johnny die naar haar zat te kijken, zo verschrikkelijk bang dat hij nauwelijks kon ademhalen. De schaduwen.

Ik kan het niet, zei ze. Waarom had ze dat gezegd? Ze weet nog dat ze dat zei.

Ik kom wel mee, zei John.

Nee, geen sprake van. Ze hervond lang genoeg een fractie van zichzelf om streng en beslist te klinken. Het kind moest hier buiten worden gehouden.

De taxi kwam voorrijden en er kwam weer een wee en ze moest zichzelf op het trapje laten zakken, met haar voorhoofd tegen de leuning. Ze kon niet opstaan of lopen of bij de deur van de taxi komen, dus liet ze zichzelf voorzichtig op de houten tree zakken om even uit te rusten.

Daar wilde de taxichauffeur niets van weten. Hij pakte Helens arm en trok haar zachtjes weer overeind. Zijn uitgezakte alcoholistengezicht was aan één kant strakgetrokken, met één oog dichtgeknepen in een poging zijn sigaret bij haar uit de buurt te houden.

Dat hebt u mooi voor elkaar, zei hij. U bent me er een, mevrouwtje, dat kan ik u wel vertellen. Waarom u nou uitgerekend mij moest bellen, zei hij. Ik wil gewoon mijn eigen ding doen. Dat heb ik weer.

Hij liet Helen op de achterbank zakken – ze had allebei zijn handen vastgeklemd – en tilde haar voeten naar binnen omdat ze ze zelf niet kon bewegen, en hij deed de deur dicht. Het was te warm in de taxi en het rook naar de kronkels blauwe sigarettenrook die boven het stuur hingen en de luchtverfrisser met dennengeur. Helen deed de deur open en gaf over op straat. De chauffeur sprong weer uit de auto en liep eromheen om de deur voor haar open te houden. En toen, voorzichtig voor zijn gepoetste schoenen, boog hij voorover en pakte haar loshangende haar om het opzij te houden, met zijn vuist achter in haar nek.

Goed zo, mevrouwtje, zei de chauffeur. Gooi het er maar uit, lieverd.

Ze mepte hem weg, dus stond hij de straat in te kijken tot ze weer achteroverleunde in de taxi, en toen deed hij de deur dicht, liep vlug weer naar zijn deur en stapte in. Hij stelde de binnenspiegel bij en pakte het kartonnen dennenboompje dat aan een draadje hing vast zodat het ophield met draaien. Toen het dennenboompje stil hing haalde hij zijn hand weg. Helen zag dat hij zenuwachtig was en dat hij het belangrijk vond om rustig over te komen, en daar mocht hij wel eens mee opschieten want ze moesten gaan.

Toen sloeg Johnny met zijn hand op het raam.

Niet binnenlaten, zei Helen.

De chauffeur leunde naar rechts en deed het voorportier open. Stap in, jongen, zei de chauffeur.

De baby komt er nu aan, zei Helen. Ze klemde haar tanden op elkaar en siste: Nu, nu.

Er stroomde een trage sliert rook uit de neusgaten en uit de mondhoek van de man.

Niet in mijn taxi, dame, zei de man.

Taxirit naar St. Clare's Mercy, 1982

Gut, Johnny, zei zijn moeder. Weet je nog toen Gabrielle geboren werd?

John kon zich de taxichauffeur herinneren, hij had nog nooit zo'n grauw gezicht en zulke waterige bruine ogen gezien. Die ogen waren dichtgeknepen tegen de sigarettenrook, en die ogen waren berekenend. Er zat een schoolfoto van een klein meisje met plakband op het dashboard van de taxi geplakt. Het kind grijnsde als een idioot, ze miste haar twee voortanden. Ze had een rode haarband in.

Jaren later was John de man tegengekomen in de Rose and Thistle en hij had een glaasje fris voor hem besteld. De man en zijn moeder hadden een tijdje kerstkaarten uitgewisseld. In de kroeg had hij John verteld dat hij naar de AA was gegaan en dat hij elektricien was geworden in het kader van een TAGS-overheidsprogramma. Zijn dochter zou gaan zingen op het open podium. Toen realiseerde John zich dat de man veel jonger was dan hij in 1982 had gedacht. Of deze taxichauffeur was zo'n man die een complete gedaanteverwisseling kon ondergaan om te overleven. Tot dat soort dingen was hij in staat. Dat was iets wat John

40

bedacht toen Gabrielle werd geboren: dat de twee volwassenen in de taxi een gedaanteverwisseling hadden ondergaan. Hij had gedacht dat zijn moeder van de duivel was bezeten, of iets banalers en ergers. En als er iemand bestond die hem de weg kon wijzen in de kwade geestenwereld, dan kon het wel eens deze man zijn met z'n gezicht waar rook uit kringelde.

Gordel om, had zijn moeder geroepen. Toen riep ze het nog eens. De chauffeur en Johnny keken elkaar aan.

Doe verdomme je gordel om, zei de chauffeur.

Johns moeder had overgegeven in de auto en in de lift van het ziekenhuis. Stukjes appelschil en schuimend roze braaksel dat stonk. John en zij werden van elkaar gescheiden zodra de liftdeuren opengingen. Er stonden twee verpleegsters met een rolstoel te wachten. Ze haalden zijn moeder eruit en ze zat te snikken en naar adem te happen en tegen hem te zeggen dat het nu zover was, dat het nu ging gebeuren. De liftdeuren gingen dicht en hij stond er nog steeds in, en de lift ging naar beneden en deed er heel lang over, en toen de deuren op de begane grond opengingen stond zijn tante Louise daar. Hij stapte weg uit de stank en de deuren gingen achter hem dicht. Louise schreeuwde zijn naam.

Wat doe jij hier, zei zijn tante Louise. Ze gaf hem een tik op zijn arm. Dat komt ervan, zei ze. Niet zulke rare streken jij.

John duwde zijn gezicht in haar kameelharen jasje en pakte haar zo stevig vast dat hij haar ribben bij elke ademhaling voelde bewegen. Nou is het mooi geweest, zei ze. Laten we maar eens naar boven gaan om te zien wat er allemaal gebeurt.

Gabrielle was geboren zodra zijn moeder op het ziekenhuisbed was beland, vertelde ze hem later, en de baby was schoongemaakt en ingebakerd en de bebloede lakens waren weggehaald voordat John en Louise de kamer binnenkwamen. Louise sloeg het kleine witte babydekentje terug en zat ademloos te kijken. Ze hield haar gezicht vlak bij dat van de baby om de adem van het kleintje te voelen. Louise had haar ogen dicht.

Kom eens naar je zusje kijken, zei zijn moeder.

Ze roepen mijn vlucht om, zei John nu. Ik moet ophangen.

Nou moet je goed naar me luisteren, John, zei zijn moeder. Luister je?

Ik luister, moeder, zei hij. Hij had *moeder* gezegd met een kribbige ironie.

Wat heb je tegen haar gezegd? vroeg zijn moeder.

De espresso was dik en stroperig, met fluweelzacht gruis. Zijn moeder zou hem niet vrijpleiten. Hij merkte dat ze de kant koos van een vrouw die ze niet kende, dat ze de kant koos van Jane Downey ten koste van haar zoon.

Ze ging zeggen dat hij zijn verantwoordelijkheid moest nemen.

John keek naar de rode zon boven de landingsbaan in Singapore en voelde tranen opwellen. Hij was natuurlijk doodmoe, hij had een jetlag en zat helemaal klem. Maar hij was ook opgelucht. Zijn moeder zou hem dwingen te doen wat goed was, wat dat ook mocht zijn. Zij zou het weten. In zekere zin hadden ze dit eerder meegemaakt. Die dag in de keuken, lang geleden, was zijn moeder bezeten geweest. Ze had een botermesje in haar hand geklemd en haar mond stond open, en ze zette grote geschrokken ogen op en het leek net of ze er niet meer was. Het zonlicht viel op het botermesje en liet een trillend vierkantje over de tafel dansen en over het plafond flikkeren. Haar ziel vloog weg en er werd bezit van haar genomen.

En ze had hem alleen in de lift achtergelaten. Dat was onvergeeflijk. Johns vader had het onmogelijke al gedaan: zijn vader was doodgegaan. Wat hij had gedacht toen hij met zijn tante Louise naar zijn moeders ziekenhuiskamer liep, was dat zijn moeder ook was doodgegaan. Zijn tante had een papiertje in haar hand met daarop het kamernummer dat de vrouw van de receptie haar had gegeven. Hier is het, zei zijn tante. Ze klopte op de deur, duwde de deurkruk omlaag en stak haar hoofd om de hoek. John wurmde zich achter haar aan naar binnen. Midden in de kamer stond een bed met een wit gordijn eromheen.

Als de dood van zijn moeder achter dat gordijn zat, drong tot

John door, dan kon hij dat niet aan. Hij besefte dat hij nog maar een kind was en dat hij niet hoorde te weten dat hij dingen niet aankon. De meeste mensen hoeven zoiets pas onder ogen te zien als ze hun kindertijd ruim ontgroeid zijn; dat wist hij allemaal. Maar hij had te vroeg geleerd dat je je eigen situatie soms niet aankon.

Ben je daar, Helen? vroeg Louise. Ze zagen een vage schaduw golven en uitrekken en klein worden toen de verpleegster achter de plooien van het dunne gordijn voor een sterk geconcentreerde ovaal van licht bewoog. Toen schoof de verpleegster met een geroutineerde zwaai het gordijn open. De metalen gordijnringetjes op de chromen buis boven het bed klonken als een murmelend beekje. Een zacht gerinkel dat iets groots aankondigde. Een heel felle witte lamp met een chromen kap werd opzij geduwd en het licht scheen John in de ogen. Het wit van het witte licht: hij sloot zijn ogen ervoor.

Toen hij zijn ogen dichtdeed had hij, een paar seconden maar, de vorm van zijn moeder gezien die rechtop in bed zat, een zwevende knaloranje vorm met een violet aura eromheen. Toen had hij met zijn ogen geknipperd en kwam er vanaf de randen een suizende duisternis naar binnen die oploste, en de verpleegster had de grote lamp met een harde klik uitgedaan. Het duurde maar een paar seconden, en toen nam het vlammende, ijle silhouet van zijn moeder vaste vorm aan. John kreeg zijn moeder weer terug. Ze was zijn moeder weer, helemaal de oude, alleen vermoeider en gelukkiger.

Kom eens kijken, zei ze. John ging vlak bij haar staan en botste tegen de tafel op wieltjes aan die vlak achter het weggeschoven gordijn was gezet. Er stond een bak met de placenta op de tafel. Een compacte massa paarsig bloed die hij ook rook – doordringend, metalig, intens, stinkend naar vis en bederf.

Kijk er maar niet naar, zei de verpleegster terwijl ze vlug met de bak de kamer uit liep.

Hier, zei zijn moeder. Zwart vochtig haar, knipperende zwarte ogen, het piepkleine polsje met het ziekenhuisbandje. Vanaf dat moment was Gabrielle van hem. Ze was van John. Hij was er om voor het baby'tje te zorgen en van haar te houden.

Nu stond hij in de rij om in het vliegtuig te stappen. Hij had zijn zus moeten bellen, realiseerde hij zich, niet zijn moeder. Een van zijn zussen was een betere keus geweest. Maar de vergissing was al gemaakt. Hij had genoeg van de rode zon, en hij had genoeg van zijn moeder.

Hoe gaat het met Gabrielle? vroeg hij.

Ze gaat ervan uit dat je een ticket voor haar boekt zodat ze met Kerstmis naar huis kan komen, zei zijn moeder.

Gabrielle zat in Nova Scotia op de kunstacademie. Ze had een schilderij voor John gemaakt van een regenjas van rood vinyl met de koperen knopen er nog aan. Het was lelijk en hij had een godsvermogen uitgegeven om het in te laten lijsten en zij was beledigd geweest.

Glas slaat het dood, had ze gejammerd. Je wilt het aanpassen. Het is niet bedoeld om bij je klotebank te passen, zei ze. John had zich verward en gekwetst gevoeld.

Bel me als je in New York bent, zei zijn moeder. We hebben het nog wel over de baby.

VERBOUWING

Een windvlaag, november 2008

Waarom zou dat joch geen toverbal mogen, denkt Helen. Dan komt er een gierende windvlaag en de wereld wordt wit. Het schaatsijzer wordt tegen de slijpsteen gehouden en de vonken vliegen in het rond.

Helen was eerder die middag bij Complete Rentals geweest om een nietpistool en zestig sets nietjes te halen. Complete Rentals stond vol met keurige rijen apparaten en ze werd geholpen door een vrouw in een grijs sweatshirt. Naast een echte kanonskogel aan een ketting met enkelboei hing een bordje aan de muur waarop stond: PROEFHUWELIJK TE HUUR.

Bij de gereedschapsverhuur hadden ze dus wel humor, zag Helen.

Het meisje in het grijze sweatshirt keek even uit het raam. Bij zoveel sneeuw móést je wel even kijken. Hij striemde tegen de ruiten en de wind gierde door de dakgoot en het meisje vroeg: Hebt u een compressor nodig?

Helen wist niets van een compressor.

Als de man die voor u werkt niks over een compressor heeft gezegd, dan hebt u denk ik geen compressor nodig, zei het meisje. Meestal zeggen ze het wel als ze een compressor nodig hebben. Gaat-ie een vloer leggen?

Er kwam een man uit een kantoortje achter in de winkel die ook even bleef staan om naar het weer te kijken.

Er viel een stilte en toen klonk er ver weg een sirene.

Er was brand, of iemand had een beroerte of een hartverlamming gekregen, dacht Helen. Er was ergens huiselijk geweld of een overval in West.

Gisteravond, na de kerstinkopen in het overdekte winkelcentrum, was ze gaan tanken en de benzine had koud aangevoeld op haar handen toen ze bezig was met het tankpistool. Ze was het glazen hokje van het tankstation in gelopen om te betalen. De jonge knul achter de toonbank zat *Anna Karenina* te lezen, en hij legde het boek met tegenzin ondersteboven op de toonbank. Ze zag het grote Russische epos uit zijn ogen wegstromen toen hij haar in zich opnam. Helen en de geur van benzine en een ijskoude windvlaag.

Het koudste weer in vijftig jaar, hadden ze op de radio gezegd. Ze zouden sneeuw krijgen. Ze had gezien hoe de pompbediende zichzelf van een koude avond in Rusland vol passie en grote haardvuren en wellust weer terugsleepte naar de koude, eenzame avond in St. John's om Helens bankpas aan te nemen, en dat riep moedergevoelens in haar op. De pompbediende was net zo oud als John, schatte ze, maar hij was totaal anders.

Als ze een compressor nodig hebben zeggen ze dat meestal wel, beaamde de man van Complete Rentals.

Hij heeft het niet over een compressor gehad, zei Helen.

Is het een goeie timmerman?

Hij lijkt me wel goed, zei Helen. Ze dacht aan Barry die het metalen haakje van het meetlint om de rand van een balkje klemde, een streepje zette met het potlood dat hij altijd achter zijn oor stak en het meetlint dan weer met een knal liet terugschieten in de rolmaat.

Dan heeft-ie zelf een compressor, zei het meisje.

Na het schaatsen slijpen rijdt Helen met haar kleinzoon naar een winkel om een tweedehands schaatshelm te kopen. Kinderen mogen tegenwoordig niet meer zonder helm schaatsen, en bij een rood stoplicht stelt ze de spiegel zo bij dat ze Timmy's gezicht kan zien met in zijn wang de toverbal, zo rond als de maan.

Helen had ergens het idee vandaan gehaald dat er zoiets bestond als liefde en ze had er alles in gestopt. Helen had alles van haarzelf aangesproken, elk piepklein flintertje van zichzelf, en ze had het aan Cal gegeven en gezegd: Dit is voor jou.

Ze had gezegd: Hier, dit krijg je van me.

Helen zei niet: Wees er voorzichtig mee, want ze wist dat Cal voorzichtig zou zijn. Ze was twintig en je zou kunnen zeggen dat ze niet beter wist. Dat zegt ze zelf: ik wist niet beter.

Maar het was zo voorbestemd. Ze kon niets achterhouden. Zo zat ze gewoon in elkaar: iets achterhouden was er niet bij.

Helen had ergens het idee opgepikt dat dát liefde was: je gaf alles. Het was geen kwestie van toeval dat Cal wist hoe waardevol dat geschenk was; daarom had ze het hem ook gegeven. Ze voelde gewoon dat hij zo iemand was die dat zou weten.

Haar schoonvader, Dave O'Mara, had Cals lichaam geïdentificeerd. Dat vertelde hij over de telefoon.

Ik probeerde je nog te bereiken, zei hij. Helen had geweten dat er geen enkele hoop was. Maar ze werd licht in haar hoofd toen ze Dave O'Mara's stem hoorde. Ze moest zich vasthouden aan de aanrecht. Ze viel niet flauw omdat de kinderen thuis waren en het bad volliep.

Ik ben me rot geschrokken, zei haar schoonvader. Dat kan ik je wel vertellen.

Er waren lange tussenpozen in dat telefoongesprek waarin geen van beiden iets zei. Dave O'Mara zei niets omdat hij niet in de gaten had dat hij niets zei. Hij zag voor zich wat hij had gezien toen hij naar zijn dode zoon keek, en hij dacht dat hij dat allemaal aan haar vertelde. Maar hij stond in zijn eigen keuken zwijgend naar de grond te staren.

Naar zijn dode zoon kijken moet hebben gevoeld als naar een film kijken waarin niets beweegt. Het was geen foto omdat het voortduurde. Het was iets waar je doorheen moest. Bij een foto was dat niet zo. Dit verhaal had geen einde. Het zou eeuwig voortduren. En Helen probeerde niet flauw te vallen omdat de kinderen zich dan rot zouden schrikken, en bovendien wist ze het al. Ze had het geweten op het moment dat dat stomme booreiland was gezonken.

Dave zei: Het was Cal.

Helens gezichtsveld vernauwde zich. Ze kon een plekje ter grootte van een cent zien in een zwart vlak. Ze probeerde zich te concentreren op het blad van de keukentafel. Het was een gelakte grenen tafel die ze op een rommelmarkt hadden gekocht, en in dat kleine cirkeltje kon ze de nerven van het hout zien en het felle schijnsel van de lamp boven haar hoofd. Met wilskracht had ze het rondje gedwongen groter te worden zodat ze de schaal met appels kon zien en de zijkant van de ijskast en het linoleum, en toen het raam en de tuin. Haar hoofdhuid tintelde en er rolde een druppel zweet van haar haargrens over haar slaap naar beneden. Haar gezicht was klam van het zweet, alsof ze had hardgelopen.

Dave zei: Ze hadden daar lijken met alleen hun gewone kleren aan en een paar mannen die niet al hun kleren aanhadden, alsof ze net uit hun kooi waren gekomen, en er waren er een paar die hun ogen open hadden.

Vooral één man, zei Dave. Die keek me recht aan. In witte lakens gewikkeld. Net alsof ze nog leefden, die kerels, zei Dave. Hij had half verwacht dat ze zouden bewegen.

Ik kan er maar niet over uit, zei hij.

Helen kon er alleen maar aan denken hoe bang Cal moest zijn geweest. Hij kon niet zwemmen. Ze voelde zo'n paniek. Ze wilde precies weten wat er met Cal was gebeurd. Dat wilde ze liever dan wat ook.

Maar tweeëntwintig lichamen, zei Dave.

Helen was in paniek alsof er iets heel ergs ging gebeuren, maar het was al gebeurd. Het was moeilijk te bevatten dat het *al was gebeurd*. Waarom was ze dan in paniek? Het leek alsof ze in tweeën was gespleten. Er stond haar iets ergs te gebeuren; en er was die andere Helen, degene die wist dat het al was gebeurd.

Het was een groeiende en zinloze paniek en ze wilde niet flauwvallen. Maar ze werd overspoeld door de waarheid. Het gíng
niet gebeuren; het wás al gebeurd.

Je kunt maar beter niet gaan kijken, zei Dave.

Helen stond in de keuken en keek door het raam naar de achtertuin. In haar ene hand had ze de telefoondraad verfrommeld
en haar andere hand gleed een beetje weg over het formica aan-
rechtblad, zodat het piepte. De kraan druppelde, scherp getinkel
in de roestvrijstalen gootsteen. Ze duwde de kraan opzij zodat
de druppels op een vaatdoekje vielen. Ze keek hoe de kraan
glom van het vocht en hoe het vocht een druppel werd die aan de
rand van de gazen kraanopening hing, even trilde en toen volstrekt geruisloos op het vaatdoekje viel.

Ik probeerde je nog te bereiken, zei haar schoonvader weer.
Voor je de deur uit ging.

Helen had haar meisjesnaam gehouden toen ze met Cal
trouwde. Er waren toen niet veel mensen die dat deden. Niemand die zij kende. Vóór de bruiloft was er een etentje geweest
en Dave O'Mara had gezegd: Ik weet niet wat er mis is met onze
naam.

Meer had hij er niet over gezegd. Hij had zijn wijnglas half geheven en weer neergezet zonder een slok te nemen.

Helen had haar meisjesnaam gehouden, en toen ze erachter
kwam dat ze zwanger was van Johnny besloot ze het kind haar
naam te geven. Cal had het prima gevonden. Het leek hem wel
een leuk idee. Hij was een groot voorstander van vrouweneman-
cipatie. Maar toen was haar schoonvader langsgekomen om de
keukenkraan te repareren. Ze had de gootsteen niet kunnen gebruiken en de afwas stapelde zich op. Dave had de kraan gemaakt en zijn handen afgedroogd en de keukendoek opgevou-
wen en er een klopje op gegeven.

Ik ga vragen of je iets voor me wilt doen, zei hij. Ik wil dat de
baby Cals naam krijgt. Onze naam.

Dave draaide zich om en deed zijn gereedschap weer terug in
de gereedschapskist, en toen klapte hij het deksel omlaag en

knipte de twee slotjes dicht. Hij zat op één knie en legde zijn hand op zijn dij en duwde zichzelf overeind. Hij tilde de gereedschapskist op en alles gleed *kleng* naar één kant en hij keek haar aan. Wil je dat voor me doen?

Dat was het enige wat hij ooit van haar had gevraagd in de tien jaar dat ze met Cal was getrouwd. Hij had haar als een dochter behandeld. Hij had de leidingen voor haar gerepareerd en Cal en haar geld geleend en hun hypotheek mede ondertekend toen ze eindelijk een huis vonden en hij had haar naar haar werk gereden. Helen kon niet autorijden. Ze had toen nog geen rijbewijs.

Ik loop wel, zei ze dan.

Wacht nou even, zei Dave. Ik kom je halen.

Dan kwam hij aanzetten in de regen en bleef in de auto wachten en toeterde één keer, en later belde hij dat hij de kinderen van school zou halen, of hij reed Helen naar de supermarkt en bleef dan in de auto wachten met de krant tegen het stuur, met beslagen raampjes. Haar schoonouders hadden door de regen moeten lopen toen ze kleine kinderen hadden en ze zeiden dat dat nergens voor nodig was. Dan belde Dave om te zeggen dat hij eraan kwam en Helen hoorde Meg op de achtergrond.

Zeg dat ze moet wachten tot je er bent, Dave. Met dit weer moet ze niet gaan lopen.

Ga maar op de uitkijk staan, zei hij.

De auto's die Dave en Meg kochten roken altijd naar nieuwe auto, en ze waren heel zorgvuldig met onderhoudsbeurten en olie verversen en winterbanden. Ze wilden niet dat ze geld uitgaf aan een taxi.

Zeg dat ze haar geld beter kan gebruiken, zei Meg altijd.

Wacht nou even, zei Dave. Ze wilden haar nog geen meter laten lopen. Je moet die kleintjes niet mee naar buiten slepen met dit weer.

Haar schoonmoeder had opgepast voor Helen en aangeboden om de was te doen en warm eten langs gebracht toen de baby's geboren waren en ze kreeg het gezin elke zondag te eten.

Dave had gebeld over Cals lichaam en Helen had met de telefoon tegen de aanrecht geleund. Ze stond uit het raam te kijken terwijl ze luisterde hoe Dave over de lichamen vertelde met een stem die dichtbij en ver weg tegelijk klonk. Dave had gebeld om haar te sparen. Hij wilde tegen Helen zeggen dat ze niet hoefde te gaan. Hij leek er behoefte aan te hebben om te praten.

Ik heb Cals hand gepakt, zei Dave. Zijn hand lag daar onder het laken. Met zijn trouwring om. Die ring moet je hebben, Helen, en ik zal zorgen dat je hem krijgt. Ik zei tegen die man daar: Ik weet zeker dat de vrouw van m'n zoon die trouwring wil hebben. Ik pakte Cals hand en hield hem vast. Ik hield zijn hand vast. Ik denk niet dat je hem wil zien, Helen. Dat heb ik ook tegen Meg gezegd. Ik zei tegen zijn moeder: Ik denk niet dat je daar naartoe moet. Meer niet. Dat heb ik tegen haar gezegd. Daar komt het op neer. Sommige van die lichamen, zei ik. Zei ik tegen Meg. Ik denk niet dat je dat wil zien. Het lijkt daar wel een slachthuis. Het is er heel netjes maar er zijn heel veel lijken. Ik heb afscheid van hem genomen, Helen, zei Dave. Dat klinkt misschien raar.

Hij was een poosje stil en Helen zei ook niets. Vanuit het raam kon ze, achter in de tuin over de schutting, het warmgeel oplichtende vierkant zien van het keukenraam van de buren. De buurvrouw – actrice was ze – stond bij de gootsteen af te wassen. Helen zag dat ze borden in het rek zette. Toen kwam er een man naast haar staan. De actrice wendde zich af van de gootsteen om met de man te praten. Niet lang, een paar woorden maar. De vrouw liep achter de man aan de donkere gang achter de keuken in. Helen werd overspoeld door jaloezie. Dat paar omlijst door al dat gele licht, het witte bord in de handen van de vrouw terwijl ze stond te luisteren, en de man die de donkere gang in liep. Waarom Cal? Waarom haar man? Waarom Cal? Toen begon Dave weer te praten.

Ik denk niet dat we hier overheen komen, zei hij. Dit is heftig. Meg is boven in de slaapkamer. Ze is even gaan liggen.

Het klinkt niet raar, zei Helen. Zijn hand vasthouden en af-

scheid nemen. Dat klinkt niet raar. Onwillekeurig moest ze giechelen. Alles stond zo ver van haar af. Ze stootte een half hyste-
risch geluid uit en hield de rug van haar hand voor haar mond.

In de keuken van de buren ging het licht uit. Het was nu donker in de tuin en Helen kon sneeuwvlokken zien. Het sneeuwde
nog steeds.

Dave bleef maar praten en had niet door dat hij praatte, maar
het kostte hem ook moeite om te praten; dat merkte Helen. Dave
zoog lucht naar binnen door zijn tanden zoals mensen die iets
zwaars gaan optillen. Hij zei telkens hetzelfde. Hij zei telkens dat
hij Cals hand had vastgehouden. Dat ze zich geen zorgen moest
maken om de ring. Zij zou die ring krijgen, daar zou hij voor
zorgen. Dat de bril van Cal in zijn zak zat. Dat Cal een houthakkershemd aanhad. De hoorn voelde zweterig aan en het was al
vroeg in de middag donker omdat het februari was, en het zou
lang donker blijven. Het was stil daarbuiten in het donker, op de
wind na die de takken van de bomen tegen elkaar liet slaan.

Helen had geen moment geloofd dat Cal het had overleefd,
maar het nieuws van zijn lichaam was een klap. Ze wilde dat lichaam. Ze moest dat lichaam hebben en ze kon niet zeggen
waarom. Maar het nieuws over het lichaam was afschuwelijk.

Er waren mensen die nog maanden bleven hopen. Ze zeiden
dat er ergens een eiland moest zijn, en dat de overlevenden daar
zaten. Er was helemaal geen eiland. Iedereen wist dat er geen
eiland was. Dat kon niet. Mensen die de kust kenden als hun
broekzak. Maar ze dachten dat er misschien een eiland bestond
dat hun nog niet eerder was opgevallen. Volgens sommige mensen kon dat. Die mensen waren in shock. Sommige moeders bleven de tafel dekken voor iemand die er niet meer was.

Iemand op een van de bevoorradingsschepen had een reddingsboot zien zinken met alle mannen vastgegespt op hun plek,
twintig man of meer, met de gordel om, kopje-onder.

De ochtend van de vijftiende had Cals moeder de Reddings-
brigade gebeld en stampij gemaakt.

Ze schreeuwde: Jullie hebben verkeerde informatie. De firma

zou de familie op de hoogte hebben gesteld als de mannen dood waren. Meg was de hele dag en een groot deel van de volgende dag blijven hopen. Helen en haar schoonmoeder hadden enorme ruzie gemaakt aan de telefoon omdat Meg zei dat er hoop was en Helen niets terugzei.

Ik weet gewoon dat hij nog leeft, had Meg gezegd.

Helen had geen enkele hoop, maar net als iedereen wilde ze het lichaam van haar geliefde. Ze moest Cals lichaam hebben.

Ze luisterde naar haar schoonvader die vertelde over de lijken die hij had gezien, en haar tas lag op de aanrecht en ze pakte hem en klemde hem tegen haar borst, alsof ze op het punt stond de deur uit te gaan, maar ze stond daar alleen maar te luisteren. Ze dacht aan Meg die op bed was gaan liggen. Meg had vast niet haar kleren uitgetrokken. Misschien niet eens haar schoenen. De gordijnen waren vast dicht.

Helen had Cals lichaam gewild en nu het gevonden was, was ze er bang voor. Ze was bang om hoe koud het zou zijn. Waar zou het in zijn opgeborgen? Ze zouden de temperatuur laag moeten houden. Op de een of andere manier was ze bang dat Cal heel erg koud zou zijn. Haar hart begon sneller te kloppen alsof ze net de straat door was gerend, maar ze stond aan de keukenvloer genageld.

Ze wilde iemand vragen wat ze met het lichaam moest doen, en degene aan wie ze dat wilde vragen was Cal. In gedachten besprak ze het met hem. Niet echt alles uitdenken, maar hem vertellen over het probleem. Ze wilde ophangen zodat ze Cal kon vragen wat ze moest doen.

Zo moet je je hem niet herinneren, zei Dave. Ze hoorde een harde plens water, een enorme guts, en ze keek de gang in. Ze had het bad laten overlopen en het water kwam door het plafond. Overal water. De kinderen kwamen de woonkamer uit waar ze tv hadden zitten kijken en keken vanaf het andere eind van de gang naar hun moeder die stond te bellen. Mama, riepen ze. Het water stroomde in dikke kabels en dunne watergordijnen die toeliepen in een punt en weer breder werden. Stromen water die op het linoleum kletsten, en Helen schreeuwde: Uit de weg. Ze zei tegen Dave dat ze moest ophangen. Ze rende met twee treden tegelijk de trap op. Toen ze weer beneden kwam lag de hoorn keihard te piepen op de aanrecht.

Ze zou haar zus Louise bellen om haar naar Cals lichaam te brengen. Ze hoefde niet tegen Dave of Meg te zeggen dat ze ging. Zij wilde ook zijn hand vasthouden, hoe koud die ook was. Misschien ging ze alleen maar buiten voor het gebouw zitten. Misschien hoefde ze zijn lichaam helemaal niet te zien. Maar ze moest erbij in de buurt zijn.

De timmerman, oktober 2008

Helen goot schoonmaakmiddel op een spons en ging de badkuip te lijf.

Helen had precies een maand op Barry gewacht. In de zomer. Hij was binnengekomen en ze hadden zich aan elkaar voorgesteld maar elkaar geen hand gegeven.

Ze vond het gek, dat ze elkaar geen hand gaven. Barry liep haar woonkamer in met zijn duimen door de lussen voor zijn broekriem, en hij keek naar het plafond. Een tijdlang zei hij niets.

Ik zal er niet omheen draaien, zei hij. Hij stampte twee keer met zijn voet. U hebt een houten ondervloer nodig, zei hij. Hij had grijze ogen.

Daar is geen ontkomen aan, zei hij.

Helen stak de Swiffer onder het bad. Het was een bad op pootjes. De keuken interesseerde haar niet zo, maar ze had graag een schone badkamer.

Hij is een fantastische timmerman en betrouwbaar en je vindt Barry vast leuk. Dat zei Louises schoondochter Sherry. Sherry had gezegd: Hij is heel goed. Seans vrouw Sherry: Je vindt Barry vast heel leuk.

Had Sherry geprobeerd ze te koppelen? Helen verstijfde bij de gedachte, met haar uitgestrekte arm nog steeds onder de bad-kuip. Natuurlijk. Beneden hoorde Helen de reciprozaag. De zaag ging door het hout, begon harder te loeien en stierf toen weg. Dat slaat nergens op, dacht Helen. Ze veegde met de Swif-fer heen en weer, met grote halen. Ze hoorde Barry naar de trap lopen en kreeg een opvlieger.

Ik ga even de deur uit voor een kop koffie, riep Barry naar de badkamer. Ze stelde zich voor hoe hij daar op één knie leunde en zijn schoen met de stalen neus met een ruk goed trok. Toen ze opstond, zag ze zichzelf in de spiegel en ze was knalrood, haar voorhoofd glansde van een plotselinge zweetaanval.

Goed, Barry, riep ze.

Sherry dacht zeker dat ze eenzaam was. Helen werd overvallen door schaamte. Het bloed schoot naar haar wangen, deed haar oren suizen. Ze weigerde zielig gevonden te worden.

De valentijnskaart, februari 1982

Er zit iets in de brievenbus, zei Helen. Een knalrode envelop zo groot dat het deksel van de brievenbus er een paar centimeter van omhoog bleef staan.

Louise leunde voorover, met haar handen op het stuur. Ze droeg haar muts van vossenbont en haar zwartsuède jas met bij-passende handschoenen, en ze had donkere lippenstift op. Ze kwamen net van Pier 17, waar de lijken lagen, en Helen was niet naar Cals lichaam gaan kijken.

Louise was de parkeerplaats op gereden en ze hadden de mo-tor gewoon laten draaien. Helen kon zichzelf er niet toe brengen om naar binnen te gaan. Maar ze was blij dat ze er was. Louise had haar opgehaald en niet veel gezegd, en ze waren daar ge-woon blijven zitten. Ze waren een poosje gebleven. De radio stond aan, en even later had Louise hem uitgezet. Ze had geen haast. Ze zette haar muts af en deed de zonneklep naar beneden om haar haar te fatsoeneren, en deed de klep toen weer omhoog. Ze hoefden niets te zeggen.

Louise leunde over haar heen om het handschoenvakje open te doen en erin te rommelen, en er lag een pakje zakdoekjes waarvan ze het plastic met haar nagel openscheurde. Ze haalde er eentje uit en Helen nam hem aan. Louise deed haar tas open, pakte een sigaret en drukte de aansteker in, wachtte tot die oranje opgloeide en terugsprong.

Met ingezogen wangen stak ze de sigaret op, drukte op het knopje zodat het raampje op een kier kwam te staan en blies de rook erdoor naar buiten. Na korte tijd gooide ze de sigaret naar buiten, in de sneeuw.

Kankerstokken, zei ze. Ze zagen een ambulance die kwam aanrijden en parkeerde, en er stapte iemand uit die het gebouw binnenging, en de deur ging achter hem dicht. Na een hele tijd kwam er een vrouw naar buiten; ze had een man bij zich die zijn arm om haar heen had geslagen. Hij bracht haar naar een Buick, deed het portier open en de vrouw stapte in. De man schuifelde voor de auto langs en stapte zelf in, startte de auto en reed weg.

Oké, zei Helen.

Oké?

Laten we gaan, zei Helen.

Je gaat niet naar binnen, zei Louise.

Ik moet eens naar huis, zei Helen. Ze snoot haar neus zo hard mogelijk. Jezus, Louise, zei ze.

Ik weet het, lieverd, zei Louise. Je bent mijn zusje.

En nu zaten ze bij Helen voor de deur in de auto. Louises man was autoverkoper en ze hadden altijd in een Cadillac gereden omdat Cadillacs groot en veilig waren, en Louise hield van luxe auto's.

Er kwam een pick-uptruck achter hen staan. De weg was smal omdat de sneeuw niet goed was weggeschoven en de pick-up stond te wachten tot ze doorreden.

Louise keek naar de pick-up in de binnenspiegel. Ze kneep haar ogen tot spleetjes.

De man toeterde een keer.

Ga er dan langs, stomkop, fluisterde Louise. Toen drukte ze

op het knopje. Het raampje ging naar beneden en ze stak haar hand naar buiten en wuifde hem door. Buiten het raam maakte haar hand twee trage gebaren en ze wees met een vinger. De vinger zag er gebiedend en spottend uit in de zwarte handschoen. Ze trok haar hand weer naar binnen. De koude lucht kwam de auto in, en alle straatgeluiden. Ze nam twee vingers van haar ene handschoen tussen haar tanden en trok hem uit, en toen de andere, vinger voor vinger.

De man in de pick-up deed geen poging om om hen heen te rijden, omdat er niet genoeg ruimte was. Er was maar één kant van de straat geveegd. Louise knipte haar tas met een harde klik open en zocht weer naar het pakje sigaretten, zonder haar ogen van de binnenspiegel los te maken.

Moet je die stommeling nou zien, zei ze. Er kwam ook een groepje tieners de heuvel af. Ze hadden hun jas openhangen en je kon hun adem zien in de lucht, en ze hadden blozende wangen en waren luidruchtig. Een broodmager meisje achteraan kon alleen maar schril giechelen. Ze rende om haar vrienden in te halen en haar laarzen klakten hard op de stoep.

Helen wist dat de post in de brievenbus een valentijnskaart was van Cal. Hij stuurde altijd een kaart op Valentijnsdag. Hij vond het leuk om voor elke gelegenheid een kaart te sturen. Hij vond het leuk als de kaart min of meer op tijd kwam.

De aansteker ging aan. Louise stak een sigaret op, draaide haar hoofd weg en blies rook de straat op. Toen stelde ze de spiegel bij om de man in de pick-up te bekijken.

Hij drukte met zijn hand op de toeter. Hij liet de toeter blèren zolang hij kon, toen wachtte hij even en toeterde opnieuw. Er stonden nu auto's achter hem en hij kon niet achteruit. En hij kon er ook niet langs. De kinderen die de heuvel af kwamen waren blijven staan en botsten zachtjes tegen elkaar; ze keken allemaal achterom om te zien wat er aan de hand was.

Ik moet maar eens naar binnen, zei Helen. Maar ze kwam niet in beweging. Ze had het gevoel dat ze niet kón bewegen. Of dat ze wel had bewogen, uit de auto was gestapt, de rest van haar leven had geleefd, en was gestorven en dood was en weer in de auto zat, een spook, of iets zonder spieren of botten. Iets wat nooit meer kon bewegen.

De man was nu uitgestapt en smeet zijn portier dicht. Hij was woedend en hij liet zijn hand plat op het dak van Louises auto neerkomen, wat een holle dreun gaf. Hij boog voorover om Louise in de ogen te kijken en zijn gezicht was heel dichtbij. Maar Louise bleef strak voor zich uitkijken. Ze nam een trek van haar sigaret en blies de rook tegen de voorruit. De man had haar slaap kunnen kussen als ze tien centimeter dichter bij elkaar waren geweest. Zijn ogen waren een waterig fletsbruin en hij was kaal, een bleek gezicht met hoge jukbeenderen en een terugwijkende kin, en hij had zijn lippen stijf op elkaar geperst.

Je blokkeert goddomme de weg, zei hij.

De man van mijn zus zat op de Ocean Ranger, zei Louise. We zijn net gaan kijken om het lichaam te identificeren. Maar uiteindelijk is ze niet naar binnen gegaan.

Louise, zei Helen.

De man deed een stapje bij het raam vandaan.

We zitten hier nu omdat we helemaal kapot zijn, zei Louise.

De man keek weer naar zijn pick-up.

Ik rook niet eens, zei Louise tegen hem. Ze zat naar de sigaret te kijken alsof ze niet wist wat het was. Ze gooide hem uit het raam.

Wat een smerige gewoonte, zei ze.

Kan ik ergens mee helpen?, vroeg de man.

O, we redden ons wel, zei Louise. Helen legde haar hand op die van Louise. Haar zus hield het stuur stevig vast. Louise leunde altijd ietsje naar voren als ze reed, met haar handen om het stuur geklemd. Ze reed alsof de gordel haar moest weerhouden van iets wat ze wilde.

Ik ga nu, Louise, zei Helen.

De man liep voor de auto langs om de deur voor Helen open te houden, en tijdens het lopen hield hij haar elleboog vast alsof ze een oud dametje was. Of alsof zij op hem steunde. Helen steunde op hem omdat ze het gevoel had dat ze niet kon lopen. Ze voelde zich dronken. Ze stond heel lang te zoeken naar de huissleutels. Uiteindelijk pakte de man haar tas en haalde de sleutels tevoorschijn, en nadat hij de deur had opengedaan deed hij de sleutels terug, en hij stond daar met de tas in zijn hand. De lange stoet auto's reed stukje bij beetje achteruit en keerde en verdween in zijstraten. Toen de deur open was, toeterde Louise even en reed door.

Helen ging het huis binnen. Het was stil. De kinderen waren die ochtend naar school gegaan. Ze moesten het onderling hebben afgesproken, want ze hadden Helen niet wakker gemaakt. Ze hadden haar laten slapen. Ze trok haar jas uit en hing hem over de trapleuning. Haar laarzen zette ze bij de verwarming. De verwarming in de keuken stond uit en ze draaide hem hoog. Ze zette water op en deed een theezakje in een beker, en ze dronk de thee zonder het zakje eruit te halen omdat ze vergat het eruit te halen. Ze had een botermesje uit de la gehaald en het lag op tafel naast de rode envelop. Er was ook een telefoonrekening en een of andere folder van een pizzeria. Toen maakte ze de rode envelop gewoon open.

Er zat een kaart in met een plaatje van een groot boeket rode rozen. De woorden waren geschreven in goudkleurige krulletters: *Voor mijn vrouw op Valentijnsdag*. Binnenin zat een niet-rijmend wenskaartgedicht over de liefde. Iets over hoeveel een leven kan betekenen en goedheid en mildheid en alle mooie momenten, en achterop stond in piepkleine lettertjes dat de kaart was gemaakt in China. Boven het gedicht had Cal geschreven: *Mijn liefste*, en onderaan had hij ondertekend met: XOXO *Cal*.

Doop, oktober 1982

Je ziet je leven maar het lijkt net alsof je achter een glazen wand zit, en de vonken spatten op maar je kunt ze niet voelen.

Je weet dat het jouw leven is omdat iedereen zich daarnaar gedraagt. Ze noemen je bij je naam. Helen, ga je mee winkelen. Helen, er is een feestje.

Mam, waar is de pindakaas.

Er komen rekeningen. Je wordt midden in de nacht wakker omdat je water hoort en het dak van de keuken lekt. Er zit een barst in het stucwerk en er druppelt water op de tegels, steeds sneller.

Ze wilde geen boom die eerste Kerstmis nadat Cal was overleden, maar Cathy moest en zou een boom hebben.

Mam, we moeten een boom hebben.

Stevig drinken. Je mag niet stevig drinken. Aankomen. Er hangen twee setjes kleren in de kast op haar slaapkamer en ze zijn allebei zwart omdat zwart slank maakt. Omdat je niet zag dat je maar twee setjes kleren had en in wat voor kleur; vijftien kilo en je zag het niet eens.

Niet meer geloven in betekenis. Voortmaken door je heel stil te houden. Er is geen betekenis. De onverwachte snelheid die in het niet-bewegen schuilt; zien hoe alle tijd voorbij flitst. *Drup, drup-drup-drup. Drup, drup-drup-drup* op de keukentegels. Luister hoe het even stil is en de tijd dan weer versnelt. Ze heeft heel wat kostbare uren van haar leven haar peuter (welke?) zitten helpen cornflakes te sorteren op het blad van de kinderstoel. Je raakt in een soort trance waarin het blauw van de kinderstoel blauwer lijkt. Hij knettert van blauwheid. Er zit een patroon in de rondgestrooide cornflakes op het zinderende blauw en de tijd tussen elke druppel die uit de kraan valt, en dan komt de grote lepel neer en springen de cornflakes alle kanten op.

Niet huilen waar de kinderen bij zijn. Continu moeten huilen. Gehakt eten. Om vergeving smeken. Smeken dat je de huwelijksnacht of de geboorte van de kinderen nog eens mag meemaken of zomaar een moment dat je staat te koken in de keuken, of als je een rekening moet uitpluizen, als er sneeuw valt, schaatsen op de vijver. Ze denkt aan een middag waarop ze met zijn allen waren gaan schaatsen op Hogan's Pond. De wind blies de kinderen en ze gleden met gespreide armen vooruit.

John kon schaatsen. Johnny zat op ijshockey. Cathy heeft precies dezelfde ogen als Cal, middenblauw met vlekjes lichtblauw en een zwarte rand om de iris, en het wit van haar ogen is heel wit en ze heeft zijn sproeten – zwarte Ierse, zei Cals moeder, van de O'Mara's uit Heart's Content – en de bomen zaten vol ijzel en de zon stroomde helemaal over, vonkte, vlamde, en de wind teisterde de boomtoppen en blies de ijzel eraf, die versplinterde en op de sneeuw regende.

Cal en zij vonden het lekker om de verwarming helemaal hoog te zetten. Soms bouwden ze een vuurtje. Het was altijd loeiheet als Cal thuis was. Hij viel in slaap op de bank. Door de ploegendiensten raakte zijn ritme in de war. Soms hoorde Helen hem in alle vroegte de waterkoker aanzetten. Hij las in bed en dan viel zij in slaap met het licht aan. Hij slurpte tijdens het theedrinken en daar werd ze woest om. Hou eens op met dat geslurp.

De kleintjes willen een boom: Wat dacht je dan? Kom verdomme je bed uit. Dacht je nou echt dat er geen kerstboom kwam?

De telefoonmaatschappij gelooft dat je bestaat; ze sluiten de telefoon af. Wat kan het stil zijn aan een telefoon als hij het niet meer doet. Tijd om verder te gaan. Tijd om de boel op te knappen. Kom in godsnaam je bed uit.

Aan de andere kant is niets. Geen enkel geluid. Geen geruis. Alleen maar stilte. Is de bliksem soms ingeslagen? Heeft de wind ergens een telefoonpaal omver geblazen? Ze hadden de telefoon afgesloten en Helen zat daar met vier kinderen; het was gewoon gevaarlijk. En ze kon niet eens bellen om te achterhalen wat er was gebeurd; ze moest naar Atlantic Place om te bellen met een kwartje, en kreeg alleen maar te horen: O ja, die telefoon is afgesloten.

Instorten. Pas op, je bent aan het instorten. Vet varken. Je bent nu, god, kijk nou, je bent zo vet als een varken. Je luistert, maar er is helemaal niemand. Hoort u mij? Ik sta hier de longen uit mijn lijf te schreeuwen. Hoe lang denk je dat je met dat geld toe kunt? Doe eens wat meer je best.

Iemand zei: Stel je niet aan.

Iemand zei: Je hebt kinderen.

Doen alsof het allemaal belangrijk is. Zie je die sportschoen? Die is belangrijk. Zie je die viool? Zie je dat dat ribstuk in de aanbieding is? De serieuze karateleraar. De serieuze tekenleraar. Zegeltjes van de supermarkt. En zo maak je een masker van papier-maché. Kijk eens wat ik geschilderd heb, mama. De kluts is belangrijk. Waar is de kluts?

Ruik je dat? Je hebt de pan op het vuur laten staan. Je hebt de pan op het vuur gezet en bent weggelopen. Een van de kinderen heeft oorpijn. Het heeft koorts; het is warm.

Dit kan ik je wel vertellen: er zijn dingen waar je niet overheen komt. Maar het gaat om een kerstboom. Het gaat erom dat je lacht als er een grapje wordt gemaakt. Net doet alsof je plezier hebt. En ga jij maar naar je kamer, jongedame. Zo praat je niet tegen je moeder. Ik ben je moeder. Als jij zo'n rotboom wilt, dan kun je er een krijgen.

Het kost vijfenzeventig dollar om weer te worden aangesloten. U hebt drie waarschuwingen gekregen.

Echt waar?

Zeker, we sturen onze technische dienst er altijd pas op af als er drie waarschuwingen zijn verstuurd.

Wat stond er in die waarschuwingen?

Er stond in: Afsluiten.

Waar is haar man? Spits je oren, zelfs in je slaap, voor het geval dat, gewoon voor het geval hij iets laat horen van gene zijde. Daar hoopt Helen op en daar verlangt ze naar. Daar heeft ze recht op.

Ze slaapt en soms droomt ze over hem, en het is hartverscheurend om wakker te worden. Er wordt niet gepraat in die dromen, er worden geen woorden gesproken, maar ze weet wat hij wil: hij wil dat ze hem achternakomt.

Wat vreselijk. De dood heeft hem egoïstisch gemaakt.

Vergeet de kinderen. Dat bedoelt hij. Vergeet jezelf. Kom met mij mee. Wil je niet weten wat er is gebeurd?

En ze wíl ook weten wat er is gebeurd. Ze wil het zo graag weten, maar iets houdt haar tegen – de kinderen, het dak, de telefoon. Is er een manier om te gaan en weer terug te komen? Waarom kan Cal niet terugkomen?

Als ze wakker wordt voelt ze zich ontzettend schuldig omdat ze heeft besloten om te blijven. Iets van onbuigzaamheid en liefde voor het leven en de onwil om te zwichten neemt het over. In dat opzicht bedriegt ze hem, elke nacht van haar leven, en ze wordt er doodmoe van. Ze wijst hem af, ze vergeet hem. Elke keer dat ze in een droom nee tegen hem zegt vergeet ze hem iets meer.

Ze weet nog dat hij kokend water op zijn voet kreeg en dat de blaar zo groot was als haar handpalm, en dat hij zijn sportschoen open liet met de tong eruit en een week lang niet kon lopen, maar ze weet niet meer of dat voor of na de kinderen was.

Zijn gezicht zal ze nooit vergeten. Of de groene katoenen sjaal die hij droeg. Of die keer dat hij de kano repareerde en het naar bootlak rook.

Om weer te weten hoe zijn stem klonk moet ze bedenken hoe hij iets tegen haar zei door de telefoon. Ze kon het voelen als de telefoon zou gaan. Dan kreeg ze zo'n gevoel, en dan ging de telefoon en was hij het, en dan praatten ze gewoon wat. Over de boodschappen, of ze zin had om de oppas te laten komen en uit te gaan. Had ze zin om naar de film te gaan? Als Helen zich herinnert hoe Cal door de telefoon klonk, kan ze zijn stem precies horen. Of ze weet weer hoe zijn stem klonk als ze bedenkt hoe hij zong.

Als ze in de auto zaten zei ze altijd: Zing eens iets voor me, en hij kende Bob Dylan en Johnny Cash en elk liedje dat Leonard Cohen had geschreven, en hij imiteerde zo'n zanger omdat hij het eng vond om te zingen, ook al was het alleen voor haar.

Of ze weet nog hoe hij haar hand vasthield toen John geboren werd en ze bijna al zijn botten brak, en dat hij niet bang was.

Of ze weet nog die keren dat ze de Lada moesten aanduwen om de motor aan de praat te krijgen. De vent die hun de auto had verkocht zei dat er geen achteruit op zat. Hij vroeg vijfentwintig dollar extra voor de achteruit. Dan lieten ze de twee portieren open en duwden ertegenaan en voelden hoe zwaar de auto was, en als hij begon te rijden moesten ze half meehollen en erin springen en de deuren dichttrekken, en dan kwam er gesputter en een terugslag en geschud en sloeg de motor aan, en er zat een gat in de vloer. Ze kon het asfalt onder haar voeten zien.

Ze kan het vrijen niet vergeten. Ze weet nog hoe Cal rook. Hoe hij smaakte. Hoe zijn haar en zijn krullen aanvoelden en de sproeten op zijn borst, en als hij in de tuin was geweest het randje bruine huid waar zijn T-shirt ophield, hoe roomwit zijn huid boven dat randje was. Ze likte zijn buik boven zijn spijkerbroek. Ze likte de broekband van zijn spijkerbroek en zijn gesp en de leren riem. En dan maakte ze de riem los en de drukknoop van zijn spijkerbroek en de rits, en ze drukte met haar tong op zijn katoenen onderbroek en dan met haar hele mond.

Hij liet haar klaarkomen, wachtte even en liet haar dan nog eens klaarkomen; dat ging eindeloos door, weet ze nog. Dat vergeet ze niet. En ze weet nog dat hij zijn benen om de hare had geslagen en dat zijn voeten in het bed drukten, en zijn gezicht met de ogen dicht en de kleur die hij op zijn wangen kreeg.

Ze luistert of ze zijn stem hoort voor een teken of raad. Maar ze hoort niets. Elke nacht van haar leven beleeft ze de ramp opnieuw. Ze heeft het rapport van de Royal Commission gelezen. Ze weet wat er is gebeurd. Maar ze wil in Cals huid zitten als het booreiland aan het zinken is. Ze wil erbij zijn, bij hem.

Op een middag in dat eerste jaar nadat Cal was omgekomen liet Helen Gabrielle bij haar schoonmoeder zodat zij boodschappen kon gaan doen. De oudere kinderen waren bij Louise. Aan het eind van de dag nam ze de bus terug naar Meg en ze klopte op Megs deur en wachtte, maar er werd niet opengedaan.

Het was half oktober en er lekte melk uit haar borsten en ze waren keihard en ze had pijnlijke tepels; eentje had kloven en bloedde. Het was nog warm zo laat in het seizoen en ergens in de buurt rook ze barbecue, en ze liep achterom.

Meg had de was buiten opgehangen en het gras was gemaaid. De geraniums hadden hun koraalrode blaadjes op de donkergroene veranda laten vallen. Het was heel stil in de achtertuin en Helen deed de achterdeur open en liep al roepend het hele huis door, en toen hield ze op met roepen. Ze hoorde water lopen. Water dat hard in een diepe wasbak kletterde, en er stond een wasmachine aan.

Ze vond Meg met de baby in het washok. Meg hield de baby boven de grote wastafel, en ze had de baby een lange witte jurk aangetrokken die over Megs arm hing en een klein kralenmutsje, en ze had haar ogen dicht en stond te bidden met de kraan open. Meg bad en nam een handjevol water en liet het over Gabrielles voorhoofd lopen, en Helen sloop stilletjes en ongezien weg, de gang door, en ze deed de achterdeur voorzichtig open zodat de veer niet zou piepen en rende de straat uit, de hoek om, en wachtte. Tien minuten later kwam ze terug; Meg had Gabrielle haar rompertje weer aangetrokken en de doopjurk was nergens meer te bekennen. Helen knoopte haar blouse open en Gabrielle viel direct aan en uit haar andere tepel spoten dunne straaltjes melk over de keukentafel.

Ik heb een lekkere stoofschotel, zei Meg. Ik warm wel even een bakje voor je op in de magnetron. Zo gebeurd.

Heerlijk, stoofschotel, zei Helen.

Dat kind is zo zoet geweest, zei Meg.

Cal had geweigerd de kinderen te laten dopen en er was ruzie om geweest. Hij had geweigerd. Meg was boos en gekwetst geweest. Wat kan het voor kwaad, had ze Cal gevraagd, maar hij gaf geen duimbreed toe.

Gabrielle snoof in en zoog driftig, en de andere borst begon heel snel te druppelen en op haar tepel kwam een helderrode druppel bloed die over haar borst naar beneden rolde.

Bruiloft, december 1972

Helen denkt aan Cal die zijn handen om zijn koffiekop houdt: grote, onbeholpen handen. Cal was lang, bijna een meter negentig, en zijn onhandigheid had iets gracieus. Het waren de verstarde objecten, de voorwerpen die zijn handen en armen en knieën tegenkwamen, die geen enkele gratie hadden. Cal liep alleen maar, met losse bewegingen, hij wilde erlangs en hij had geen zin om rekening te houden met de hoek van de salontafel.

Op hun huwelijksnacht brak hij een manshoge spiegel in Hotel Newfoundland.

Hij moet hem hebben aangeraakt, er op de een of andere manier tegenaan zijn gelopen, maar er leken helemaal vanzelf barsten in de spiegel te springen. Helen zag het niet gebeuren, en toen ze keek lag het hele tapijt bezaaid met spiegelscherven.

Hij ging vanzelf stuk omdat Cal er even naar had gekeken, en in die blik was al het ongeluk dat nog komen zou al samengebald. In die blik lag alles besloten en daardoor ging de spiegel aan gruzelementen.

Helen was in haar trouwjurk van de receptie vertrokken. Cal en zij lieten hun vrienden achter, en Helens gloednieuwe schoonmoeder in een glimmende paarse jurk met een grote corsage. Meg met haar bril waar de plafondlampen in weerspiegelden – ze waren in de Vrijmetselaarstempel – en Louise stond achter op de brandtrap een sigaret te roken. Helen had gehoopt dat Louise het boeket zou vangen. Maar Louise had buiten staan roken.

Aan het begin hadden ze de bruidsdans gedaan terwijl iedereen met zijn lepel tegen zijn glas tikte, en ze waren helemaal alleen op de dansvloer en Cal bracht helemaal niets van de wals terecht; ze konden het geen van beiden. Dus legde hij zijn armen maar zo'n beetje om haar heen en maakten ze al schuifelend een paar rondjes, vreselijk opgelaten en gevolgd door de schijnwerpers, en toen dook hij onder haar wijde rok om de kousenband te pakken.

Ze tilde de voorkant van haar rok op, meters satijn, en iedereen begon te joelen en te klappen en iemand trok een stoel naar het midden van de dansvloer zodat ze haar voet erop kon zetten. Cal liet zich op zijn knieën vallen, schoof tergend langzaam de kousenband naar beneden terwijl de mannen bierflesjes tegen elkaar tikten, en toen liet Helen de rok over zijn hoofd vallen. Ze liet het hele geval over hem heen vallen en hij bleef er als een clown een hele tijd onder zitten; alleen zijn schoenen kwamen eronderuit.

Hij drukte zijn mond op haar huid. Daar op de dansvloer. Met zijn hoofd als een bobbel onder haar rok, en zij legde haar handen op die bobbel, allebei haar handen. Zijn vingertoppen raakten de voorkant van haar dijen bijna niet aan. Streelden haar dijen. Ze voelde zijn hete adem door haar slipje heen terwijl ze daar stond. Ze moest haar ogen dichtdoen. Ze had het spelletje meegespeeld, zichzelf als een bezetene koelte toegewuifd terwijl iedereen stond te juichen en lachen. Iedereen zweepte hen op. En toen hij eronderuit kwam bungelde de kousenband om zijn vinger.

Na een tijdje wilde Helen weg. Ze vond Cal op de dansvloer en sleepte hem aan zijn strikje mee. Ze gaf een rukje aan één kant van het glimmende zwarte dasje, dat met een zachte *plok* losraakte, en trok het zigzag langs zijn nek omhoog. Toen nam hij het eind ervan tussen zijn tanden en sleurde zij hem stap voor stap aan zijn strikje de dansvloer af.

Iedereen ging opzij en de drummer van de band sloeg op de trom bij elke overdreven stap die Cal zette, alsof hij niet wilde, alsof zij een verleidster was, alsof dit het grote moment was, dé nacht, en zij hem ging opeten en uitspugen en hij doodsbang was. Hij zette grote angstige ogen op en gromde zo'n beetje, en toen sprong hij van de dansvloer af en roffelde de drummer en waren zij de zaal uit, de trap af.

Die nacht hadden ze de auto van zijn ouders te leen, en wat vielen ze op toen ze incheckten bij de balie van Hotel Newfoundland. Helen had andere kleren bij zich, maar ze hadden het omkleden maar achterwege gelaten. De kroonluchters en Perzische tapijten en een waterval in de lobby. Cals smoking met de zwart-satijnen biezen langs de revers en het strikje al los en zijn over-hemd vol grote ruches, met langs elke ruche een zwart biesje, en het hele geval uit zijn broek want hij vond de smoking vreselijk en stond te popelen om hem uit te trekken.

Ze waren nog maar kinderen die voor het eerst van volwassen luxe gingen proeven, en het was komisch en bloedserieus. Het verbaast Helen hoe serieus ze waren.

Krap twintig en eenentwintig jaar.

Ze was al in verwachting, maar dat was niet de reden waarom ze waren getrouwd. Of misschien ook wel. Ze hadden er zelf niet voor gekozen om te trouwen; ze deden het voor hun ouders of ze deden het voor het grote feest of ze deden het omdat ze diep van-binnen, in een zelden gebruikt deel van hun hersenen, in rituelen geloofden. Als afvallige katholieken geloofden ze onbewust dat een bruiloft hen aaneen kon smeden. Maar ze waren al aaneen-gesmeed. Helen was over tijd en had het aan Cal verteld, en hij had haar vastgehouden.

Gewoon zijn armen om haar heen geslagen, en ze voelde dat hij wou dat het allemaal niet zo snel ging. Cal wilde iets meer tijd voordat ze aan kinderen begonnen, dat voelde Helen.

Maar hij zei het niet.

Wauw, zei hij. Of hij zei: Geweldig. Of hij zei niets. Hij wreef als een bezetene met zijn hand over haar rug, alsof ze een vriend was die getroost moest worden. Een maat die een belangrijke weddenschap had verloren.

En zij had haar armen ook om hem heen geslagen toen ze hem vertelde over de zwangerschap. Ze hadden in de keuken gestaan. Cals trui rook naar sigaretten en ze duwde haar gezicht tegen zijn borst en voelde de ruwe wol tegen haar voorhoofd, wreef met haar gezicht over die ruwheid. Het was zijn Noorse trui met de suède stukken op de ellebogen omdat die waren doorgesleten en zijn moeder had gezegd: Laat die trui maar hier. Ik zal die ga-ten wel maken.

Nu kwam: Wil je met me trouwen? Of: Nu moeten we zeker

trouwen? Of er viel een korte stilte waarin Cal zijn moed bij elkaar raapte. Het ging tenslotte om een baby. Ze hadden het wel over een baby. Voor Helen had twintig jaar heel oud gevoeld, heel volwassen, maar voor Cal voelde het alsof ze allebei nog maar net kwamen kijken.

Wauw, zei hij.

In Hotel Newfoundland tilde de piccolo Helens sleep op om haar de lift in te helpen. Iemand gaf een knipoog. Een zakenman die op de bank in de lobby een krant opensloeg gaf Cal een knipoog. Helen kan zich de piccolo herinneren, voorzichtig met al dat satijn. Hij had een watje in zijn oor.

De deuren van de lift gingen onwaarschijnlijk zachtjes dicht en Helen legde haar hand op de ruches van Cals overhemd en duwde hem tegen de achterwand van de lift, en ze ging op haar tenen staan om hem te kussen, tegen hem aan gedrukt, en toen gingen de deuren open. Er stond een ouder echtpaar te wachten, en toen ze zagen dat ze hem kuste en ze de jurk zagen, deden ze een stap achteruit en ze gingen de lift niet eens in.

Cal was zo lang dat Helen soms in de keuken op een stoel ging staan om hem goed te kunnen omhelzen. Dan sleepte ze de stoel erbij en klom erop en dan draaide hij zich om van de eieren die op het fornuis stonden te bakken en begroef zijn hoofd tussen haar borsten en sloeg zijn armen om haar heen en kneep haar fijn, en zij kuste hem boven op zijn hoofd. En dan ging hij verder met eieren bakken. Hij had altijd keihard muziek op staan als hij het ontbijt klaarmaakte.

Cal stak de sleutel in het slot van de hotelkamer en deed de deur open; het was een grote kamer en toen ze uit het raam keken, konden ze de hele stad zien. Het sneeuwde. Het sneeuwde in de haven en op de schepen die voor anker lagen met hun roestige zijkanten en scherp gewelfde boeg en oranje reddingsboeien opgestapeld op het dek, allemaal onder de sneeuw; en het sneeuwde op de witte olietanks op de South Side Hills en op de auto's in Water Street, waarvan de zwakke koplampen smalle waaiers van vallende sneeuwvlokken deden oplichten, en het sneeuwde op de basiliek. En op de kerstlichtjes die langs Water Street waren gespannen.

Toen deed Cal heel langzaam haar rits naar beneden, helemaal tot onder aan Helens rug, waar hij er een ruk aan moest geven omdat hij vastzat. Hij liet zich op het grote bed vallen. Helen stroopte de hele jurk af, trapte de bergen jeukende tule met haar lakleren naaldhakken van zich af.

En Cal had even in de hotelspiegel gekeken. Zijn gezicht met de sproeten en scherpe intelligentie, en zijn slungelige armen en ongebruikelijke kleren – hij had niets aan onder het smokinghemd en hij had de broek in de badkamer op de grond gegooid, het jasje op het bureau – en zijn zwarte krullen en zijn grote blauwe ogen, en de zachtheid en humor die ze uitstraalden, en alle keren dat ze nog met elkaar zouden vrijen. Helen herinnert zich de onversneden energie die nodig was om de boel vanaf dat moment draaiende te houden, de ene baby na de andere, en de baantjes, de rekeningen, skipakken, etentjes, teleurstellingen – soms voelde ze een verlammende teleurstelling – avondjes uit, waarna ze wankelend in elkaars armen naar huis liepen, elkaar de heuvel op slepend, en de sterren boven de Kirk, graffiti op de keermuur; dat zat op hun huwelijksnacht allemaal in de spiegel in Hotel Newfoundland en – PANG – Cal keek er even naar en er sprongen barsten in de spiegel die helemaal tot de mahoniehouten sierlijst vol tierelantijnen liepen, en het kwam allemaal op het tapijt terecht, een stuk of vijftig puntige scherven. Of de spiegel was kromgetrokken, of hij bokte, of hij rimpelde als een golf en spatte op het tapijt en stolde daar tot harde, puntige scherven. Het ging zo snel dat Cal voor hij het wist op blote voeten over het glas liep, zonder zich te snijden. Niet dat de gebarsten spiegel hun ongeluk bracht. Daar geloofde Helen niet in. Maar alle ongeluk dat komen zou lag in Cals blik besloten, en toen hij naar de spiegel keek knalde het ongeluk eruit.

Ze dachten niet eens aan de spiegel omdat ze aan het vrijen waren, en na afloop bestelden ze spareribs en trokken de badjassen aan en vulden de hele badkamer met stoom terwijl ze elkaar inzeepten onder de douche, die zo heet was dat ze er roze van werden, en toen gingen ze op bed liggen en probeerden de tv uit.

Ze waren nog kinderen die probeerden volwassen te doen. Het eens uitprobeerden. Geen idee waar ze aan begonnen. Deden alsof ze groot waren.

Maar Helens moeder had gelijk: Als je die blik niet van je gezicht haalt, waait de wind straks uit een heel andere hoek.

Helen en Cal aten de spareribs en vreeën en lieten de zware deur naar de wereld dichtvallen en sloegen de spiegel stuk of liepen door de spiegel naar de andere kant, en toen waren ze van de ene op de andere dag volwassen. Ze waren van de ene op de andere dag veranderd, of in een oogwenk. Ze waren getrouwd.

Helen kan bijna in tranen uitbarsten als ze alleen al denkt aan Cals gele regenjas die tot zijn dijen kwam en de rubberlaarzen die hij toen altijd droeg en de Noorse trui met de verstelde ellebogen, en hoe hij een tijdlang zelf sigaretten rolde, wat ongekend was (hij had andere eigenaardigheden: hij maakte zelf yoghurt en tofu, had wietplanten, experimenteerde met knoopverven), en dat hij een huisje aan de andere kant van de baai wilde voor in de zomer, en dat de kinderen per ongeluk kwamen, stuk voor stuk. Cal was natuurlijk een lezer, hij las alles wat hij in handen kreeg. Ze lazen allebei. Helen had een boek in haar reistas en Cal ook, en nadat ze hadden gevreeën en gedoucht en de tv-kanalen langs waren gegaan en hadden gegeten en nog wat bier hadden gedronken, pakten ze allebei hun boek en deden ze de bedlampjes aan. Zo vielen ze in slaap. Cal met een boek op zijn borst.

Ze trokken zich geen van beiden iets aan van de kerk; wat de kerk ook vond van geboortebeperking, ze negeerden het compleet. Het probleem was dat er voor het idee van geboortebeperking gewoon geen plaats was in hun hoofd. De geur van latex en zaaddodende pasta – dat hadden ze misschien de eerste paar keer gedaan. Geboortebeperking was lastig geweest om vol te houden. Heb jij condooms? Ik dacht dat jij ze had. Ik dacht dat jij ze had.

En toen Helen had ontdekt dat ze zwanger was, had ze gedacht: Het is een jongetje, en hij lijkt vast op Cal en mijn zoon wordt net zo: zwart haar en blauwe ogen en in zijn kielzog duizenden barstende spiegels.

Maar John leek natuurlijk helemaal niet op Cal. Hij was niet onhandig en hij leek op haar, sprekend Helen.

Jane vertelt het aan John, november 2008

Jane staat op het vliegveld van Toronto. Ze was op weg geweest naar huis, naar Alberta, en in de terminal van Pearson Airport kwam ze tot de ontdekking dat ze niet naar huis kon. Ze had in een mudvolle Tim Hortons koffieshop gezeten met appel-kaneelthee en haar laptop. Ze had een e-mail gekregen van haar vader. De baby had met een teen in haar ruggengraat geprikt. Met een teen of met een priem.

Een jonge vrouw met getekende wenkbrauwen staat achter de toonbank van de Tim Hortons. Ze heeft de lieve glimlach en de schilferige, glimmende huid van iemand die aan de antidepressiva is, en ze heeft een litteken, een zachte witte kronkel, van haar neus tot de bovenkant van haar misvormde lip.

De klant vóór Jane had om een haver-rozijnenkoek gevraagd en het meisje, met haar brede achterwerk in een polyester broek geperst, zag niet waar de haver-rozijnenkoeken lagen.

Recht voor je neus, zei de klant. De mollige hand van het meisje met het blaadje vetvrij papier ging aarzelend over de donuts en er klom een blos in haar nek omhoog.

Haver-rozijnen, zei de klant. Ze droeg een glimmende zwarte plastic jas die kraakte toen ze haar arm optilde om te wijzen. Een clean, ongecompliceerd geluid. Jane was blij om weer terug te zijn in Canada. Ze had genoeg van New York, van de goorheid en het scherpe nasale accent en de armoede die ze had vastgelegd – *onversaagd* had haar promotor gezegd – voor haar proefschrift. Ze vertrok na vier jaar, net toen het de goede kant op ging.

De tweede plank van onderen, zei Jane. De derde bak. Nee, de derde. Een, twee, ja. Jane luisterde hoe de vrouw haar armen van elkaar deed, het kussende geluid van het vochtige plastic. Ze dacht aan de sneeuw boven een stoppelveld thuis en de Rocky Mountains in de verte, wazig en met besneeuwde toppen. Ze zat boven op een euforische golf van hormonen.

Haver, zei de klant weer.

Rozijnen?

Haver. Rozijnen.

Het meisje van de koffieshop griste een koek uit de bak en liet hem in een papieren zakje vallen. Anders nog iets? vroeg ze. Er hing een gouden ringetje als een druppel aan haar neus. Toen pakte het meisje Janes thee en bleef ermee in haar hand staan, en staarde voor zich uit met een blik die misschien voortkwam uit een verlammend ontzag, of die een langgerekte gaap zou kunnen zijn. Ze riep zichzelf even tot de orde en zette de beker op de toonbank.

Wanneer ben je uitgerekend? vroeg het meisje.

In februari, zei Jane.

Ik heb er thuis drie, zei het meisje. Mijn hersenen zijn er tegelijk met de placenta uit gekomen. Maar het is niet zo erg want ik woon vlak bij het vliegveld dus naar mijn werk gaan is geen probleem. Mijn moeder springt bij.

Jane ging aan een tafeltje zitten, haalde het deksel van de thee en de stoom rook naar appel, en ze voelde het handje van de baby – ze dacht dat het een handje was – friemelen in haar harde buik.

Toen las ze haar vaders e-mail. Jane zou toch niet bij haar vader gaan logeren. Met een verfrommeld papieren servetje drukte ze op haar ogen, eerst op het ene, toen op het andere.

We kunnen het wel alleen af, fluisterde Jane tegen de baby. Ze had eigenlijk gedacht, alle zes maanden die de zwangerschap nu duurde, dat haar vader haar wel zou helpen. Misschien zou hij haar naar zwangerschapsgymnastiek rijden, had ze gedacht. Jane mocht vast bij haar vader logeren totdat ze de boel op de rit had. Maar uit de e-mail die Janes vader schreef, bleek duidelijk dat hij zich afvroeg wat haar in godsnaam bezielde.

Janes New Yorkse universiteitsvriendinnen waren nogal opgewonden geweest toen ze hun vertelde dat ze geen contact had gezocht met de vader van het kind. De vriendinnen hadden een babyfeest voor haar gegeven in het piepkleine appartementje van haar collega Marina – hooguit tien vrouwen van antropologie – en ze waren zachter gaan praten toen ze het over alleenstaand ouderschap hadden. Ze klonken vol ontzag. Ze waren allemaal halverwege de dertig en de meesten van hen hadden geen kinderen omdat ze helemaal opgingen in hun academische carrière.

Maar ze waren opgetogen over het feestje. Bij wijze van parodie hadden ze oude spelletjes nieuw leven ingeblazen. Een van hen, Lucy, had een videocamera bij zich omdat ze het materiaal dat dat opleverde wilde gebruiken in haar college feministische kritiek. Ze aten ouderwetse hapjes. Komkommersandwiches van wit brood zonder korst, gelei met fruitcocktail uit blik, saucijzenbroodjes. Jane moest met ovenwanten een panty over haar spijkerbroek aantrekken. Haar vriendinnen trokken haar een positiebruidsjurk van wc-papier aan. Iedereen had de kans gekregen om een deel van de jurk te ontwerpen, en de prijs – een handmatige melkopschuimer – ging naar Elena, die een queue op Janes billen had gemaakt waarin een hele rol wc-papier was verwerkt.

Iemand gaf een kristallen schaal met gevulde eieren door en de zwavelige geur deed Jane denken aan het water dat uit de kraan kwam in het appartement in Reykjavik waar John O'Mara en zij maanden geleden een week hadden gezeten. De douche en de keukenkraan in Reykjavik stonken, zelfs als ze het water vijf minuten had laten doorlopen, maar John verzekerde haar dat je het kon drinken. Jane raakte in de war van de gevulde eieren.

Het is jouw lichaam, absoluut, zei Janes vriendin Rhiannon. Die vent wist toch dat hij een risico nam? Ik bedoel, hij was niet helemaal achterlijk. Rhiannon stopte een half ei in haar mond en leek het zonder kauwen door te slikken.

Jane lag op de grond terwijl een andere vriendin, Michelle, een naald aan een draadje boven Janes buik hield. De naald draaide kringetjes en stopte en zwaaide recht heen en weer en begon toen weer kringetjes te draaien. De naald kon maar niet kiezen.

Misschien is het wel een hermafrodietje, zei Gloria.

Michelle vertelde Jane over een nicht die wel acht uur had moeten persen, en de baby was al die tijd met het hoofdje tegen haar schaambeen klem blijven zitten.

Dan schijnt de pijn het ergst te zijn, zei Michelle.

Stel je voor – te groot, zei Rhiannon. Ze trok een gezicht alsof het ei in haar slokdarm was blijven steken. Ze gaf zichzelf een stomp.

Heeft de vader van het kind een groot hoofd? vroeg Michelle.

Jane stond op en begon haar bruidsjurk van wc-papier los te wikkelen. Maria stapelde de papieren bordjes op en haalde een stuk blauwe serpentine weg dat boven de doorgang naar het keukentje had gehangen en begon het strak op te rollen.

Je kent die vent eigenlijk niet eens, zei Elena.

Na afloop van het feestje had Jane Keri Farquharson gebeld, die al van jongs af aan haar beste vriendin was, een zeebioloog met drie blonde labradors en een kersverse echtgenoot, die onlangs naar Maine was verhuisd. Jane had het voor zich uit geschoven om Keri over de baby te vertellen.

Ik ben een week met die man samen geweest, zei Jane. Bijna zeven maanden geleden.

Je moet hem bellen, zei Keri. De honden blaften op de achtergrond en Jane hoorde Keri de deur opendoen, en zo te horen vlogen de honden een enorme open ruimte in. Toen viel er een hordeur dicht.

Jane werd overvallen door een huilbui en ze wist niet of ze wel kon praten.

Jane, zei Keri.

Jep, zei Jane. Maar het kwam er hoog en pieperig uit.

Je moet hem bellen, zei Keri. Ze moest naar de keuken zijn gelopen want Jane hoorde water koken en een pannendeksel in de gootsteen kletteren.

Ik kan het maar beter alleen doen, zei Jane. In haar borst was een intens verdriet opgeweld. Ze kon alleen maar in horten en stoten praten. Keri kon vlijmscherp zijn. Daarom had Jane haar uiteindelijk gebeld.

Denk je niet dat je kind later wil weten wie zijn vader is? vroeg Keri.

De baby schopte en duwde een elleboog onder Janes rib. Ik ben nu echt een olifant, zei Jane.

Je moet aan de baby denken.

Ik dénk ook aan de baby. Maar Jane had aan John O'Mara gedacht, en de avond waarop ze samen in de bar met de Cubaanse muzikanten waren geweest. Reykjavik om vier uur 's nachts, en het was nog steeds licht met lange schaduwen, maar het was kil en John en zij waren allebei dronken. Arm in arm, op de binnenplaats voor de bar. De volgende dag waren ze vroeg in de middag wakker geworden en heel Reykjavik was uitgelopen voor een grote optocht. Het was Onafhankelijkheidsdag. De menigte zwaaide met vlaggetjes en in de buurt van de haven ketende een krachtpatser zichzelf vast aan een vrachtwagen. De man was van plan om de truck een paar meter te verplaatsen door er met volle kracht aan te trekken.

Ik wil niet afhankelijk zijn, zei Jane tegen Keri. Maar in werkelijkheid durfde ze niet onder ogen te zien dat John misschien kwaad of stuurs of sarcastisch of iets anders zou zijn dan... maar ze kon er zich niets bij voorstellen. Haar vriendinnen in New York hadden gelijk: Jane kende hem nauwelijks. Haar voorstellingsvermogen verplaatste zich naar haar ribben, en de baby had er een elleboog onder geduwd en zorgde ervoor dat ze gevoelloos werden, en ze kon zich John totaal niet voorstellen.

Die extra week in Reykjavik was Johns idee geweest. Janes conferentie was afgelopen en ze stond op het punt om terug te gaan naar New York, waar ze de laatste hand legde aan haar proefschrift, en John had gezegd: Blijf bij me. De komende week heb ik een appartementje.

Er viel licht in schuine banen door de stoffige ramen van het café, en boven hun hoofd hing sigarettenrook als uitgerekte toffee.

Ik betaal het allemaal wel, zei John. Later, toen ze allebei tegelijk uit de wc kwamen, had John haar tegen een groezelige muur geduwd en zijn knie tussen de hare gedrukt, zodat ze zachtjes uit elkaar gingen. Hij schoof zijn duim onder de manchet van haar blouse en cirkelde met zijn duim over de binnenkant van haar pols, bijna zonder aanraken. Het was helemaal door haar heen gestroomd. Alsof je een suikerklontje door een kop thee roerde. Hij roerde geilheid door haar lome dronken wezen. Toen ze weer aan tafel zaten hield hij het eind van haar lange zijden sjaal vast, speelde ermee, liet het heen en weer gaan tussen zijn vingers. Hij pakte het uiterste puntje ervan en hield het tegen zijn lippen. Iemand aan tafel zei dat er in zee een vulkaan omhoogkwam. Je zou een eiland uit de zee zien oprijzen. Iemand zei dat de gletsjer schitterend was.

En buiten op de stoep in Reykjavik waren de ramen van de gebouwen aan de overkant van het plein knalroze en twinkelend, en Jane liet John zijn arm om haar schouders slaan.

Het had een week geduurd. Meer niet. En daarom was Jane lange tijd van plan om hem niet over de baby te vertellen. Ze stond in haar appartement in New York bij de aanrecht en hoorde zichzelf zijn naam oefenen, alsof ze op het punt stond hem te bellen en zo tussen neus en lippen door te zeggen: *Ik ben zwanger*, en zijn naam had meer geklonken als een klank dan als een naam, een klank ontdaan van alle betekenis.

Je moet doen wat goed voor jou voelt, zei Keri. Ze sloeg ergens mee in de gootsteen, een pollepel. Drie korte tikken. Het klonk als een hamer die een rechtszitting opheft.

Ik moet hier opruimen, zei Keri. Bill kan elk moment thuiskomen. En dus nam Jane afscheid van Keri en belde John, en John begon over abortus – *Waarom heb je geen abortus laten plegen?* – en ze hing op.

Bijna direct daarna kreeg ze het idee: Janes vader zou het vast goed vinden als ze kwam logeren. Janes vader zou grootvader worden. Hij kon haar helpen. Ze had haar vader gemaild en haar koffers gepakt en de volgende dag al het vliegtuig terug naar Canada genomen.

Janes moeder was vijf jaar eerder overleden aan borstkanker, en iets meer dan een jaar later was haar vader hertrouwd met een vrouw die Glennis Baker heette. Dat vertelde Janes vader haar in een e-mail – de eerste die ze ooit van hem had gekregen: dat hij ging trouwen met een vrouw die software voor klimaatbeheersing ontwierp. Niet zonder bijbedoelingen had hij iets gezegd over stevig grip krijgen op de moderne technologie en heel veel andere nieuwe dingen.

Glennis Baker stelde zich bescheiden en niet afstandelijk op naar Jane, maar ze hadden elkaar maar één keer gezien tijdens een kort kerstbezoekje toen Jane tussen twee semesters in thuis was. Als Jane aan Glennis dacht, dan dacht ze aan handschoenen die op de eettafel lagen. Zwartleren handschoenen waar de vorm van Glennis' grote handen nog in zat, met glimmende knokkels, de vingers omhoog gekruld en in de palm van één handschoen de huissleutels. Jaren geleden had Janes moeder een handgemaakt sleutelrekje gekocht dat altijd achter op de veranda hing. Het rekje was van gelakt hout waarop boven kleine koperen haakjes hun achternaam was geschroeid. Het was gemaakt in de gevangenis waar Janes moeder maatschappelijk werkster was geweest en aan het hoofd van de reclassering stond. Het sleutelrekje was nu van de veranda verdwenen, maar de verf was minder verkleurd waar het bordje had gehangen en de schroefgaten in de muur zagen eruit of het pas was weggehaald. Toen Jane thuis was voor Kerstmis deed haar vader ineens allerlei klusjes die hij nog nooit had gedaan: de was sorteren, de afwasmachine inruimen. Hij droeg andere kleren. Hij had opengedaan in een roze vest van sweatstof.

Janes vader had een manege met meer dan veertig trailpaarden en vier voltijdwerknemers. Jane had stallen uitgemest en water en hooibalen versleept en in de zomer het kassahokje bemand, de toeristen een afstandsverklaring van verzekering laten tekenen voordat ze de wei in liepen waar de paarden gezadeld en wel stonden te wachten met de teugels aan het hek gebonden.

Het was een zonnige jeugd geweest waarin ze elk seizoen buiten doorbracht. Jane had haar ouders nooit ruzie horen maken. Hun huwelijk werd gekenmerkt door een totaal gebrek aan turbulentie en hield vijfenveertig jaar stand. Janes vader was een energieke man met een veeleisend bedrijf waaruit hij veel voldoening haalde. Een jaar nadat zijn vrouw was overleden was hij met schrikbarend gemak aan een nieuwe relatie begonnen.

Maar drie jaar geleden was er tijdens een zesdaagse tocht naar de Stampede in Calgary een ongeluk met de rodeopaarden gebeurd waardoor hij kwetsbaar en ondoorgrondelijk was geworden. De kudde was geschrokken van een trein toen ze aan de rand van de stad een brug overstaken, en negen wilde paarden waren in de gezwollen kolkende rivier gevallen en hadden hun been, rug of nek gebroken.

Janes vader was ingehuurd om de toeristen te begeleiden. De dood van de wilde paarden leek hem meer te hebben aangegrepen dan de dood van zijn eerste vrouw, die hij met afwezig fatsoen had doorstaan. Na het ongeluk met de paarden belde hij Jane en zat hij lange tijd te huilen. Haar vader beschreef hoe de dieren schuimbekten, hun doodsangst, het wit van hun ogen terwijl ze probeerden hun hoofd boven water te houden, en hoe ze uiteindelijk voorgoed kopje-onder gingen en hij alleen maar vanaf de oever kon staan kijken hoe ze omkwamen. Ik had al een slecht voorgevoel, zei haar vader. Die tocht had nooit mogen doorgaan.

Een paar maanden na het ongeluk had Jane weer een e-mail van haar vader gekregen. Hij leek zijn apathie te hebben afgeworpen; hij had zich aangesloten bij de Ridders van Columbus. Die mededeling liet hij volgen door drie uitroeptekens. Het gaat veel beter, schreef hij. Hij had *veel* in hoofdletters getypt. Hij zag Glennis steeds minder vaak, zei hij, want haar werk slorpte al haar aandacht op. Hij schreef dat hij nu in naam van Janes moeder elke maand geld overmaakte naar een dierenrechtenorganisatie. Hij was die ochtend nog bij het graf van Janes moeder geweest, zei hij, met een bosje rozen van de supermarkt.

Ik vind het een fijn idee als een graf goed wordt onderhouden, schreef hij. Ik zit erover te denken een nieuwe steen te laten maken, zei hij. Ze hebben een nieuw stuk grijs gevlekt marmer bij een steenhouwerij in de stad, die ziet er zachter uit dan die massieve zwarte. Ik zit te denken aan een glanzende afwerking. Je moeder was een stijlvolle dame, schreef hij. Een graf moet je onderhouden!

Jane wist zeker dat hij had nagedacht over die laatste zin met dat ene uitroepteken, als een soort verontschuldiging. Maar ze kon zich niet bezighouden met de schrijnende kalmte in de e-mail. Ze was bezig met haar proefschrift. Hij heeft een nieuwe vrouw, dacht Jane. Laat die er maar voor zorgen.

Jane zat in de Tim Hortons op het vliegveld van Pearson toen ze de e-mail van haar vader over de baby opende.

Dat kind heeft een vader nodig, schreef hij. Voor zover hij Janes situatie overzag, zei hij, had ze geen enkele financiële zekerheid. Ze kon niet verwachten dat ze een ander voor de kosten kon laten opdraaien omdat zij onvoorzichtig was geweest. Zo'n manier van denken leverde precies het soort chaos op waar de wereld zich nu in bevond. Hij vroeg zich af of ze er wel eens aan had gedacht hoe hij er financieel voor stond. Had ze zich gerealiseerd dat hij elke cent die hij in de loop der jaren had verdiend had gespaard en geïnvesteerd, en dat hij die investeringen elke dag verder in elkaar zag schrompelen? Binnenkort moest hij misschien wel een paar paarden verkopen. Misschien zelfs iemand ontslaan. Die jongens zijn trouw geweest, schreef hij. Alsof het zoons waren.

Hij vertelde Jane ook dat Glennis Baker bij hem was weggegaan en dat ze een bijzettafeltje had meegenomen dat Janes moeder zelf opnieuw had gepolitoerd tijdens een cursus die ze samen met de gevangenen in de bak had gevolgd, en dat hij dat bijzettafeltje later aan Jane had willen geven. Hij vroeg Jane: Denk jij wel eens aan iemand anders dan jezelf? Ze had haar studie nog niet afgemaakt, hielp hij haar herinneren. Jane maakte een vergissing. Adoptie is de enige oplossing, schreef haar vader. Hij hoopte dat ze zou doen wat het beste voor de baby was. Godzijdank hoeft je moeder dit niet meer mee te maken, schreef hij. Ik ben blij dat je moeder er niet meer is.

Nu zoekt Jane naar haar telefoon, maar als ze hem vindt drukt ze hem alleen maar tegen haar borst.

Het meisje van Tim Hortons heeft zichzelf achter de toonbank vandaan gewurmd en gaat systematisch de tafeltjes langs met een spuitfles blauw desinfecterend middel. Bij Janes tafeltje blijft ze staan, legt één hand op de rugleuning tegenover Jane en leunt voorover. Haar traag knipperende ogen nemen Janes gezicht in zich op en het mobieltje in Janes hand en de hand die Jane tegen haar borst drukt. Het meisje ademt in door haar tanden en slaakt een diepe zucht.

Wil je nog iets drinken? vraagt ze.

Johns lucide dromen, november 2008

De avond na het verbijsterende telefoontje van Jane zat John in een jeugdherberg in Tasmanië. Hij had bijbetaald voor een privékamer, maar in de keuken aan het eind van de gang stond een vrouw uit Sydney te koken, samen met haar dochter. Hij liep de keuken in, en toen hij ging zitten schraapte de stoel over de tegels.

Hij begon meteen over Jane en de baby. Hij vertelde over IJsland. Hij vertelde het hele verhaal. De vrouw uit Sydney stond uien te hakken, met de ene hand op het heft van het mes en de andere boven op het lemmet. Het mes ging keihard op en neer en de fijngesnipperde ui hoopte zich op, en John kreeg pijn in zijn neus en tranen in zijn ogen.

Ik ben ook in IJsland geweest, zei de vrouw. In IJsland is mijn keel doorgesneden. Toen John keek, zag hij een dik wit litteken over haar hals lopen.

De nacht ervoor had hij gedroomd over een vliegmachine met trapaandrijving, krakerig en met een soort dierenhuid over de vleugels gespannen. In de droom had hij besloten om thuis in St. John's op het dak van Atlantic Place te landen. Zo oefende hij in lucide dromen. Hij werd zich ervan bewust dat hij droomde en probeerde de droom bij te sturen. Hij probeerde hem naar zijn hand te zetten. Ditmaal wilde hij de vliegmachine laten landen op het dak van een gebouw een paar straten bij zijn moeder vandaan. Dan zou hij de brandtrap af gaan en naar huis lopen.

In de droom was het hem gelukt om tot de rand van de stad te vliegen. Maar op het laatste moment verloor hij z'n grip op het droomlandschap en belandde hij in een moeras vol veenbramen.

Toen ik nog studeerde, zei de vrouw in de keuken, werkte ik in IJsland in een kabeljauwfabriek. Jaren geleden. Ik stond aan een lopende band die over een lichtbak ging. Ik controleerde de kabeljauw op wormen.

Ze liep met de snijplank naar het fornuis en schoof de berg uien in de pan, en de hete olie siste knetterend. Controleren op wormen, de ene filet na de andere, zei ze. Ze schoof de spatel onder de uien, die vastkleefden, en schudde ze om.

Plotseling schoot John te binnen dat hij de avond daarvoor ook had gedroomd over een vis op een hakblok, en in die droom had hij zichzelf gedwongen de vis heel nauwkeurig te bekijken zodat hij elke afzonderlijk schub kon zien, iriserend en zilver, met een zweem van bloed. Maar toen hij bij de kieuwen van de vis kwam, verloor de huid zijn schubben en werd roze en rimpelig, en de vis had een babygezichtje. Hij was uitgeput wakker geworden.

De dochter van de vrouw zat kauwgum te kauwen en was een jaar of zeven. Het kind zat met een opgetrokken knie op de stoel een stripboek te lezen.

Een of andere vent uit Engeland, zei de vrouw. Hij komt binnen, besluit een grap uit te halen en richt de waterspuit op mij, hij had geen idee hoeveel kracht er achter zo'n ding zit. Het was een hogedrukspuit om betonnen vloeren mee schoon te spuiten.

Iedereen in de fabriek stopte met werken, zei de vrouw. De machines vielen allemaal tegelijk stil. Ze schepte twee handenvol taugé op, deed haar handen uit elkaar en liet de taugé bij de uien vallen.

Ze stonden allemaal naar me te kijken, zei ze. Ik voelde aan mijn keel en toen ik naar mijn vingers keek zaten ze onder het bloed, en voor ik het wist kreeg ik geen adem meer. Het water van de hogedrukspuit had mijn keel doorgesneden en ik kreeg geen adem meer en ik viel flauw.

Na de dood van zijn vader had John telkens weer dezelfde, levensechte nachtmerrie. Lange tijd glipte er elke nacht een geest door de deur van zijn slaapkamer. Een kwade geest in de vorm van een wolk, nat en koud. De wolk kolkte over zijn bed, vol weer en sterren, en nestelde zich op zijn borst en werd steeds zwaarder, en John voelde dat een verlamming zich van hem meester maakte tot hij zich niet meer kon verroeren. Dan nam de wolk de gestalte aan van een naakte oude vrouw die met haar handen zijn keel dichtkneep. Hij had het gevoel dat hij stikte. Soms was het een oude vrouw, soms bleef het een wolk, maar hij had altijd het gevoel dat hij wakker was, alert van paniek, en dat hij geen adem kreeg.

Dan werd John echt wakker, badend in het zweet en met zijn haar aan zijn gezicht geplakt, soms schreeuwend. Als hij schreeuwde kwam zijn moeder hem troosten. Hij ging slapen met zijn bedlampje aan en wilde per se dat alle slaapkamerdeuren in huis 's nachts open werden gelaten. Een oude vrouw van wie het gezicht telkens veranderde; soms had ze helemaal geen gezicht, maar klom ze toch boven op hem.

Johns moeder had hem naar de schooldecaan gestuurd. Die zei dat John bezoek had gehad van de plaatselijke oude toverkol. Hij zei dat ze op het platteland van Newfoundland een zogenaamde heksenplank gebruikten. Een stuk hout waar aan één kant spijkers door zijn geslagen dat je kon vastgespen op je borst, met de spijkers naar boven, zodat de heks niet op je kon gaan zitten. Het was bijgeloof; het was niet waar. Niemand gebruikte echt een heksenplank, zei de decaan, maar de oudjes vertelden erover.

De decaan had verteld dat er in het Newfoundland Museum in Duckworth Street een heksenplank hing die was gemaakt door een kunstenaar.

De decaan had ook gezegd dat John er de hertenleren jurk en mocassins van Shanawditith kon zien, de laatste Beothuk. Shanawditiths schedel was naar het British Museum gestuurd en verloren gegaan tijdens de bombardementen op Londen, samen met een hele hoop andere schedels die als trofeeën uit alle hoeken van de wereld waren verzameld. Honderden schedels in glazen vitrines, had de man gezegd, en het dak kwam naar beneden en het glas sprong kapot en alle schedels rolden door elkaar en dat was het dan, je wist niet meer wie wie was.

Ze brachten me naar het ziekenhuis, vertelde de vrouw aan John. Ze stond een kipfilet in dunne reepjes te snijden. En ze hebben me gehecht.

Ik heb een fles wijn, zei John.

Ik heb wel zin in wijn, zei de vrouw. Het meisje sloeg een bladzij van haar stripboek om en blies een bel die als een masker over haar neus en kin kapot spatte.

Het was dag en nacht donker in IJsland, zei de vrouw. Ze stond op haar tenen om iets uit een kastje te pakken, maar ze kon er niet bij. Ze trok een stoel bij en ging erop staan om de borden te pakken. Ik heb de zon geen enkele keer gezien.

John wist dat hij haar had moeten helpen, maar hij zat aan het telefoongesprek met Jane te denken. Hij zat eraan te denken dat Jane had opgehangen en dat hij haar met geen mogelijkheid kon bereiken.

De vrouw zette drie borden op tafel met messen en vorken ernaast, en ze nam het deksel van de pan met basmatirijst. Er steeg een enorme wolk stoom op. Het deksel was heet en viel kletterend in de gootsteen.

De godganse dag controleren op wormen, zei de vrouw. Die stank van vis. En toen mijn keel. Die Engelsman boven op me, met zijn handen om mijn keel. Om mijn keel dicht te houden.

Kennelijk had de decaan John duidelijk willen maken dat hij terecht bang was. Er waren heel reële dingen in de wereld om bang voor te zijn. Hij had John een paar manieren aan de hand gedaan om lucide te kunnen dromen. Die helpen je ermee om te gaan, had hij gezegd.

Dat is niet het enige, had John tegen de decaan gezegd. Hij ging verzitten, schopte ritmisch met één voet tegen het bureau voor hem. Ze doet dingen.

Seksdingen, had de decaan gezegd.

Afschuwelijk, had John gezegd.

Je krijgt een orgasme, had de decaan gezegd.

Ja, dat, had John gezegd.

Ik hoop dat je van gember en Spaanse peper houdt, zei de vrouw. Er zitten nogal hete kruiden in het eten.

Waar is haar vader? vroeg John. De vader van het meisje?

Ik heb geen vader, zei het meisje. Ze sloeg een bladzij van haar stripboek om.

Toen ik in IJsland was, zei John, toen was het vierentwintig uur per dag licht. We hebben geen seconde geslapen.

Geintje, 1981

Cal werd wakker omdat er iemand op zijn deur bonkte. Mannen die schreeuwden dat het platform aan het zinken was. Het zinkt. Hij sprong uit bed om het licht aan te doen en zijn voeten werden nat. Er kwam water onder de deur door en nog meer langs de deurpost en de deur zat klem. De deur werd ergens door geblokkeerd en hij bonkte erop met zijn vuisten. Hij moest de lamp hebben geraakt, want het licht stond te wiebelen op het nachtkastje, en hij schreeuwde: Laat me eruit, er zit hier iemand, laat me eruit.

Cal vertelde Helen het verhaal bij een bord spareribs. De deur ging open en daar stonden de jongens, brullend van het lachen.

Ze lagen dubbel. Ze hadden een emmer water door de kier gegoten en de deur dichtgehouden, en geluisterd hoe hij daar tekeerging.

Er zit hier iemand, er zit hier iemand.

Ze kwamen niet meer bij, zei Cal. Stonden daar aan de andere kant van de deur te lachen.

Helen zette het bord voor hem neer. Ze had de spareribs even aangebraden, er een fles barbecuesaus overheen gegooid en het vlees toen de hele dag op een lage stand in de oven gezet, en het hele huis rook ernaar. Het was zijn lievelingskostje.

Ze zaten vaak met z'n tweeën in de keuken en dan nam Helen een biertje. Cal keek altijd naar zijn bord voordat hij begon te eten. Met zijn armen op tafel.

Het zag eruit alsof hij zat te bidden, dacht Helen, maar hij nam even de tijd om te voelen dat hij vaste grond onder de voeten had.

Het platform was zo groot dat de mannen het water niet onder zich voelden bewegen, maar als ze aan land kwamen voelde hun evenwicht opvallend anders aan. Dan zat Cal daar met het bord voor zijn neus en werd hij zich ervan bewust hoe vast de vloer was, en de tafel en het huis en de grond onder het huis.

Dan streek hij de aardappelpuree glad met zijn vork. Zo begon hij altijd, de puree gladstrijken, de doperwten met de zijkant van zijn vork in een hoek duwen.

Helen zorgde altijd dat de kinderen vroeg hadden gegeten op de eerste avond dat Cal thuis was van het platform. De kinderen liepen hem zowat omver als hij binnenkwam. Ze haalden hem onderuit. John klom op Cals nek, Cathy sloeg haar armen en benen om hem heen, Lulu lag plat op de grond en pakte zijn enkel beet. Dan wankelde hij met kinderen en al de woonkamer in. Of hij kwam binnen en zij bleven tv-kijken. Dan liepen ze naar hem toe met hun ogen nog op de tv gericht. Ze bleven gewoon kijken en pakten Cal afwezig vast zonder zich bewust te zijn van wat ze deden.

Een paar weken voor het platform zonk had het al eens flink

slagzij gemaakt, en de mannen renden allemaal op dezelfde reddingsboot af. Ze renden naar de verkeerde boot toe. Elke man
wist instinctief welke kant hij op moest en het was het verkeerde
instinct. Het platform was zo groot als twee voetbalvelden, en
probeer je maar eens voor te stellen hoe klein dat is in vergelij-
king met die oceaan eromheen. De bemanning had op gezette tijden veiligheidsoefeningen, maar ze deden er nooit aan mee. Ze
sliepen uit. Mannen die nachtdienst hadden gehad propten een
handdoek over de luidspreker zodat ze niet wakker zouden worden als de veiligheidsoefeningen werden aangekondigd. Ze sliepen erdoorheen.

De mannen waren bang voor de helikopter, vooral als er dichte mist was. Als ze mompelden in hun slaap, dan ging het over de
helikopter. Niemand kon zich voorstellen dat het platform zou
zinken. De mannen braken hun botten of raakten een vinger
kwijt. Dat gebeurde zo vaak. Er werd van ze verwacht dat ze
door bleven werken als het niet meer was dan een flinke verstui-
king of een lichte breuk. Voor een afgehakte pink kreeg je niet
veel medelijden. Dat kwam elke maand wel eens voor.

Er zijn mannen die een moord zouden begaan voor zo'n baan:
dat was de wetenschap waarmee ze werkten. En: de helikopter
was verschrikkelijk. Maar ze konden zich niet voorstellen dat
het hele platform zou kapseizen.

Als de mannen het zich wel konden voorstellen, dan vertelden ze dat niet aan hun vrouw, of aan hun moeder. Ze ontwik-
kelden een zwartgallige humor die zich niet liet vertalen naar
het vasteland, dus bewaarden ze die meestal voor op het platform.

Cal streek de puree glad en vertelde haar dat de mannen water
onder de deur door goten zodat zijn voeten nat werden, maar
Helen zag er de grap niet van in.

Dat is niet grappig, zei ze. En Cal keek op en zag haar, maar
zag haar ook niet.

Ze wisten allemaal dat ze niet veilig waren. Dat wisten die
mannen. En ze hadden besloten om het aan niemand te vertellen.

Maar het ontglipte hun in grappen en grollen en grove uitspraken, en soms ontglipte het hun in een eenzaamheid die het moeilijk maakte om telefoontjes van het vasteland te krijgen. Dan had een man niets te zeggen als hij zijn vrouw aan de lijn kreeg. Eindeloos ruis en zwijgen.

Helen had het druk met de meisjes. Ze kon niet aan het platform denken omdat ze er niet aan kon denken. En ze had haar handen vol aan John. Cathy had ook problemen met haar huiswerk. Helen zorgde dat de spareribs zo mals waren dat het vlees zo van het bot viel. Ze had een krat bier en zorgde dat de kinderen bijtijds in bed lagen. Dat was niet zozeer voor Cal. Dat deed ze omdat ze dan tegenover Cal kon zitten en naar hem kon kijken.

Het was geen diner voor twee, want zij had al gegeten. Ze had met de kinderen gegeten omdat ze honger had en omdat ze het fijner vond om naar hem te kijken.

Dan zat hij naar zijn bord te turen voordat hij de vork pakte, en op dat moment zat hij nog steeds op het platform en kon hij de zee onder zich voelen, al was het een soort beweging waar hij zich nooit van bewust was als hij op het platform zat. Hij voelde het alleen aan land, meestal als hij droomde. Hij voelde het bed deinen als hij sliep, maar alleen aan land. Het was het gebrek aan beweging dat hij voelde.

Hij pakte de spareribs met zijn vingers, trok het vlees eraf en likte zijn vingers af. Eerst likte hij zijn duim af en dan zijn wijsvinger en zijn ringvinger, en hij nam er de tijd voor. Hij was meestal afwezig als hij at, zich niet bewust van de dingen, geconcentreerd op het eten. Hij legde de botten op een bordje.

Cal had twee verschillende levens, en als Helen en hij genoeg geld bij elkaar hadden zouden ze samen een buurtwinkel met een benzinepomp kopen. Ze hadden erover nagedacht, en ze wisten zeker dat ze wel rond konden komen als ze allebei in zo'n zaak zouden werken. Ze legden in elk geval geld opzij. Maar ze praatten nooit over hun plannen. Want als ze erover zouden praten dat Cal niet meer terug zou gaan naar het platform, dan zouden ze erkennen dat het een risico was. En ze waren het erover eens dat ze dat nooit zouden erkennen.

Jane, november 2008

Vanaf het vliegveld neemt Jane een bus naar Toronto, en dan een tram naar een hotel waarvan ze zich herinnert dat ze er eerder heeft overnacht, maar ze gaat de verkeerde kant op. Ze stapt uit en steekt vier rijbanen over, zeulend met haar bagage. Het is bijna donker en heel koud en ze heeft een paar boeken in haar koffer. Er ligt ijs op de trottoirs en ze heeft de wind in de rug. Haar haar waait recht naar voren rond haar gezicht. De sneeuw waait in dunne vlagen over het asfalt, kolkt rond en zwiept de lucht in.

Ze had een man met een winkelwagentje de weg gevraagd en nu loopt hij achter haar aan. Zijn kar puilt uit van de vuilniszakken vol blikjes en plastic flessen, de wielen ploegen door de sneeuwprut. Jane had hem geld gegeven en hij had het biljet zonder te kijken in de zak van zijn spijkerbroek gestopt.

De man praat op een soort luide fluistertoon, zijn ogen schieten heen en weer, loerend naar de menigte op de stoep, zijn woorden een koppig, zangerig relaas over dolfijnen en de schoonheid van het oceaanleven, het deinen en golven van de zee, de schepselen die het watervlak doorbreken, opspringen uit het water en met een plons weer neerkomen. Hij maakt een golvend gebaar met zijn hand, fluit door zijn tanden, blaast harde stoten lucht door zijn natte lippen, het geluid van een dolfijn die door de golven dartelt. De Mexicaanse kust, zegt hij hoofdschuddend, alsof hij het uitgestrekte strand voor zich ziet.

Jane verontschuldigt zich en duikt een supermarkt in. Ze heeft trek in iets rauws en zoets. Vanaf een overhangende balk blaast er sissend nevel op een schap met rodekool en fletse sla en paksoi en venkel. Het blaast over de vuile bieten en broccoli, en ze laat haar hand over de ruche van natte kruiden gaan, de geur van aarde en koriander.

Jane slaat de groene appels over en koopt één enkele perzik in een geribbeld donkerpaars papieren bakje. Ze rammelt van de honger. Er staan drie tafeltjes bij elkaar onder het geflikker van een bijna kapotte tl-buis en uit een chromen houder pakt ze een servetje waarmee ze de vrucht opwrijft. De perzik is zo zacht dat hij bijna rot is en ze neemt een hap tot middenin. De pit maakt een dieprode vlek in het oranje vruchtvlees. Ze probeert niet te denken aan de textuur van de perzikschil; het dons bezorgt haar rillingen, alsof er iemand over haar graf loopt. Er druipt sap over haar kin en ze voelt de baby even bewegen. Haar kin plakt, en haar vingers ook, en ze ruiken naar de zomer. De bovenkant van haar oren tintelt van de kou, en als ze eroverheen wrijft beginnen ze te gloeien. Het lijkt wel alsof de baby de erotische prikkeling van de perzik heeft gevoeld en haar een trap geeft om haar dat te laten weten.

Buiten staat de man met het winkelwagentje nog steeds op haar te wachten. De wind blaast de zware deur van de winkel uit haar hand en smakt hem tegen een muur van B2-blokken, en Jane hannest met de koffer. Een van de wieltjes zit vast in een ijzeren rooster. De man laat zijn karretje staan en pakt de koffer, wrikt hem los, en dan breekt de riem van haar laptoptas.

En *bam*, ze weet het. Ze wil niet in haar eentje een kind krijgen. Er is zoveel leed in de wereld. Het is donker en koud. Ze is bang voor alles wat fout kan gaan. Ze heeft een vader nodig voor de baby. Ze heeft John O'Mara nodig.

Ze denkt aan die ochtend met John in Reykjavik, toen de optocht van Onafhankelijkheidsdag langs hen heen trok, met koperblazers en trommelaars en een klokkenspel, de menigte die om hen beiden heen drong. Wat waren ze uitgelaten geweest. Hij was teruggegaan om haar sjaal te zoeken. Ze had haar sjaal laten vallen.

De dolfijnenman loopt achteruit de trap van een tram op, zeulend met haar koffer.

En uw winkelwagen dan? roept ze. De koffer bonkt en stuitert de trap op, en de tramdeuren klappen ertegen dicht en gaan open en klappen weer dicht. Dan is de dolfijnenman binnen en hij baant zich een weg naar achteren, tegen knieën en heupen botsend met de koffer.

Mexico, man, Mexico, fluistert hij. Zompend loopt hij tot achter in de tram, waar hij naast een vrouw gaat zitten die opstaat en ergens anders gaat zitten; hij schuift naar het raampje en klopt op de plek naast hem, waar Jane gaat zitten. Het gezicht van de man is pokdalig en hij heeft zich niet geschoren. Zijn voortanden zijn grijs en zien er poreus uit, en er ontbreken er een paar. Hij praat tegen Jane alsof ze diep in gesprek zijn. Hij praat alsof het van levensbelang is dat hij haar overtuigt van iets dringends en overduidelijks.

Surfen voor de Mexicaanse kust met een school dolfijnen, zegt de man. Echt honderden, ze dolden gewoon met me, man, ze doken op uit de golven, ze dansten, die jongens, die wisten tenminste hoe je lol kunt maken.

Jane heeft zoveel van dit soort gekte gezien toen ze in New York aan haar afstudeerscriptie over daklozen werkte. Ze had tweehonderd zwervers geïnterviewd, een etnografie van armoede in arme buurten en woningbouwprojecten. Ze ontdekte dat mensen gingen hallucineren van de kou en de regen, honger en eenzaamheid. Zo gecompliceerd was het, niet meer en niet minder. De wereld viel van hen af of blies door hen heen. Er bliezen flarden van dromen door hen heen.

Deze man moet vannacht buiten slapen, dat weet Jane. De remmen van de tram piepen en bij de volgende halte staan heel wat mensen te wachten. Iemand drukt op het knopje en er stroomt kou naar binnen die tot achterin door wervelt.

Jane denkt aan John op de ochtend nadat ze voor het eerst met hem naar bed was geweest. Zij had zin gehad in lamskebab en hij had een portie voor haar gehaald, en toen zei hij: Je sjaal. Waar is je sjaal? En ze voelde aan haar hals. De dreunende trommels, en toen was hij op de een of andere manier midden in de fanfare terechtgekomen en bukte, en toen hij overeind kwam bonkte hij met zijn hoofd tegen een tuba. De koperblazers botsten tegen elkaar aan en de optocht kwam tot stilstand. Er klonk vals geblèr van de trompetten, en toen stelden ze zich weer op in strakke marsorde, de ogen groot van consternatie, de wangen vol spuug, en John had haar sjaal. Zijn vuist schoot triomfantelijk omhoog: de sjaal van shantoengzijde die ze voor zichzelf had gekocht in Santa Fe.

Zoveel dolfijnen, dat kun je je gewoon niet voorstellen, zegt de man in de tram. Ik was vol ontzag. De kust van Mexico, de kust van Mexico.

Na de optocht van Onafhankelijkheidsdag had John haar het Nationale Theater van IJsland in gesleurd. Zo donker na al die zonneschijn. Hij had naar een achteringang gezocht omdat iemand *architectuur* had gezegd, omdat iemand *gesloten voor publiek* had gezegd, en midden op het podium stond een ballerina in een tutu met een masker vol zilveren glitters. Ze deed haar armen omhoog en spreidde twee gigantische vleugels van witte veren uit, en ze kwam op Jane en John afrennen en trippelde toen net zo snel op haar tenen weer weg. De portier zette ze meteen weer op straat. Hij schold ze de huid vol in het IJslands en zei toen in het Engels tegen ze: *Get out, damn you.*

Zoveel dolfijnen heb ik nog nooit op één plek gezien, zegt de man. Zijn ogen glanzen van de tranen, of misschien omdat hij de hele dag in de wind heeft gezeten, of misschien heeft hij ontstoken ogen. Zijn wangen zijn nat en zijn ogen vochtig en bloeddoorlopen, met opgezette oogleden. Ik ben zeebioloog, zegt hij. Of dat was ik. Het was het mooiste wat ik ooit heb gezien, die dolfijnen. Met de rug van zijn hand wrijft hij over zijn wang.

Ze gingen met me mee, zegt de man. Hij kijkt Jane diep in de ogen, neemt haar zorgvuldig in zich op, en natuurlijk is ze moe. Maar ze voelt zich verbonden met deze man. Ze verbaast zich erover hoeveel ze voor hem voelt. Ze houdt van hem. Het zou best wel eens liefde kunnen zijn. Misschien heeft ze iets onder de leden. Een diepe tederheid. Ze wil een metgezel, meer is het niet.

Wat niet zoveel mensen weten, zegt de man. Dolfijnen proberen vaak seks te hebben met hun trainer. Hij grijnst om zoveel lef.

Ja, zegt Jane. Dat heb ik wel eens gehoord.

De optocht van Onafhankelijkheidsdag in Reykjavik kwam uit op een stadsplein onder aan een heuvel, en daar stond de vrachtwagen: een zwarte cabine met een zilveren grille en een oplegger erachter zo groot als een bungalow. Er kwam een sterke vent uit de menigte. Hij droeg zwarte lycra en was kaalgeschoren en paradeerde rond. Hij stak een arm omhoog en maakte een vuist die hij naar zijn eigen voorhoofd draaide, alsof die vuist een dreiging was waartegen hij zichzelf moest beschermen door haar recht in de ogen te kijken. Zijn armspieren waren zo groot als bowlingballen. Er kwamen twee mannen in witte overalls achter de truck vandaan. Ze droegen een enorme kluwen riemen en touwen en kettingen, en ze deden de man een leren tuig om.

Jane wil de vader van haar kind weer bellen. Dat is wat ze wil. Jane gaat hem bellen. Stel dat ze hem nodig heeft? Stel dat je voor het opvoeden van een kind een soort kracht nodig hebt waarover zij niet beschikt?

De sterke man liep voorovergebogen bij de vrachtwagen vandaan en de kettingen kwamen strak te staan. Toen wankelde hij, één stap, nog een stap, nog een. Er ging gejuich op, gebrul, en de vrachtwagen rolde een paar meter vooruit.

Ik moet iemand bellen, zegt Jane tegen de man in de tram. Ze fluistert om hem niet te laten schrikken. Maar ze wil het uitleggen. Ik moet een man bellen, zegt ze. Ze knipt haar tas open en gaat op zoek naar haar mobieltje.

Dolfijnen proberen seks te hebben met hun trainer, fluistert de man terug. Maar daar hebben ze natuurlijk niet de juiste attributen voor. Ze hebben niet, je weet wel, zo'n ding, maar het is bekend dat ze het wel eens proberen.

Ik heb een visitekaartje, zegt Jane. Ze haalt Johns kaartje uit haar portemonnee. Ze toetst het nummer in en laat hem overgaan.

Hallo, zegt John.

Weer met Jane Downey, zegt ze.

Niet ophangen, zegt John.

Goed, zegt ze.

Beloof me dat je niet zult ophangen.

Goed, ik zal niet ophangen, zegt ze. De tram stopt weer bij een halte en de man naast Jane springt op, wringt zich langs haar heen naar de deur en kijkt naar zijn voeten, en als de deur opengaat draait hij zich naar haar om en roept tegen haar: Er is noodweer op komst.

Waar ben je? vraagt John.

In Toronto, zegt ze. Ze kijkt uit het raam, waar de winkels langzaam achteruitgaan en voorbij beginnen te schieten.

Of nee, zegt ze, ik ben verdwaald.

Het Empire State Building, eind november 2008

Dus je brengt haar mee naar huis, zegt zijn moeder.

We hebben afgesproken, zegt John. In Toronto, en van daaruit komen we naar huis.

Maar hij moet aan zijn kindertijd denken. Die momenten van bijna paranormale gevoeligheid die een kind kan ervaren. Die duistere vonk – een kind voelt de broodrooster aan; hij voelt dat de broodrooster een broodrooster is. Hij kijkt naar de broodrooster en de broodrooster kijkt terug. Hij ziet hoe de dingen hun plek al hebben gevonden nog voordat hij er zelf was. Kleine dingen. Een wimper op zijn moeders wang. De telmachine die 's avonds laat driftig rinkelt op de eettafel. Zijn moeder was een contactlens kwijt die door de vloer van de veranda was gevallen, en zijn vader vond hem terug in een spinnenweb.

Ik hou van je, zei zijn vader soms, en dan schudde hij met zijn hoofd omdat het zo overweldigend was. Zul je dat nooit vergeten?

's Avonds vertelde Johns vader verhalen, op bed tussen John en zijn zusjes in; ze lagen allemaal tegen elkaar aan en je kon geen vin verroeren. Er viel altijd wel iemand in de spleet tussen het bed en de muur. Zijn vader met zijn handen onder zijn hoofd, de ellebogen omhoog, en dan vertelde hij verhalen over prinsessen en monsters en tochten door betoverde bossen met begraven schatten. Verhalen over moed en vertrouwen, eeuwige liefde.

John ziet in dat die dingen er al waren voordat hij er was – de wimper, de broodrooster, de feestjes – en het is een openbaring die de wereld op zijn kop zet: elk voorwerp en moment behoort zichzelf toe, heeft dat altijd gedaan, en dat is iets wat hij niet onder woorden kan brengen. Maar soms voelt hij zich buitengesloten, buiten de wereld staan. Het is laat in de middag in New York. John is aangekomen uit Singapore. Hij heeft ergens gehoord dat als je vanaf het dak van het Empire State Building een penny laat vallen, die beneden op de stoep een mens van het leven kan beroven.

Ik dacht dat het een telemarketingbedrijf was, zegt zijn moeder. Maar jij was het. Je bent nu in New York.

Het zit zo, zegt John.

Toen je gisteravond belde, kon ik alleen maar denken, zegt zijn moeder.

John weet nog dat hij met zijn zusjes achter in de auto zat en ze Garrison Hill over reden. Als ze de Bonaventure op draaiden, gaf zijn vader altijd flink gas en zei dat ze recht op de haven af reden. Cathy en Lulu en hij achterin en zijn moeder in haar rode hotpantspak met *wetlook*. Hij kreeg een raar gevoel in zijn maag als ze over de top van de heuvel reden en naar beneden gingen, alsof je in een lift zat. De lichte vering van de auto. Het gegil van de meisjes. Zijn moeder had een grote zonnebril op en grote oorringen in en ze had lange benen, en zijn vader deed alles voor haar. Dan vlogen ze over Garrison Hill, de oostkant verdween in de mist. De klokken van de basiliek.

Of de wasmachine die overstroomde. Daar moet John aan denken. De wasmachine die bij elke piepende omwenteling van de onderdelen gorgelde en braakte. Zijn ouders op de slaapkamer met de deur dicht.

Niet binnenkomen, Johnny, we zijn een dutje aan het doen.

Maar het washok staat helemaal onder water.

Niet binnenkomen, Johnny. We liggen te slapen.

Maar hij voelde door de deur heen dat ze wakker waren. Hij voelde hun gejaagdheid. Als John terugkijkt op de halfvergeten intensiteit van zijn kindertijd, ziet hij de schrijnende onschuld van zijn ouders.

Dus we hadden zo gedacht, zegt John, we waren van plan om naar huis te komen. En bij jou te blijven logeren tot we het allemaal op een rijtje hebben. Jane zegt dat ze bijna zeven maanden is en ik denk dat we er eens voor moeten gaan zitten.

Ja, om te praten, zegt zijn moeder.

Om een of andere stomme reden, zegt John. En gek genoeg kan hij wel huilen. Hij staat onder aan het Empire State Building en kijkt omhoog. Het gebouw hangt over hem heen. Het lijkt wel over te hellen. Hij heeft het gevoel dat het gebouw overeind wordt gehouden door een kracht die midden uit zijn borst komt. Hij voelt het gewicht van het gebouw, maar het is alleen de jetlag en een kater van al die drank in het vliegtuig. Hij heeft zich helemaal klem gezopen in het vliegtuig. Hij krijgt een kind.

Hij heeft een vergadering in New York en morgenavond weer een vliegtuig naar Toronto. Dan zal hij Jane Downey weer zien.

Zo dom van zijn ouders dat ze op zo'n manier van elkaar hielden. Zo dom om zoveel kinderen te krijgen. Ze hadden geen geld. Hij wil aan zijn moeder vragen: Hoe haalden jullie het in je hoofd? Wist je soms niet waar je aan begon? Waarom hielden jullie zo ontzettend veel van elkaar? Het heeft je kapotgemaakt. Je moet niet zoveel geven, wil hij zeggen. Mensen hoeven niet zoveel te geven. Zo dom om maar door te blijven gaan.

En in zijn kindertijd had hij het gevoeld: er gaat iets overlopen. Dat vroeg hij zijn moeder soms: Was het raar voordat papa doodging? Wisten we wat er ging gebeuren? Zelfs toen had John al geweten dat het niet zo kon blijven.

Natuurlijk kunnen jullie hier logeren, zegt zijn moeder.

Ze is slim, zegt John.

Een slimme vrouw, zegt zijn moeder.

En ook knap.

Dat zal wel.

Ik weet niet wat ze is, zegt John. Ik ken haar nauwelijks.

Het heeft niets te maken met elkaar kennen. Zijn moeder klinkt geïrriteerd.

Wat voor iemand ze is. Jezus, mam, zegt John.

Er valt niets te kennen, zegt Helen. Kom nou maar thuis.

Ik sta omhoog te kijken naar het Empire State Building, zegt John. Zijn ouders hadden geloofd wat er over risico's werd gezegd. Ze hadden geloofd dat er een nieuwe wetenschap bestond die was gewijd aan het inschatten ervan. Het risico kon worden berekend en uitgedrukt in getallen. Ze hadden geloofd dat het de moeite waard was om het risico te nemen.

Een hardhouten vloer leggen, november 2008

De schaatsen zijn geslepen en Helen neemt de kinderen mee naar het Mile One Stadion. Gezinsuur. Timmy is de straat over gerend om Patience te halen.

Aan de overkant was een Soedanees gezin komen wonen: Patience, Hope, Safire, Elizabeth, Melody en een oudere broer, Michael. Hun moeder heet Mary. De eerste keer dat Helen de zevenjarige Patience zag, stond ze midden in Long Street met haar hoofd achterover sneeuwvlokken op te vangen op haar tong. Haar donkere gezicht extra donker door het witte nepbont van haar winterjas eromheen. Patience met haar ogen dicht en haar tong naar buiten, en toen huppelde ze de hoek om.

Later klopte ze bij Helen aan om geld op te halen voor een schoolmarathon.

Schrijf me maar op voor vijf dollar, zei Helen.

Patience speelde met Timmy als die er was, of Patience klopte aan als ze hulp nodig had met haar huiswerk. Tekeningen in haar oefenboek voor natuurwetenschap: de zon, de bloemen, de aarde, de rotsen, alle lagen van de aarde keurig aangegeven, en daaronder de kokende lava.

Timmy deed zijn best om het van Patience te winnen, maar die wierp echt alles in de strijd. Ze rolden door het gras, trokken aan elkaars haren, schopten en stompten, en als ze de voordeur hoorden, sprongen ze op en lieten elkaar los alsof er niets aan de hand was.

Wat gebeurt daar allemaal?

Niets.

We zijn aan het spelen.

Timmy, wat doe je daar?

Hij doet helemaal niets, Helen, zei Patience dan. Maar ze zagen eruit alsof ze elkaar wel konden afmaken. Eén keer kwam Patience beneden met een prop wc-papier vol bloed tegen haar neus. Toen kwam Timmy beneden met een bult boven zijn oog.

Wat is er gebeurd?

Niets.

Of ze kropen in de logeerkamer als een bejaard echtpaar onder de dekens om met de Nintendo te spelen.

Of één keer lieten ze de basketbal de straat op rollen en hoorde Helen piepende remmen en kwaad getoeter. Of ze klommen bij de buren op de nieuwe steigers: Kom er eens af, jezus, kom er eens af, wil je je nek soms breken?

Ze haalden hun handen en knieën open – dun afgeschaafde flinters huid die om stukjes grind of steen gekruld zaten, bloed dat in kleine druppels opwelde – als ze om beurten met het skateboard gingen.

Vandaag neemt Helen hen mee naar het Mile One en Patience houdt zich vast aan de schotten. Dan schaatst ze met kleine pasjes waarmee ze even hard achteruit gaat als vooruit, en ze grijpt Helens hand beet. Ze zwaait met haar armen als de wieken van een molen en valt met een smak op haar billen. Timmy zoeft voorbij en doet alsof hij Patience en Helen nog nooit van zijn leven heeft gezien.

Er zitten krassen en scheuren in het ijs, de fletse kleuren van bierreclames en frisdranklogo's onder het lichtblauw. Helen komt Gary O'Leary tegen, die ze al sinds de middelbare school kent. Nog steeds bij Aliant, zegt hij. Gary heeft een dochter die in het orkest speelt. En Sylvia Ferron en Jim, die zijn er met hun kleindochter, net zo oud als Timmy. Een kasjmier muts met kattenoren en een gebreid koordje onder haar kin. Helen kletst even met Mike Reardon; ze heeft Mike op de radio horen vertellen over zonnepanelen en geothermische verwarming. Ze vertelt over de verbouwing.

De mannen zwieren in kabeltruien en donzen bodywarmers van links naar rechts, de ijzers fluisteren *tsjak, tsjak, tsjak*. Stellen houden elkaar lichtjes bij de elleboog vast, gaan gelijk met elkaar op. De geur van de koude lucht en patat met azijn uit de kantine. Kerstliedjes door de luidspreker.

Helens enkels doen zeer als ze de kleedkamer binnenstrompelt en haar schaatsen losmaakt. De vloer voelt log en te hard. Ze heeft koude tenen. Ze zet Patience thuis af en brengt Timmy terug naar zijn moeder. Het schemert. De sneeuwvlagen van die ochtend zijn tot bedaren gekomen. Er komen nu grote vlokken naar beneden die schuin neervallen en als een handschrift opwaaien in de wind.

Met haar arm vol boodschappen doet Helen de voordeur open, en er zijn drie lege verdiepingen en stilte. Dat is een opluchting. Ze bedenkt dat eenzaamheid een drug is die vertraagd wordt afgegeven, het wordt langzaam opgenomen in je systeem en je raakt eraan verslaafd. Het is geen verslaving; het is een vaardigheid. Je zet de kastdeuren heel voorzichtig open zodat de eenzaamheid er niet plotseling uit springt.

In Afghanistan is het oorlog en in Mexico zit een vrouw zonder proces in de gevangenis wegens witwaspraktijken, Obama en Clinton, en dan alleen nog Obama, een vulkaan in Chili. De *Globe and Mail* belandt elke ochtend met een knal tegen de hordeur. De bezorger gooit hem uit zijn autoraampje. Ze krijgt de *Telegram* ook. Bij een aardbeving in China zijn veertigduizend mensen omgekomen. Helen kan niet bevatten dat er zoveel mensen tegelijk sterven. Wat heeft haar leven te betekenen als je het daarmee vergelijkt?

Ze heeft het huis afbetaald. Ze is drie keer met Louise naar Florida geweest. Vorig jaar zijn ze naar Griekenland geweest. Ze heeft Patience en Timmy, en de buren van twee deuren verderop hebben een huis vol jonge knullen die in een band zitten. De jongens van de band hebben voor het ene raam een vlag van Newfoundland hangen en voor het andere een van Che Guevara. Zaterdagsavonds laat hoort Helen de drums en de bas. Ze graven haar altijd uit na een sneeuwstorm.

Op televisie zeggen ze dat er problemen zijn met de hulpverlening in Birma, waar in elk dorp nog maar een paar huizen overeind staan na de cycloon. Ze ziet een fragment, een lange rij mannen die elkaar kartonnen pakken water doorgeven, een mensenmassa die achter een touw staat te wachten. Dan iets over ijsberen. Een moeder die boven op haar jongen in elkaar zakt, zodat ze stikken.

Helen maakt de keukenkastjes schoon. Ze maakt de ijskast schoon. Ze luistert naar de radio en boent een pan en het geel van haar rubber handschoenen ziet er eigenaardig geel uit en de kleur lijkt los te staan van de handschoen. De bel.

Even wachten. Even mijn portemonnee zoeken. Het geel staat helemaal op zichzelf en ze heeft tranen in haar ogen. Ze is toch wel eenzaam. Haar oudste kind wordt vader. John komt thuis en er is een baby op komst.

Ik weet dat ik mijn tas ergens heb neergezet. De krantenbezorger is een volwassen man met een handicap en hij bonkt op de deur. Hij laat zijn hand plat neerkomen op de aluminium hordeur en het lawaai klinkt door het hele huis.

Ik had hem daarnet nog. Had ik dat rotding maar op zijn plek gelegd.

Geeft niks hoor, mevrouw.

Nee, ik heb wat kleingeld.

Ik kom later wel terug, mevrouw. De moeder van die vent, ze moet zeventig zijn, staat op de heuvel geparkeerd met een draaiende motor en haar koplampen schijnen door de deur heen, zodat haar zoon van achteren wordt verlicht, als een soort engel.

Hier heb ik 'm, roept ze. Wat krijg je van me? Wat krijg je van me? Patience' vader is vermoord door de Janjaweed, is Helen te weten gekomen. Ze vouwt de krant met een rukje open en houdt hem omhoog zodat ze hem kan lezen. Daar op de voorpagina: Genocide in Darfoer.

Laat de rest maar zitten, zegt Helen. Ze doet de deur dicht en draait hem op slot. Er zwenkt een auto voorbij en er glijden lange rechthoeken licht en schaduw door de gang naar de keuken. Het huis ruikt naar zaagsel. De ondervloer is gelegd. Dik ondoorzichtig plastic over de banken en de eettafel. Louise had erop gestaan dat ze de boel zou opknappen.

Je moet een hardhouten vloer leggen, zei Louise. En eens iets aan de keuken doen. Je moet de waarde van je huis op peil houden, de boel opknappen. Je moet iemand inhuren.

Cal is al zesentwintig jaar dood en soms lukt het haar een poosje om te vergeten dat Cal dood is en hoe hij is doodgegaan. Ze spreekt haar dochters elke dag. Ze heeft haar handen vol aan haar huis en de yoga. Ze naait trouwjurken, een hobby die is uitgedraaid op een soort zakelijke onderneming.

Ik ben jong voor zesenvijftig jaar, denkt Helen. Haar kleinkinderen hebben haar nodig. Ze speelt bridge. Ze heeft gecurld maar ze had een rothekel aan curlen. Naaien geeft haar voldoening.

Helen is volleerd in de eenzaamheid; niemand ziet haar meer als eenzaam.

Je moet iets lichts nemen, zei Louise. Op de vloer.

Een godsvermogen, zei Helen.

Iets met glans.

Je hebt het over mooi maken.

Ik heb het over noodzakelijk onderhoud. Ik bedoel, wil je dat dit huis onbewoonbaar wordt of zo?

Maar als Helen bijvoorbeeld autorijdt of slaapt of ze strekt zich uit op een yogamatje, dan schiet het haar weer te binnen en voelt ze weer een keiharde steek van verdriet. Het kan haar compleet overvallen. Murw slaan.

Ik zou die muren weghalen, zei Louise. Ze stond in Helens woonkamer met haar hand omhoog, en gebaarde in de richting van de boekenkasten.

Ik zou het helemaal openbreken, zei ze. Het is hier veel te donker.

En aan weerszijden van de open haard, waar vroeger de boekenkasten zaten, zitten nu twee ruwe gapende gaten.

De hond, 1975

Helen en Cal liepen langs het strand en het was mistig en de hond was mee. De hond vloog, zijn poten raakten de grond bijna niet zo hard liep hij, zijn kop en nek golfden naar voren, een en al spieren en glans, hij liet bijna geen sporen achter in het geribbelde zand. Toen bleef hij ineens staan. Hij hield met een ruk stil, als aan een ketting, draaide half buiten zinnen rondjes en begon te graven. In gerichte razernij slingerde hij met zijn voorpoten bogen zand de lucht in.

Helen dacht dat wat de hond zou vinden verrot en half vergaan zou zijn. De huid of veren of vacht wapperend in de wind, losgeraakt of zacht geworden, uit elkaar gevallen, en er zou een harde waarheid uit steken als de tanden die nog vastzaten in het kaakbeen, een smakelijke grijns.

De hond zou erin gaan liggen en zijn schouder erin duwen, kronkelend in de gore stank. Het achterwerk van de hond zou in een halve cirkel heen en weer gaan terwijl een van zijn schouders in een of ander karkas drukte, onder razend gegrom en piepend gejank. De hond zou hijgen, gek gemaakt door de geur die hun kant op dreef, kwispelend met zijn staart, en ze moesten ernaartoe om hem ervandaan te sleuren.

Cal trok zijn schoenen uit en rolde zijn spijkerbroek op, en de golven sloegen stuk en er stroomde schuim over zijn voeten. Hij boog voorover en hield zijn vingers in het water en stak toen drie vingers in zijn mond om het zout te proeven. Hij zoog het zoute water van zijn vingers. Meer niet.

Maar boven haar schaambeen voelde Helen zijn mond aan zijn vingers trekken, dat snelle zuigen, en het was de baby die voor het eerst bewoog. Dat voelde ze.

Een flard van een herinnering die alleen maar is blijven hangen omdat de zon die dag door de mist heen brak. Of omdat haar zintuigen waren vertekend door de zwangerschap, dat intense geluk, en de sensuele aanblik van Cal met zijn vingers in zijn mond.

Hadden ze ruzie? Ze kan zich de hond nog herinneren, en dat die stonk naar dood. Dat ze met hem op de achterbank naar huis reden en dat haar ogen traanden.

Maar ze waren in- en ingelukkig. Misschien hadden ze eerder die dag wat onenigheid gehad, nu en dan vielen ze enorm tegen elkaar uit, maar dan volgden er intens gewone momenten, of intens geluk.

Is dat het leven? Dat iemand lang na je dood tijdens het schoonmaken van de badkamer ineens aan je denkt, hoe je de zee proefde op je vingers. Dat ontwaart iemand in de mist, in het geheugen, zonder enige aanleiding, niet chronologisch aanwijsbaar. Was het haar derde zwangerschap? Of haar tweede?

Het was op een middag lang voordat Cal ging solliciteren voor de Ocean Ranger, denkt Helen. Ze hadden gehoord dat er banen te krijgen waren en Cal besloot te solliciteren. Dat was niet wat hij graag wilde, maar hij had een vrouw en drie kinderen. Hij nam een besluit. Twee maanden lang ging hij tweemaal in de week naar het kantoor aan Harvey Road. Het ging erom wie je kende, had hij gehoord. Hij liet een neef een goed woordje voor hem doen. Maar iedereen had wel een neef.

Cal haalde zijn vingers uit zijn mond en Helen kan zich niet eens meer herinneren wat voor seizoen het was – september misschien?

De smaak van de zee. Ze weet dat de hond er toen al was, en

dat ze geen rode cent hadden en zich niet druk maakten over geld. Ze hadden een studie overwogen, maar ze deden het niet. Allerlei baantjes en de eindjes aan elkaar knopen. Dagjes naar het strand. Cal kon elektriciteit aanleggen, al had hij geen officiële papieren. 's Zomers schilderde hij, dan huurde hij steigers. Deed bouwwerkzaamheden. Drie kinderen, en toen begonnen ze zich druk te maken om geld. Ze lieten Cals cv professioneel uittypen.

Zo'n man achter een bureau deed de sollicitaties, zei Cal. Een grote dikke vent. Dan kwam hij thuis en stond Helen te koken of kleedde ze zich om voor haar werk. Ze werkte toen in de bediening.

Elke dag krijg je wat anders te horen, zei Cal. Ze weet nog dat hij de heuvel op liep naar het kantoor aan Harvey Road. Hij liep met zijn handen diep in zijn zakken en zijn jack open, in de wind en de sneeuw. Ze denkt aan het tl-licht, vettig glanzend op de hoogglanswanden van dat kantoor, de grote cilindervormige asbakken aan weerszijden van de rij houten stoelen, en dat hij zichzelf waarschijnlijk had moeten dwingen om er naar binnen te gaan, want in feite kwam het neer op bedelen.

Met mijn pet in de hand, zei hij. Maar als hij een baan kreeg op het booreiland konden ze een huis kopen.

Eerst hadden ze een tijdje in het appartement in Lime Street gewoond. De sneeuw kwam er onder de achterdeur door naar binnen. Ze waren dronken geworden in een kroeg en samen naar huis gegaan en ze waren als een blok voor elkaar gevallen. Voor elkaar gevallen. Gevallen. Cals appartement in Lime Street bij kaarslicht. Soms ging ze babysitten bij kennissen.

Het condoom was gescheurd. Ze zeggen dat dat niet gebeurt, maar het gebeurt wel. Hij zat met zijn rug naar haar toe op de rand van het bed iets te doen. Hij zat te klooien met het condoom.

Het is stukgegaan, zei Cal. Hij liet tot zich doordringen wat dat allemaal voor gevolgen zou kunnen hebben. Hij hield het kapotte condoom voor haar omhoog en er zat een scheur in, en het hing plat en melkig en nat over zijn vingers.

Het is stukgegaan, zei hij weer. Ze weet nog dat hij dat twee keer zei. Hij zag er verhit uit, en ze voelde de ruwe wol van zijn trui die ze onder haar hoofd had gepropt. Ze kwam overeind en leunde op haar elleboog en de trui trok langzaam weer in model, helemaal vanzelf.

Helen had hem willen vasthouden, maar ze wist niet of het de trui was die zo ruw aanvoelde op haar verhitte wang, of de doorzichtige druppel kaarsvet die langs de kaars droop of de geur van seks, of de dadelkruimelkoeken van zijn moeder in een koektrommel met vetvrij papier erin op het nachtkastje, of het boek dat hij toen aan het lezen was.

Cal vond het leuk om langs oude vervallen huizen aan de baai te rijden, met bobbelige ruiten en een tochtdeur met afbladderende verf en een doorgezakt dak, huizen die met de hand waren gebouwd en waar de waterketel nog op de oliekachel stond en alle borden in de kast. Hij had een van die huizen willen hebben; dan zou hij het opknappen en konden ze in het weekend of 's zomers naar buiten. Hij wou uitzicht op zee, en hij wou het hoge gras en de aardkelder. Hij had iets met verweerd hout en spinnenwebben en de gehavende koffer onder het veren bed, met oude handgeschreven recepten vol spelfouten erin.

Kom van de week nog maar eens langs, had de man op het kantoor aan Harvey Road gezegd.

Nadat het booreiland was gezonken, zou er een hoop gepraat worden over risicoanalyse. De oliemaatschappijen hielden een symposium.

De oliemaatschappijen hadden hun mond vol over acceptabele risico's en dat was altijd zo geweest. Ze hadden het over mogelijke fouten in het systeem en hoe die voorkomen konden worden. Fantastisch. Bij het beoordelen van risico's raadden ze sterk af om op je intuïtie af te gaan. Als je het in je broek deed van angst, dan was dat volgens hen alleen maar intuïtie, en daar moest je je niets van aantrekken. Ze vroegen de mensen voor ogen te houden dat het in het algemeen belang is als we wel risico's nemen. Dat zeiden ze op zo'n achterbakse manier, en eigenlijk bedoelden ze: Als jij het niet doet, dan weten we wel iemand anders.

Eigenlijk bedoelden ze: Er moet geld in het laatje.

Eigenlijk bedoelden ze: Wij helpen de economie vooruit.

Eigenlijk bedoelden ze dat er geen enkel risico was, dus hou je bek d'r verder over. Alleen zeiden ze niet *bek*, ze zeiden: Denk aan het algemeen belang.

Helen had geen seconde gedacht dat ze zwanger was. Ze wist nauwelijks wie Cal was (al wist ze alles wat ertoe deed). Ze had totaal niet gedacht dat ze verliefd kon worden. Liefde was een fout die ze makkelijk had kunnen voorkomen als ze 1) niet aangeschoten was geweest, 2) toen op de hoogte was van risicoanalyse en wist op welke manieren je risico's kunt mijden, 3) niet al verliefd was.

Cal en zij waren dronken geweest tijdens hun eerste nacht samen, en het was allemaal nog zo nieuw, en ze vond hem heel leuk maar ze wilde het geen *liefde* noemen. Of ze waren licht beneveld geweest en hadden korte metten gemaakt met de dadelkoeken. De scheur in het condoom hadden ze wel grappig gevonden, want dat was toch totaal onwaarschijnlijk? Maar zij hadden altijd mazzel. Ze waren achterover op bed gevallen en de kaarsvlam had geflakkerd en ze hadden elkaar fantastische verhalen verteld over de waanzinnige mazzel die ze hadden gehad. Hij had honderd dollar gewonnen bij de loterij. Zij was met de helm geboren. Bij hen allebei was de keel gezegend – twee kaarsen die in het midden aan elkaar waren vastgebonden en opengevouwen zodat ze bij de keel een x vormden, en een gebed in het Latijn – en toen waren ze beschermd tegen het vertellen van leugens en tegen keelkanker.

Ik hou van je, zei ze. Ze had het er gewoon uitgeflapt. Het was precies de verkeerde tijd van de maand om een condoom te laten scheuren maar ze had niet gedacht dat ze zwanger was omdat dat soort dingen haar gewoon niet overkwamen.

Cal was toevallig op het juiste moment op het kantoor aan Harvey Road.

Kijk eens wie we daar hebben, zei de dikke man toen hij Cal zag.

Cal was op het juiste moment op de juiste plaats. En hij had geluk. Toevallig was zijn overhemd gestreken, en het was dezelfde man achter het bureau, en die man kon hem niet meer luchten of zien. Helen was over tijd en stond er totaal niet bij stil.

Wat Helen overvalt als ze moe is, is een soort mist. Een dag aan het strand na een lange autorit. Het zonlicht dat op het helmgras viel en de randen van de halmen die glansden als staal. Het eind van een seizoen. Nevel boven de branding. Een zweem van iets doods, daar op de wind, en toch ook weer niet. Het schuim dat kwam aanrollen, gelig, dik als slagroom. De spijkerbroek die Cal aanhad.

Wat waren we jong, denkt Helen. De heldere, koude zee die aan kwam kolken en zich weer terugtrok, die als ketenen om Cals blote enkels cirkelde. En hij boog voorover en hield zijn hand erin en stak zijn vingers in zijn mond.

Jane, november 2008

Die kamer regelen we wel, en al het andere ook, zei John. Jane hoorde vlak bij hem een auto toeteren. Hij stond ergens in New York op straat en zij zat in Toronto in de tram en ze zouden elkaar weer zien. Hij was op weg naar huis voor Kerstmis. Ze gingen het hebben over de baby. En hij zou betalen voor een viersterrenhotel.

Ik neem dus het hotel een eindje van de hoofdstraat, zei ze.

De kosten regel ik wel, zei hij.

Na het telefoontje bleef ze nog een paar haltes in de tram zitten en vond het hotel en gaf haar koffer af, en nu loopt ze rond tot ze een winkelcentrum heeft gevonden. Ze wil naar een plek met fastfoodrestaurants. Patat en kaasburgers en zoevende kassa's en winkels met nepgevels in wildwest- of werelddorpsfeer, hutten met rieten daken of daken met cederhouten dakspanen, voorgevormde plastic meubels en knipperend neonlicht. Ze moet plassen en dan wil ze neerploffen op een oranje stoel die heen en weer kan draaien, een stoel die met een metalen buis aan een tafeltje is bevestigd. Ze snakt naar vet en lawaai.

Tegenwoordig hebben mensen het niet meer over *falen*. Ze noemen het anders. Er is een hele beweging ontstaan om maar niet te hoeven erkennen dat je kunt falen. Mensen willen leren van hun falen, ze willen het omarmen.

Maar falen is helemaal niet goed, denkt ze. Als er iets kan worden hersteld is het niet echt falen.

Jane is grandioos aan het falen. Op de New School in New York had ze een beurs van tachtigduizend dollar gekregen om bij antropologie te promoveren op de rituelen en praktijken van moderne spiritualiteit bij new-agesektes in heel Noord-Amerika. Ze had veel losgemaakt met haar afstudeerscriptie, een etnografie van zwervers in New York. Ze was opgetrokken met zwervers die buiten sliepen of in kraakpanden woonden; ze was uitgerust met een digitaal recordertje dat ze ongemerkt kon aanzetten.

Jane had het materiaal naar haar hand gezet omdat ze een tijdlang het idee had dat ze wist wat het betekende. Of ze had gedaan alsof ze het wist. Ze moest conclusies hebben en daar was ze mee gekomen.

Maar ze had ook dingen ontdekt die ze niet in haar scriptie had verwerkt. Ze was bang geweest voor de zwervers. Sommige arme mensen waren rechts en gewelddadig. Sommigen waren inhalig. Ze hadden honger en ze hadden het koud. Ze hadden loopneuzen en glanzende mouwen vol snot. Ze aten met hun mond open. Ze keken wezenloos uit hun ogen en waren verslaafd. Ze waren analfabeet en ze hadden luizen. Of ze waren briljant en heel verzorgd en halve heiligen. Ze zagen geesten. Ze waren onbevooroordeeld. Ze deelden wat ze hadden. Ze hadden niets. Ze voerden de duiven. Ze zaten vol wijsheid. Ze zaten vol wormen. Ze zaten vol aids. Ze hadden hun verstand verloren. Ze hadden nooit geluk. Ze waren een *ze*. En het beste was dat ze wisten hoe ver één leven kan reiken en hoe je je níét moet onderscheiden.

Toen Jane haar studie naar de zwervers had afgerond, ervoer ze een fractie van hoe het kan voelen om onzichtbaar te zijn, een onopgemerkt leven te leiden, geen vlieg kwaad te doen. Een soort passiviteit die terugvoerde op een Aquino-achtige opvatting van goedheid. Je moest leeg zijn om goedheid te ervaren, leeg of onzeker, en dan nog kon je er niet van op aan. Dat had ze allemaal niet in haar scriptie gezet. Met haar afstudeerscriptie had ze zich onderscheiden. Ze wílde helemaal niet leeg zijn.

Een vrouw die Jane had geïnterviewd zag regelmatig een dode geliefde aan haar voeteneind staan. Het was een vrouw van tachtig met zes katten en een poppenverzameling van dertig stuks, nog in de stoffige verpakking van cellofaan en uitgestald langs de plinten van een tijdelijke zit-slaapkamer. De kamer stonk naar kattenbak en lege wijnflessen en mensenpoep omdat de vrouw al drie dagen haar bed niet uit was geweest. De oude vrouw had een opgezette buik – vol kanker, zei ze – en ze was dronken en grof in de mond en haar vriend Archie was een week eerder overleden.

Vlak naast me hier in bed, had ze gezegd terwijl ze op de dekens sloeg. De vrouw had een broer in de gevangenis omdat die een miskelk uit een kerk had gestolen en ze was bang voor satan en ze pakte Janes hand vast.

Zorg dat ik trots op je kan zijn, zei ze telkens weer.

Ze praatte tegen Jane en keek toen strak naar een plek vlak boven Janes schouder en zei: Niets zeggen, Archie, als het meisje weg is pas weer.

Jane ging tien keer met haar recordertje terug om vragen te stellen, en de vrouw gaf antwoord. Jane verschoonde het bed natuurlijk en ze verschoonde de kattenbak en bracht de flessen weg. Ze maakte eten klaar.

Staat dat ding aan? vroeg de oude vrouw dan terwijl ze zich hernam. Haar levensverhaal voorbereidde. Ze was geobsedeerd door de miskelk die haar broer had gestolen en wilde weten of ze

allemaal naar de hel gingen. Ze had Jane gevraagd of ze de katten eten wilde geven en sigaretten voor haar wilde meenemen en
of ze de poppen wilde verplaatsen.

Eén keer had Jane een pop met zwarte krullen en een roodfluwelen jurk met goudgalon en een bijpassende parasol op het
nachtkastje gezet, tegen de lampenkap. Het oude, vergeelde cellofaan om de pop kraakte als een beginnend vuurtje. De vrouw
zat vanuit bed te kijken en tilde moeizaam haar hand op en wees
met één vinger, tikkend in de lucht, en toen viel de arm neer. Jane
zag dat de vrouw het licht aan wilde hebben, en toen ze op het
knopje drukte gingen de ogen van de pop dicht.

Kort daarna was de vrouw overleden, en Jane had een week
lang naar haar stem zitten luisteren op de recorder, terugge-
spoeld, vooruit, terug, vooruit tijdens het transcriberen. Elke ro-
chelende ademhaling hoorbaar.

Jane had ook een man geïnterviewd die vond dat de vervuilende industrie maar moest worden verplaatst naar Afrika omdat ze
daar toch het hoogste sterftecijfer hadden – industrieën waarvan
de giftige stoffen in de loop der jaren in de longen en het bloed en
de ingewanden gaan zitten en kanker veroorzaken als het gros
van de bevolking, statistisch gezien, vijfenvijftig jaar wordt. Veel
Afrikanen zouden de vijfenvijftig toch niet halen, zo redeneerde
deze compleet gestoorde voormalig aanklager annex zwerver.
Hij had een van haar borsten vastgepakt en er hard in geknepen,
twee keer, zoals je in een claxon zou knijpen.

In een vorig leven waren ze allemaal een beroemde zus of zo
geweest, de zwervers die ze ontmoette. Of ze waren achterlijk.
Of ze waren als kind misbruikt.

De vervuilende industrie zou de Afrikanen toch niet raken,
had de voormalig aanklager gezegd. Tegen de tijd dat de giftige
stoffen aansloegen zouden ze allang dood zijn. Ze zouden het
niet weten.

Dat gesprek had ze gevoerd bij een vuurtje in een vat onder
een brug, op een soort industrieterrein aan de buitenrand van
New York. Er zat een man bij in een gewaad van jutezakken met

op zijn rug in rode verf geschreven *Jezus Redt*. Hij had genezende handen die hij op Janes hoofd legde en ze voelde absoluut een schok. Er ging een soort stroomstoot door haar schedel en de man zei dat ze pijnlijke herinneringen had die voor knopen in haar rug- en kuitspieren zorgden, en haar schedel voelde gespannen aan. Hij had die herinneringen losgemaakt, zei hij, en ze zou een paar dagen flink ziek worden, maar dat kwam doordat haar lichaam die herinneringen voorgoed zou loslaten.

De scheldwoorden van de zwervers die Jane interviewde waren verbijsterend, en Jane had ze geanalyseerd, het aantal keren geteld dat bepaalde woorden en uitdrukkingen in willekeurig welke zin voorkwamen. Ze maakte tabellen. Veeltalig en welluidend, vol uitwerpselen en seks en dood. De schuttingtaal was een losse codering van wanhoop. Ze maakte grafieken.

Het had er op papier allemaal heel goed uitgezien, maar nu bestudeerde Jane new-agespiritualisme in Noord-Amerika en ze was de weg kwijt. Ze had haar digitale recordertje en een laptop. Ze had methodes en theorieën. Maar ze raakte van de wijs door het kalme geloof waarmee deze new-agevolgelingen – volgelingen van ieder slag – tot complete onzin kwamen. Ze vond het onthutsend. Ze bracht de rotsvaste overtuiging in kaart van het subject dat de logica laat varen. Door al die slimme, bittere argumenten van hen was Jane haar vertrouwen kwijtgeraakt.

Jane haalt een portie friet en ze houdt vier papieren kuipjes een voor een onder een pompje, en er spuit ketchup uit. Ze zet de kuipjes op een rij op haar oranje dienblad en heeft het gevoel dat ze gaat flauwvallen van de honger. Met de fles azijn, glibberig van andermans vingerafdrukken, besprenkelt ze de friet en ze trekt twee zakjes zout open.

Niet goed voor de baby, dit eten, denkt ze.

De hele middag heeft ze zitten nadenken over de zwangerschap en over hoe haar proefschrift ervoor staat. Van meet af aan heeft ze geweten dat ze de baby wilde houden. In de eerste maand had ze wat bloed verloren, maar de dokter had gezegd dat ze zich nergens druk over hoefde te maken en ja, ze kon blijven doorwerken.

Jane propt de friet naar binnen en neemt de lift naar boven, naar het straatniveau, en overal in het winkelcentrum klinkt kerstmuziek en staan nepbomen, en er loopt een gigantische eland met een snoepmand rond. De eland geeft haar een zuurstok. Er zit een heel gezicht achter de keel van de eland, een vrouwengezicht, onder de grote snuit. Een lap roze vilt, de tong van de eland, loopt als een soort landingsbaan naar de kin van de vrouw toe. Het is een oudere vrouw met knaloranje lippenstift en een bril.

Hoe is het buiten? vraagt de vrouw. Ik stik hier.

Jane loopt langs een tattooshop, kaal en verlicht als de binnenkant van een ijskast. Er staat een kale man met een doornenkroon op zijn hoofd getatoeëerd. Hij heeft een elastiekje tussen zijn twee wijsvingers met een pen eraan vast en hij slaat tegen de pen zodat die ronddraait en weer terugschiet. Jane voelt hard getrappel boven haar schaambeen en blijft even staan om naar de man met de pen te kijken.

Dan komt ze langs een pizzatent waar één klant op een kruk zit. Ze blijft op de stoep staan om te kijken hoe de kok het deeg in de lucht gooit. Ze ziet het van zijn opgestoken vuisten omhoog vliegen en tollen in de lucht en groter worden.

Ze is vijfendertig en heeft geen vriend. Ze had zich gerealiseerd dat dit haar kans was toen ze bijna zeven maanden geleden de twee roze streepjes op de zwangerschapstest zag. Het was een *ja* geweest, en die ja had ze niet geloofd. Ze had het foldertje met illustraties en bepaalde roodgedrukte stukken tekst gelezen. Op het papiertje stond dat er zoiets bestond als een vals-negatieve uitslag, maar een vals-positieve uitslag was uitgesloten. Ze liet zich met haar schouder tegen het metalen wc-hokje in de openbare toiletten vallen en probeerde te bedenken wat dat zou kunnen betekenen. Het had gevoeld als een zen-koan.

Zodra ze het wist had ze de baby willen houden. Abortus was uitgesloten. Het was niet eens in haar opgekomen.

Jane loopt de pizzatent in en bestelt een punt, en van de geur van bakkend deeg en tomaat en oregano krijgt ze razende honger. Ze denkt dat ze oregano kan ruiken op de handen van de man die haar geld teruggeeft van haar twintigje. Oregano of de geur van zilveren kleingeld. Ze kan ook zijn zweet ruiken, van het dicht bij de warme ovens staan. De geur van zijn zweet vermengd met de geur van zijn deodorant, een fruitige, en om de een of andere reden ruikt hij lekker.

Er zitten spiegels op de muren van de smalle pizzatent en een eenzame klant leunt voorover naar zijn pizzapunt, en als hij vooroverbuigt splijt zijn spiegelbeeld in tweeën waar de spiegels in de hoek bij elkaar komen en daar zit hij dan, ontelbare keren, met zijn wollen jas en geruite das, een stuk pizza van zijn mond te trekken, in duizenden, een onverslaanbaar leger van dezelfde man die voorover moet buigen naar zijn eten, de slierten kaas die helemaal uitrekken, en hij leunt weer achterover en de eindeloze reflecties komen weer samen en verdwijnen.

John en zij gaan elkaar weer zien. John heeft een zakendiner, en dan neemt hij de laatste vlucht naar Toronto en een taxi van het vliegveld naar het hotel. Hij heeft een aparte kamer voor zichzelf geboekt. Ze zouden elkaar bij de lunch weer zien, zei hij. Na een korte stilte zei hij: Leuk om je weer te zien.

Johns sollicitatiegesprek, 2005

Ik heb in olietanks gewerkt, zei John.

Mr. McPherson raakte de knoop van zijn das aan. Het was een idiote das die John afleidde. Hij voelde dat zijn ogen er ongewild naartoe werden getrokken.

Shoreline Group had John uitgenodigd voor een sollicitatiegesprek. Hij had gehoord dat hij gebeld zou worden en een paar dagen later belden ze. Het salaris was spectaculair.

John vertelde Mr. McPherson waar hij allemaal had gewerkt, over een baan die hij als twintiger had gehad. Toen hij in de olie-industrie begon.

Je kroop er met apparatuur en al in, zei Mr. McPherson.

Dat heb ik gedaan, ja.

Controleren op barsten.

Barsten en scheuren, zei John. Alles wat...

Geld gaat kosten, zei Mr. McPherson.

Gaat lekken, zei John.

Ze bonden een touw om Johns enkels en als hij klaar was klopte hij op de zijkant van de tank en konden ze hem eruit trekken. Als hij klem kwam te zitten, hesen ze hem eruit. Hij klom in olietanks, controleerde ze met ultrasone apparatuur – die klus had hij geleerd in Fort McMurray. Voor dat soort werk moest je een bepaald postuur hebben, en John was klein van stuk en matig met koolhydraten. Hij trainde zijn borst- en armspieren en ging drie keer in de week tien kilometer hardlopen, maar hij paste wel door een buis. Hij lette zogezegd op zijn gezondheid. Maar tijdens dit sollicitatiegesprek had hij ernstig last van hartzeer. Die bezorgde hem een fysieke pijn waar hij soms kortademig van werd.

John had gehoord dat er een flink salaris tegenover stond. Hij nam aan dat het de kunst was geen spier te vertrekken als de man tegenover hem een bedrag noemde.

Memorial University, civiele techniek, zei Mr. McPherson. Hij had een zuidelijk accent en bekeek fronsend Johns cv.

Een half uur eerder had John aangeklopt en gehoord: Binnen. Hij had een secretaresse verwacht, maar er was geen secretaresse. Het kantoor had uitzicht op de haven van St. John's, helemaal tot aan de Narrows. Er stond een grote man met zijn gezicht naar de uitgestrekte glazen wand. Het duurde een lang ogenblik voor de man zich van het raam afwendde. Een dramatische pauze. John en de man hadden elkaar opgenomen in de spiegeling van het raam. Aan de andere kant daarvan zweefde het kantoor boven het landschap. De blauwe waterkoeler hing in de blauwe lucht en de muur vol ingelijste diploma's maakte een blokpatroon op de waterkant. Een auto die de kronkelweg van Signal Hill afreed leek over het witte overhemd van Mr. McPherson te schieten, en toen verdween hij.

Ronnie McPherson, had de man gezegd. Hij draaide zich om en stak zijn hand uit. En John schudde die. McPherson had een te stevige grip die getuigde van het peptalkcircuit. De handgreep had een flauw enthousiasme waar onnatuurlijk veel oogcontact tegenover zou moeten staan.

Ronnie, zei John. Onderdrukte de aanvechting om meneer te zeggen.

Red.

Pardon, zei John. Hoe bedoelt u?

Zeg maar Red.

John was begonnen in de olie-industrie met echolocatie, in tanks kruipen. Als er iets mis ging trokken ze hem er aan zijn enkels weer uit. Toen had hij civiele techniek gestudeerd op Memorial University. Hij was op booreilanden gaan werken, aanvankelijk als ongeschoold arbeider, en had zich opgewerkt tot boorder.

Ronnie McPherson had zwart haar dat over de kraag van zijn overhemd krulde, vrij lang voor zijn leeftijd en al wat grijzend. Geen zweempje rood was er aan hem te ontdekken. Er moet een korte pauze zijn geweest voor hij die das omdeed, dacht John.

Shoreline Group was gespecialiseerd in risicoanalyse, reorganisaties. Ze waren gespecialiseerd in al dat softe jarentachtiggedoe: lateraal denken, creativiteit op de werkvloer, psychische ondersteuning bij inkrimping of natuurrampen, ontslag, sweatervesten en versleten denim, een krachtig, nieuw, zichzelf genererend jargon dat overkookte en indampte tot één perfect woord: efficiency.

John was gaan studeren. Vijfendertig was te oud voor een boorplatform. Als twintiger was hij hele zomers in pijpleidingen gekropen, en de lucht die daar hing – die kan niet goed zijn voor een mens. Hij wilde ook niet de rest van zijn leven booronderdelen verkopen. Hij had een tijdje in de verkoop gezeten. Bij Shoreline zouden er ongetwijfeld weekendjes weg zijn, rollenspelen, schema's, kringgesprekken, massages. Flipovers waarop persoonlijke doelen en bedrijfsdoelen werden benoemd, met sterretjes waar die elkaar kruisten. Volgens Red McPherson begonnen de vakbonden behoorlijk vervelend te worden.

Bij sommige pijpen waar John doorheen kroop had hij eerst de ene schouder vooruit moeten wurmen, en dan de andere. Met zijn kin naar beneden gedrukt. Zulk werk moest je niet doen als je last had van claustrofobie. Sommige pijpen waren zo smal dat hij een soort kronkel met zijn heupen had moeten ontwikkelen. Hij moest zijn hoofd naar beneden doen en hoog ademhalen. Als je bang was om levend begraven te worden, dan zou je niet beginnen aan het werk dat hij had gedaan toen hij jonger was. Alle soorten tanks waar aardolie in zat. Eén keer was hij een tank in gegaan van een fabriek waar ze gummibeertjes maakten.

Bij Shoreline zou hij moeten reizen, en John was gek op reizen. Hij wilde alles zien.

Iemand die hem goed kende en hem ergens flink voor terug wilde pakken moet McPherson die das hebben aangeraden, dacht John. Op de das vlogen ananassen met gympen aan op skateboards door witte wolken verlicht met zilveren bliksem.

Als je door olietanks kroop, had je een bijkomend voordeel: je deed iets voor het milieu. Daarom was John in die branche begonnen. Hij wilde iets doen. Hij had kunnen blijven, controleren op scheuren. Maar dat kun je niet eeuwig blijven doen.

John was slimmer dan zomaar een vent met echoapparatuur aan zijn broekriem, maar het was Sophie die hem had gepusht. Sophie had gezegd: Ga eens iets anders doen. Sophie had gezegd dat hij weer moest gaan studeren. Ze zeurde en bleef aandringen. Sophie was zijn ex. Zij was de oorzaak van zijn hartzeer toen hij bij Shoreline ging solliciteren.

Civiele techniek, zei Red McPherson. Hij wreef over zijn kaak. Met één dreigend gefronste wenkbrauw bekeek hij Johns cv, alsof een academische graad een belemmering zou kunnen zijn die ze maar op de koop toe moesten nemen.

Het is heel goed om een papiertje op zak te hebben, had Johns moeder zijn leven lang gezegd. Ze was nogal gebrand op een diploma.

Omgekeerde ananastaart. Johns moeder stond met de hand cakebeslag te kloppen en hem de les te lezen over een goede opleiding, en zei dat van een papiertje.

Zoveel voordelen, zei ze. Ze zette de beslagkom neer en maakte twee vuisten en strekte haar vingers helemaal uit. Dan gaat de wereld voor je open, zei ze.

Haar hele leven had Johns moeder maar één taart gemaakt, en dat was omgekeerde ananastaart. Het grote voordeel van die taart was dat je hem mengde in de pan waarin je hem bakte. Hij zag haar nog de ringen ananas uit blik in de koekenpan leggen en het beslag erbovenop gieten. Het leek wel alsof Johns moeder het kantoor binnen was gekomen tijdens zijn sollicitatiegesprek. Ze had het recept gevonden in de *Good Housekeeping*, een recept dat niet meer dan een kwartier zou kosten, van a tot z, en het zat zo in elkaar dat je hem op een kampvuur kon bakken of als het moest op de motorkap van de auto, en in de jaren waarin John opgroeide was het zijn moeders grootste culinaire hoogstandje geweest. Die taart kon je nog in een schuilkelder maken als het moest.

Zijn moeder had gezegd: Met zo'n papiertje op zak zit je gebakken.

Of ze zei: Op een diploma kun je tenminste terugvallen.

Ze zat altijd in de woonkamer onder één lamp te naaien. De naaimachine die *tsjak-tsjak* ratelde, vol kortstondige wrok. Dan deed John de plafondverlichting aan en drukte zijn moeder met haar vinger en duim tegen haar ogen.

En ze zei: Ik heb eens zitten nadenken over je opleiding, John.

In die tijd werkte zijn zusje Cathy bij het eerste a&w-restaurant in de stad, aan Topsail Road, en ze droeg een oranje petje en een bruin polyester uniform en bracht de dienbladen naar buiten – je moest ze aan het raam haken – en als de bekers werden gestolen hielden ze dat in op je loon. Cathy die aan Topsail Road achter een auto vol jongens aan rende en schreeuwde: Geef die bekers terug, eikels, ik weet dat jullie ze hebben.

John was in allerlei olietanks gekropen en het was er pikdonker en de gekste soorten gebonk hadden door zijn schedel gegalmd. De wanden waren bobbelig en pokdalig en onafgewerkt, en de zaklamp liet alleen maar zien hoe verschrikkelijk zwart het daarbinnen was. De bodem knerste onder zijn voeten of was glibberig.

Toen hij afstudeerde in civiele techniek zat zijn moeder op de eerste rij klapstoeltjes op het gras voor het Kunst- en Cultuurcentrum. Ze sloeg haar arm om hem heen op het grasveld. Zijn baret met het zijden kwastje kwam scheef te staan en zijn tante Louise richtte een camera op hen en zei: Dichter bij elkaar.

Overal op het grasveld: jonge mannen en vrouwen met baretten en in toga's, met hun moeders en grijze vaders, en paardenbloemen. De zon als een lange smalle schijf midden boven de donkere eendenvijver. De eerste in zijn familie met een universitair diploma. Hij was naar de universiteit gegaan omdat Sophie hem had gedwongen. Zijn moeder zei door de fotoglimlach heen: Schiet op, Louise.

Zeg eens *seks*, riep Louise.

Je hebt je papiertje op zak, zei zijn moeder. De flits ging af in hun gezicht.

Toen was er een groot familiediner, en John en zijn zusjes kookten.

Bij ons heeft ze het nooit over een opleiding gehad, zei Lulu.

Als ze het over een opleiding had, dan bedoelde ze de secretaresseopleiding, zei Cathy.

Dan bedoelde ze: zorg dat je je typediploma haalt, zei Lulu.

Dat is niet waar, zei zijn moeder.

Tegen ons zei ze: Leer een vak. Ze had het over verpleging. Een wit uniform leek haar wel mooi.

En ze liet John de keuken niet in, zei Cathy.

Of de detailhandel, zei Lulu. Ze zag Cathy en mij wel in de detailhandel. Ze zag ons getrouwd, dat vooral.

Ik heb opleiding gezegd, zei zijn moeder. Dat heb ik tegen Cathy gezegd en tegen Lulu en tegen Gabrielle en tegen John. Ik heb tegen al mijn kinderen opleiding gezegd.

De stoel van Mr. McPherson draaide piepend heen en weer. Het stuk been van Mr. McPherson dat tussen zijn broek en de dunne zwarte sok te zien was, was onbehaard en er zaten glanzende ronde littekentjes op. Was hij in zijn scheenbeen geschoten met iets van hagel?

Om in een olietank te klimmen moet je een soort slangenmens zijn, zei John. Bij die opmerking streek Red McPherson zijn das even recht. Hij legde Johns cv op het bureau en zette er alleen zijn vingertoppen op, alsof het een ouijabord was. Toen trok hij een la open en haalde er een hangmap uit.

Toen wist John dat hij de baan had. De kunst was om blasé over te komen als McPherson een bedrag voorstelde.

Door tanks kruipen was een rotbaan geweest, maar het had John een tijdlang van dat klotewater gehouden. Misschien had het wel iets integers, verslag uitbrengen aan veiligheidsinstellingen, bodemmonsters nemen, zeggen waar het op staat, maar hij had dat werk gedaan omdat hij het water niet op wilde.

Hij was bang voor water.

Zijn ervaring: iedereen is wel ergens bang voor. Je moet uitzoeken waar alle anderen bang voor zijn en dat gaan doen.

Toen werd je verkoper, zei Mr. McPherson.

Ik heb booronderdelen verkocht, zei John.

Ik ga geen spelletje met je spelen, zei Red McPherson. Hij had in de map zitten lezen.

Fijn, Red, zei John.

Ik draai er niet graag omheen, zei de man. Hij was verzonken in een rij cijfers en zei het alsof hij droomde. Alle spanning was uit zijn gezicht verdwenen. De krampachtigheid waarmee hij Johns cv had bekeken was verdwenen en zijn oogleden hingen sensueel neer. John vroeg zich af hoe oud hij was.

We hebben het over een miljoen, anderhalf miljoen per dag om een booreiland draaiende te houden, zei Mr. McPherson. We hebben handige jongens nodig. Slimme jongens.

John had een fotografisch geheugen, maar dat vertelde hij niet. Als hij een bladzij één keer had doorgekeken kon hij hem woord voor woord terughalen. Daarvoor moest hij zijn ogen dichtdoen, en dan zag hij de bladzijde en kon hem oplezen alsof het een gedachte was die zomaar in hem opkwam. Dat was niet eens zozeer slim, maar het kon wel doorgaan voor slim.

Slimheid had te maken met intuïtie, en die had John ook. Slim zijn was: je deed geen moeite maar toch wist je het antwoord. Goed, je dacht er wel over na, maar het antwoord kwam langs een andere weg. Slim zijn was: je had altijd toegang tot die andere weg. Het antwoord kwam via de achterdeur terwijl je stond te koken of zelfs als je lag te slapen.

Je groeit op met een moeder die uitblinkt in omgekeerde ananastaart en je leert koken. In de keuken had hij een potje truffels van tweehonderd dollar staan. Die had hij in Montreal besteld. Stinkende dingen, muf en sterk riekend: zodra hij de dop had opengedraaid was er een bronstige walm uit ontsnapt.

Dat was iets wat hij had gekocht toen Sophie nog bij hem was. John vond het leuk om dingen uit te proberen. Hij had zo'n soort intelligentie en een fotografisch geheugen en de kleine gave om te weten dat als je ergens maar lang genoeg en hard genoeg tegenaan ging, je het ook kreeg. Dat noemden ze zelfvertrouwen. Sophie had gezegd dat ze een kind wilde. Ik weet niet zeker of ik wel kinderen wil, had John gezegd.

Red McPherson sloeg de map dicht. Ik heb over je gehoord, zei hij. Jij bent zo iemand die één keer iemands naam hoort en die de rest van zijn leven onthoudt.

Dat is helemaal waar, zei John. Mr. McPherson. Mensen vinden het fijn om hun eigen naam te horen. Red.

Maar ze zeggen ook: iemand die zich niet in de kaart laat kijken, zei Red McPherson.

Voor de baan waarin hij booronderdelen verkocht, die van na het inspecteren van olietanks, had John veel moeten reizen. Alberta was anders dan Newfoundland. Dat kon John je haarfijn vertellen. Hij kende mensen die op een booreiland voor de Nigeriaanse kust een mes op hun keel hadden gehad. Hij wist dat ze in IJsland vissen in de grond stopten en die krioelend van de maden opaten. In IJsland deden ze aan alternatieve energie. Ze hadden hydrobussen en hete geisers. Het stonk er naar zwavel en de mensen waren vol vuur. In Alberta waren de mensen macho. In Texas kreeg je biefstuk zo groot als je hoofd. In de oliebranche kwam je niet veel vrouwen tegen.

In Newfoundland deed je je werk en hield je verder je mond. In Newfoundland hing een cultuur van: kaken op mekaar houwen, anders kun je nog spijt krijgen.

Toen was hij gebeld door de Shoreline Group. Dat was een efficiencybureau en er waren doorgroeimogelijkheden, hadden ze gezegd. Shell was een klant, en Mobil. Die waren allemaal klant.

We zijn een onafhankelijke tak, zei Mr. McPherson. John probeerde te bedenken wat een onafhankelijke tak zou kunnen zijn. Hij had de indruk dat de situatie niet echt getuigde van het soort legitimiteit dat hij had verwacht, waarop hij had gehoopt.

Onpartijdig, zei Mr. McPherson. John had het gevoel dat de sollicitatie een wending nam voor hij de kans kreeg om iets te zeggen. Ze wilden hem hebben.

Ze hebben je aanbevolen, zei Mr. McPherson. De man draaide zich naar het raam, en vouwde zijn vingers als in een gebed en zette ze tegen zijn lippen.

John dacht aan Sophie en dat ze waarschijnlijk nog in bed lag. Hij dacht aan haar rug, aan dat hij soms had geslapen met zijn hand op haar onderrug. En dat het haar in haar nek een beetje vochtig was en warm en in de war.

John kon lucide dromen, en één keer had Sophie hem gevonden toen hij het grote raam op driehoog probeerde open te krijgen. Hij had zich omgedraaid en gezegd: Hier moet ik eruit. Sophie had hem weer naar bed gebracht.

Je vader zat op de Ocean Ranger, zei Mr. McPherson. Hij werd afgeleid door de stropdas van die vent. John kende de olie-industrie van binnen en van buiten. In Ontario kon je zulke dassen tegenkomen. Of ergens in Texas. Bij mannen die kleurenblind waren.

We zijn onder de indruk van je diploma, zei Mr. McPherson.

De oliebranche was net het leger: ze leidden hun eigen mensen op, en ze wilden dat je de dingen op hun manier leerde doen. Als je op een booreiland een diploma had, dan dachten ze dat je arrogant was. Met een diploma kon je je maar beter bewijzen. Je moest je vinger kwijtraken of een sleutelbeen breken, en John had een sleutelbeen gebroken, en eindelijk was er een bedrijf dat knikte toen hij zei: civiel ingenieur. Dat wist dit bedrijf te waarderen.

De stoel kraakte toen Red McPherson weer terugdraaide. Op McPhersons telefoon knipperde een oranje lampje. John dacht aan een hotelkamer in Edmonton waar berichten op de telefoon stonden van iedereen die ooit naar die kamer had gebeld. Vreemd genoeg waren die nooit gewist, en op een nacht had hij misschien wel tweehonderd berichten afgeluisterd, sommige in vreemde talen.

Hij had net definitief gebroken met Sophie. Alle berichten waren op de toon die mensen gebruiken als ze tegen een apparaat praten: met richtingloos verlangen, aarzelend, licht berouwvol. Kinderen belden om iets tegen hun vader te zeggen. Vriendinnetjes zeiden gewone dingen op verleidelijke toon. Of ze zeiden grove dingen op normale toon. Iemand moest bij Sears een tv-meubel ophalen. Ene Tony moest een gerichte strategie toepassen. Een heel klein kind zei: Welterusten. Iemands vader was vanavond stabiel. Iemands vliegtuig had vertraging. John had zijn voorhoofd tegen de koude ruit gedrukt, neergekeken op de auto's vijftien verdiepingen lager en gestaard naar de dikke sneeuwvlokken die uit de grijze lucht vielen, en hij miste zijn moeder en hij miste zijn zusjes en hij was verliefd op Sophie, maar hij had met haar moeten breken om daarachter te komen.

We zijn op zoek naar mensen zoals jij, zei Mr. McPherson. Er lag een stuk hard plastic onder zijn stoel en een van de wieltjes was er vanaf gerold, zodat de man een beetje scheef zat. Hij pakte de rand van het bureau beet en trok het wieltje met een ruk weer op het plastic, zijn gezicht verkrampt van de inspanning.

Iemand die de wind eronder heeft, zei McPherson. Shoreline

Group was een bedrijf dat booreilanden bezocht om procedures te bekijken, en Mr. McPherson vertelde John dat er een veiligheidsbeleid heerste dat funest was voor de efficiency. Dat willen we aanpassen.

Aanpassen, herhaalde John.

Absoluut, zei Mr. McPherson.

John had krankzinnig veel booronderdelen verkocht, en de strategie die zijn bedrijf voorschreef draaide om penetratie. De terminologie was seksueel en agressief: de onderdelen waren hard en de zeebodem was nat en bood weerstand en ging uiteindelijk voor de bijl, en een goed boorijzer kon echt alles penetreren.

Shoreline Group daarentegen stelde zich ten doel om overbodige veiligheidsprocedures te schrappen. Ze boden een kostenbatenanalyse van de veiligheidsprocedures ter plaatse, zei Mr. McPherson, en ze ontwierpen wijzigingsvoorstellen die direct effect hadden op verspilling en overtolligheid, en het algemene belang voor hele gemeenschappen, en winstmarges, en er moest rekening worden gehouden met de aandeelhouders. Er waren veiligheidsprocedures die alleen maar een belemmering waren voor degenen die de boel gesmeerd wilden laten lopen. Shoreline Group was op zoek naar mensen die zelf konden nadenken. Mr. McPherson schreef een bedrag op een papiertje, vouwde het twee keer dubbel en duwde het over het bureau Johns kant op.

Ja, mijn vader is omgekomen op de Ocean Ranger, zei John.

Ze hadden zijn vaders bril in zijn borstzak gevonden. Johns vader had zijn bril afgedaan en in zijn zak gestopt. Hij zag geen steek zonder bril. Hij moet op het dek hebben gestaan toen het booreiland begon te kantelen, zijn bril hebben afgedaan en in zijn borstzakje hebben gestopt, en toen was hij waarschijnlijk gesprongen. Zijn vader moet al zijn botten hebben gebroken als hij vanaf die hoogte was gesprongen. Maar misschien leefde hij nog wel toen hij in het water terechtkwam, denkt John. John stelt zich voor dat hij nog leefde. Zo heeft hij het zich altijd voorgesteld.

Mijn vader wist dat ze gingen zinken, zei John.

Hier begin je mee, zei Mr. McPherson.

John vouwde het papiertje open en het was meer dan hij had verwacht, en hij hield zijn gezicht neutraal.

Helen maakt trouwjurken

Helen had yoga geprobeerd en ze was gaan hardlopen, en toen ze in de dertig was, ging ze in de Aquarena aquafitness geven aan vrouwen van boven de vijftig, met haar jeugdigheid als enige kwalificatie. Ze had die oude dames flink aangepakt en was tot de ontdekking gekomen dat aquafitness precies hetzelfde was als al het andere, je benen door al dat water bewegen, op één plek door een gigantisch gewicht heen joggen.

In de jaren negentig kreeg ze een hobby: trouwjurken, avondjurken, schoolgalajurken maken, een hobby die een soort werk werd. Na Cals overlijden was ze bijna het huis kwijtgeraakt; ze moest heel lang wachten op het smartengeld. Ze was bijna alles kwijtgeraakt. De bank had gedreigd, maar het huis had ze gehouden.

Het gezin had het niet breed, zeker niet. Maar kinderen hebben niet veel nodig, denkt Helen. Ze had haar kinderen opgevoed met niets. Ze waren niet verwend. Dat kon ze zonder meer over ze zeggen. Ze had altijd kleren gekocht bij het Leger des Heils. Ja, kinderen moeten eten. Ze hebben een warm bed nodig. De kinderen en zij hadden zich gered.

De meisjes hebben er niets aan overgehouden, denkt Helen. De meisjes zijn sober en kunnen met geld omgaan, maar ze weten er wel leuke dingen mee te doen. Toen haar dochters nog klein waren, had Helen zich voorgenomen dat ze zich niet schuldig mochten voelen. Het was iets wat ze niet onder woorden kon brengen. Maar dat had ze gewild voor de meisjes.

John was een piekeraar. Hij gaf elke cent die hij in handen kreeg weer uit. De meisjes hadden erop los geleefd totdat ze zelf kinderen kregen, en toen waren ze serieus geworden. Ze lazen opvoedingsboeken en knikten om zoveel wijsheid en zeiden tegen hun kinderen: Jíj was niet stout, je *gedrag* was stout. Volgens mij heb je even een *time-out* nodig.

Helen had haar eigen kinderen *loeders* genoemd en gezegd dat ze een pak op hun broek zouden krijgen of een draai om hun oren als ze een grote bek tegen haar hadden, of ze dreigde dat ze ze op hun sodemieter zou geven. Ze had met haar pantoffel naar ze gezwaaid als ze onbeleefd waren, en ze helpt haar dochters herinneren dat dat bij hen heel goed werkte.

En een flinke trap onder de kont, zei ze tegen hen. Ze konden op hun donder krijgen.

Nu past Helen op de kleinkinderen zodat haar dochters kunnen uitgaan en dronken kunnen worden. Ze kocht fopspenen voor de baby's terwijl haar dochters faliekant tegen fopspenen waren, en zei: Ben jij zo'n stoute baby? Ze lachte totdat de baby's teruglachten. Een baby kan al een paar uur na de geboorte teruglachen. Dat zijn geen krampjes, zoals in de boeken staat; wat een flauwekul.

Toen haar kleinkinderen vijf maanden waren gaf ze ze voor het eerst ijs en keek ze naar hun gezichtjes. Ze keek hoe ze met hun lippen smakten en nadachten over de kou en hun eerste echte zoetigheid binnenkregen, en hoe blij ze naar die lepel reikten. O jee.

Helen verwent haar kleinkinderen zo veel mogelijk. *Zeg maar niet tegen mama.*

Misschien is het wel waar dat John haar oogappel was. Als kind was hij altijd een buitenbeentje. Hij nam altijd wel iemand in de houdgreep of worstelde iemand op de grond. Johnny was een driftkikker. Hoe vaak heb ik het nou gezegd? Leer je het dan nooit? Hij schreeuwde in zijn slaap, een hevige ruzie waar geen eind aan kwam. Als Johnny moest huilen, dan zei hij altijd dat hij iets in zijn ogen had en wreef hij er hard in met zijn vuisten.

Stof van dat stomme kleed, zei hij dan en schopte met zijn gymschoen tegen het oude tapijt.

Op een middag had Cal op een rommelmarkt schoenen voor hem gekocht waarmee hij over het water kon lopen. Cal kon niet zwemmen en hij gaf John aanwijzingen vanaf de steiger. Kom op Johnny, je kunt het. Twee drijvers van piepschuim, voor elke voet één. Het gepiep toen Johnny zijn voeten in de gaten wurmde. De rillingen waren over haar rug gelopen.

Geen vader was zo trots op zijn kinderen als hij. Dat kon Helen rustig zeggen over Cal. Hij zei tegen Johnny dat hij met die schoenen aan over het water kon lopen. Met de witte drijvers aan kon Johnny een paar stappen rechtop lopen, waarna zijn benen uit elkaar gleden en hij in het water plonsde en kopje-onder ging. Lachend en happend naar adem kwam hij weer boven, en hij sloeg met zijn vuisten op het water, zwom achter de losgeraakte drijvers aan die weg dobberden op de wind.

Maar na de dood van zijn vader was Johnny bang geworden voor water. Ging niet met zijn hoofd onder de douche als het niet nodig was.

En John heeft geen kinderen. John kan hard werken, en als hij drinkt, dan drinkt hij ook goed. Hij vergeet te bellen. Hij gaat op reis als hij daar zin in heeft, of hij gaat weg voor zaken. Soms is hij afstandelijk. Hij heeft geen moeite met liegen als het zo uitkomt. Op dit moment, denkt Helen, staat hij ergens in New York met de telefoon in zijn hand geklemd te praten met iemand die hij bijna niet kent, de vrouw die de moeder van zijn kind zal zijn.

Helen en Louise hebben geluk, augustus 2008

En daar ging Louise over het strand, en ik zeg: Louise, zeg ik, je bent nu achtenvijftig en je hebt het aan je hart. Ik zeg: Als je die kinderen probeert te redden kom je niet meer terug, dat geef ik je op een briefje.

Die arme jonge moeder rende over het strand heen en weer en riep om hulp. Ze had twee kleine kinderen – hoe oud waren die,

Louise? Zes en acht misschien, en ze zaten op een luchtbed en door de onderstroom waren ze afgedreven, en daar was Louise.

Dat afdrijven ging zo snel, zei Louise.

's Zomers gaan we met mooi weer elk weekend naar Topsail Beach, zei Helen. Picknick mee, beetje plenzen in het water.

Die kleintjes maar om hulp roepen en hun moeder draaide helemaal door, zei Louise.

Niemand anders kon zwemmen, zei Helen. Dus voor ik het weet rent Louise daar over het strand het water in en ze gaat helemaal los, ze slaat de kwallen zo van zich af.

Die kwallen konden me niks schelen, zei Louise.

Je weet hoe het water daar is, zei Helen.

Die kou vond ik niet erg, zei Louise. En iedereen op het strand kijken en zeggen: Wie is dat ouwe mens? Moet je dat ouwe mens zien.

Louise stond in de krant omdat ze de kinderen op het luchtbed had gered. Haar grijze haar gladgestreken, met de zebrahanddoek om zich heen en een brede grijns op haar gezicht.

We hadden gezien wat er aan de hand was, en Louise stond op en ik zei dat van haar hart. Ik zeg tegen d'r: Louise, laat iemand anders dat nou doen. Ze stond gewoon op en rende over het strand en dook er zo in. En toen crawlen. Zoals we als kind hadden geleerd. Hoofd naar beneden in het water en opzij naar lucht happen en de armen recht en de vingers recht, en al die golven die over Louise heen gingen. Ze ging maar door en de zon glinsterde op het water en Louise was bijna een silhouet, en ik kon de hoofden van de kinderen zien maar ik hoorde ze niet, ik weet niet meer hoe de wind stond. En toen Louise er was, pakte ze de rand van het luchtbed omdat ze de kinderen wilde kalmeren denk ik, of gewoon om even op adem te komen. Iedereen op het strand tot aan zijn knieën in het water.

Ze is te moe, zei iemand. Dat ouwe mens is moe. Dat ouwe mens haalt het niet.

We hebben het wel over mijn zus. En ik van: Ze móét het verdomme halen! En toen kwam er een speedboot om het schiereilandje naar de baai verderop, en wat mij betreft hadden ze geen tel later moeten komen, en een minuut later was de boot bij ze en draaide helemaal om, met zo'n grote golf, en ze zetten de motor af.

En iedereen werd de boot in gehesen, eerst de kinderen, en toen Louise.

Een kleine verlossing, oktober 2008

Barry's mobieltje ging en hij knipte een leren etuitje aan zijn gereedschapsriem open en het toestelletje was niet eens te zien in zijn hand.

Je hebt van die timmerlieden die hun troep achter zich opruimen, en Barry leek Helen zo iemand. Hij had aan grote projecten gewerkt maar hij kon ook kleine klussen doen. Hij had samen met zijn vader een boot gebouwd en dat vertelde hij toen hij op een avond naar de hemel stond te kijken, en Helen vond het echt iets van vroeger, iets romantisch. Maar ze leefden niet in het verleden. Of ze leefden nog wel in het verleden maar het was niet romantisch.

Zo hebben we het allemaal geleerd, zei Barry. Hij werkte gestaag, niet snel maar ook niet langzaam, en soms stond hij met zijn hand tegen zijn voorhoofd om een hoek uit te rekenen. Het was haar opgevallen dat zijn pink een beetje trilde als hij zo stond.

Hij had altijd een potlood achter zijn oor. Het was eenzaam werk en hij mat alles op wat hij deed. Dan zette hij één knie op de grond, legde de waterpas neer en trok het potlood over het hout, en deed het potlood weer achter zijn oor. Voor zijn werk was fysieke kracht nodig, en die zou hij niet eeuwig hebben.

Helen vermoedde dat Barry niet had gespaard; hij had het gezicht van iemand die hard werkt en uitgeeft wat hij verdient. Het was een gerimpeld en gebruind gezicht. En dan die ogen. Van die ogen die mensen opvallen, en je kon er maar moeilijk aan wennen.

Helen luisterde als Barry's telefoon ging. De beltoon was de herkenningsmelodie van een tv-programma, maar ze kon het niet plaatsen. Iets uit begin jaren tachtig, iets waar de kinderen in die tijd naar hadden gekeken.

Ze vermoedde dat Barry katholiek was. Ze herkenden elkaar wel, die katholieken. Ze zag het zonder het te hoeven vragen. Iets aan zijn houding en de manier waarop hij praatte. Hij kwam van de zuidkust. Zijn verhalen gingen over offers brengen en er toch iets voor terugkrijgen, en over kleine verlossingen. Zijn verhalen hadden een soort zelfspot, en hij vond het niet erg om een lange stilte te laten vallen. Hij respecteerde andermans privacy en was ervan overtuigd dat je mysterie nodig had om te kunnen genieten, en dat er in elke naakte simpele waarheid mysterie school.

Helen stelde zich Barry als twintiger voor met een gootsteen vol afwas en keukenkastjes vol met blikken knakworst. Ze zag zijn appartement voor zich. De mensen die er langskwamen en er maanden op de bank bleven slapen, en de vrouwen die er rondhingen, half verdwaald op weg naar iets anders. Misschien was hij moeilijk geweest voor vrouwen.

Barry had zichzelf het timmermansvak geleerd, en hij bezat het soort kennis waardoor hij accepteerde hoe snel al het andere ging en weigerde zelf zo snel te zijn.

Pietje precies, zei hij. Je moet ergens de tijd voor nemen. Helen had hem aangenomen om twee bogen van de woonkamer naar de eetkamer weg te breken en om de schoorsteen te ontmantelen en hardhouten vloeren te leggen, en hij zou ook schilderen. Ze wilde twee boekenkasten laten verplaatsen. En ze wilde grote ramen in de keuken.

De kozijnen zijn rot, zei ze. Ze liet haar vingernagel over het hout gaan en de verf schilferde zo af.

Ik ben geen schilder, zei Barry. Helen zou moeten afwachten of hij de schilderklus aannam. Hij zou wel zien.

Er zijn wel anderen die voor je willen schilderen, zei hij. Hij tuurde naar het plafond, met zijn handen op de heupen.

Als het moet, zei hij.

Helen had gezien dat er vraag was naar zijn werk. Je bent zeker niet beschikbaar? vroeg ze.

Tot juni zit ik helemaal vol, zei Barry. Daarna doe ik het voor geen goud meer. Hij gaf haar een knipoog. Ze zag dat hij betrouwbaar was ook al had hij het zich kunnen permitteren om slordig te zijn. Er zijn maar een paar meestertimmerlieden in de stad, zei hij.

In oktober had hij de ondervloer gelegd en ze zorgde dat ze hem niet voor de voeten liep. Het regende bijna voortdurend en het was mistig. Het was koud en dat voelde ze in haar polsen. Als haar vriendinnen langskwamen, stelde ze hen aan Barry voor, en dan knikte hij of tikte aan zijn petje, maar hij ging op in zijn werk.

De hamer tikte systematisch en op de tweede verdieping, waar Helen zat, klonk het alsof hij heel doordacht was en wist hoe je iets duidelijk moest maken. Niet drammerig, maar stellig en zeker.

Dan zat zij in haar werkkamer te naaien en vergat ze tijdenlang die hele hamer.

Soms riep Barry naar boven dat hij koffie ging drinken. Of dat hij klaar was die dag.

Ik laat het gereedschap liggen, zei hij dan.

Soms zei hij dat het een mooie avond was. Dan riep hij dat van de hemel tegen haar.

Dit moet je zien, Helen, zei hij dan. Een gigantische rode zon. Dat was katholiek. Het was katholiek om zoiets te zeggen.

Hij had iets loyaals dat Helen bijna kon ruiken. Hij ging natuurlijk niet naar de kerk of ter communie. Niemand van haar generatie praktiseerde nog. Als kind waren ze gaan biechten en waren ze bang gemaakt met het idee van erfzonde, en ze hadden het vormsel ontvangen en bidden deden ze nog steeds.

Geen van hen was echt gelovig, maar het was hun bijgebracht dat het echt was, wat het ook was, of ze het nu geloofden of niet.

Barry ging rechtop staan toen hij zijn mobieltje pakte en keek uit het raam. Er zat een voerbakje voor vogels met doorzichtige zuignappen aan het raam, maar er kwamen nooit vogels op af.

Hij vroeg: Hoe laat zal ik je komen halen? Toen hij ophing, floot hij een stukje van de beltoon.

Er woonde iemand bij hem, drong tot Helen door. Iemand die hij ergens naartoe brengt, iemand die afhankelijk van hem is. Hij was niet beschikbaar.

De patrijspoort

Er was een patrijspoort bezweken, daar draait het om. Maar dat weet iedereen al: het draait altijd ergens om; er is altijd een toegangspoort. Er sloeg een golf ijs tegen het glas en dat brak. De metalen klep was er niet voor geschoven, wat had moeten gebeuren, en het glas ging stuk en er kwam water op het elektrische ballastpaneel en dat veroorzaakte kortsluiting. De mannen moesten de ballastkleppen handmatig bedienen en ze wisten niet hoe dat moest. Maar dat weet iedereen, dus even rustig aan. Even pas op de plaats.

Stel je nu eens een man voor met zijn benen omhoog – gewoon voor het idee – en een kop koffie in zijn hand, ergens bij zijn kruis, en misschien zit hij de handleiding te lezen. Laten we voor het idee even aannemen: hij heeft de handleiding open op schoot liggen en straks gaat hij zijn vrouw bellen, en hij heeft ook nog een boek. Het is een lange dienst. Straks gaat hij het boek lezen.

Weten we wat ze die avond op het booreiland hebben gegeten? Helen weet het niet. Ze ziet varkenskarbonade met appelmoes voor zich en ze ziet grote stalen bakken aardappelpuree op schotelwarmers met een laagje paprikapoeder eroverheen, gladgestreken en gegarneerd met peterselie. De mannen gaan die peterselie niet opeten. Dat doen Newfoundlanders niet. Cal zou het niet doen.

De broodjes waren lekker. Boven op de broodjes zat gesmolten boter en ze waren lekker zout, en er stonden roestvrijstalen bakken met ijsblokjes met daarin kleinere bakjes vol stukjes boter, en elk stukje zit tussen twee vierkantjes vetvrij papier... maar we moeten aan de handleiding denken. We moeten aan de patrijspoort denken.

Het was geen kop koffie; het was vast thee. En die man is drie kwartier geleden aan zijn dienst in de ballastcontrolekamer begonnen en hij zit de handleiding door te bladeren. Als het koffie is, dan is het oploskoffie. Aan dat deel van de avond denkt Helen het liefst – als de man met zijn oploskoffie in de ballastcontrolekamer zit.

Stel je zijn verbazing voor als de zee zich samenbalt tot een vuist die dwars door die poort de ballastcontrolekamer in komt. De zee is ergens tussen kwart voor acht en acht uur 's avonds door het raam geknald. Die man heeft dus nog tijd voor een kop koffie na het eten.

Dat kunnen we ons zo dadelijk voorstellen.

Eerst dat idee van de ballast.

Maar eerst dit: de ballastoperators hebben hun werk al doende geleerd of ze hebben het door zelfstudie geleerd. Dat wil zeggen dat ze de handleiding doorbladerden. Die lazen ze door.

Er was een handleiding en die hebben ze doorgelezen. Of die hebben ze niet doorgelezen.

Waar is godverdomme die handleiding?

De ballastoperators hadden promotie gemaakt, kwamen van de boorvloer. Ze hadden ervaring in de scheepvaart of ze hadden boorervaring, of ze hadden eigenlijk nergens echt ervaring in. Ze hadden geen ervaring.

Maar ze waren verantwoordelijk voor de stabiliteit van het platform. Het bedrijf had graag dat je het op de werkvloer leerde want dan leerde je het zoals het bedrijf dat wilde. Ze wilden dat je het op een bepaalde manier leerde, en die manier kun je zo'n beetje omschrijven of bestempelen of anderszins benoemen als: *hun manier*. Je leerde het op hun manier. De bedrijfsmanier. En dat was: niks terugzeggen. En dat was: wil je die baan of niet? En dat was: je hoeft alleen maar de handleiding te lezen. Als je dienst heb maak je lange uren in de ballastcontrolekamer en dat is een goed moment om de handleiding door te nemen. Later krijg je misschien nog een paar cursussen, maar het staat allemaal in de handleiding.

Er was een protocol voor wie naar de ballastcontrolekamer werd bevorderd, maar daar hield het bedrijf zich niet aan. Eén man had niet eens ervaring met boren of in de scheepvaart. Maar hij had de juiste houding. Het hielp als je een beetje een academische achtergrond had. Of een opleiding kon tegen je werken. Het had er allemaal mee te maken of je wilde leren. Of je interesse toonde. Het hing af van je houding.

De poort en de vuist van water, een piston die zich door die patrijspoort heen boort, een vuist van ijs met stenen knokkels; de zee is half monster, half machine geworden en beukt met zijn pistonvuist door die plaat van onbreekbaar glas of wat het ook mag wezen heen en slaat hem aan gruzelementen... maar laten we nog even niet aan die poort denken.

Het is nog steeds stil in de ballastcontrolekamer.

Heel stil.

Wij weten wat er gaat gebeuren en daarom is het moeilijk om die stilte tot je door te laten dringen, maar laten we dat eens even doen.

Laat die man zijn oploskoffie drinken. Helen stelt zich graag voor hoe het was voordat het allemaal misging. Als het allemaal mis begint te gaan wordt het onduidelijk. Dan raakt ze makkelijk in de war. Ze probeert door de gangen te rennen, ze probeert erachter te komen waar Cal is, wat hij aan het doen is, maar ze verdwaalt. Hij ligt in zijn kooi maar daar zal hij niet blijven. Ze wil hem niet in zijn kooi. Ze wil dat hij zit te kaarten. Ze wil hem bij de andere mannen. Ze waren vast bang, maar ze hadden vertrouwen in het eiland. Ze hadden vertrouwen in die monsterlijk grote, logge massa metaal. Het is makkelijker als er een paar mannen aan tafel zitten te kaarten en Cal daar een van is. Het is makkelijker als hij aan het honderdtwintigen is. Voor zover ze weet heeft Cal nooit van zijn leven gepokerd, en als hij om iets wedde, dan was het met kwartjes. Ze geeft hem een zak vol kleingeld. Ze laat hem een beetje winnen. Ze kan hem zijn hand op een bergje munten zien leggen en het naar zich toe zien trekken. Ze ziet hem een harten neerleggen die hij achter heeft gehouden.

In de controlekamer zit ook een paneel met hendels waarmee de ballastoperators de ballast handmatig kunnen regelen, en daar gaat het om.

Daar gaat het om.

Met dit deel heeft Helen moeite. Waarom knijpt bij dit deel altijd haar keel dicht? Waarom prikken haar ogen als ze hieraan denkt? Het wordt nog veel erger, maar van die hendels krijgt ze het te kwaad.

Die hendels. Niemand wist hoe je de hendels moest bedienen. Als ze dat hadden geweten, dan was het eiland niet gezonken. Zij heeft het wel geleerd. Helen heeft de rapporten gelezen; ze heeft de illustraties bestudeerd; ze weet waar de hendels in moeten en waarom en hoe. Want die mannen wisten het niet en ze wisten het niet, ze wisten het niet, en dat kan iedereen overkomen.

Stel dat er ineens een vuist door een raam komt, dan kun je erop rekenen dat Helen weet wat haar te doen staat. Midden in de nacht wordt ze wakker en weet waar elke hendel hoort, en dat zal ze nooit vergeten. De hendel, het corresponderende solenoïdeventiel onder het mimicpaneel.

De man in de controlekamer zit met een kop oploskoffie de handleiding te lezen, maar het probleem is dit: in de handleiding stond niet hoe je de ballast moet regelen als de elektronische apparatuur hapert.

Dus hij kan die handleiding lezen tot hij een ons weegt.

Hij kan hem achterstevoren lezen als hij wil. Of in het Japans. Hij zal er nooit in kunnen vinden wat hij moet doen.

Dus komt het water door de kapotte poort op het ballastpaneel terecht en zorgt voor kortsluiting. De mannen weten niet of de ballastkleppen open of dicht zijn, maar ze denken dat ze openstaan dus proberen ze ze dicht te krijgen. Of andersom. Het eiland begint ontzettend slagzij te maken. En Helen is nu wanhopig op zoek naar Cal. Waar is hij? Ze vliegt door gangen, rent door hallen en komt langs kaartspelers waar een lege stoel aan tafel staat en de mannen geen gezicht hebben maar ze zijn Cal, en ze rent rond en nu is er heel veel lawaai, ver weg in de gangen, en ze loopt op deuren te bonken.

Ze kan maar niet bedenken waar hij is. Ze kan het maar niet bedenken.

Haar profiel, 2006

En ja, natuurlijk had Helen zich door haar dochters laten overhalen om te gaan internetdaten. Wat dacht je dan.

Je bent geen dinosaurus, zei Lulu. Lulu was haar moeder aan het opmaken. Bracht een zweem kaneelbruin aan op haar oogleden. Lulu was schoonheidsspecialiste. Ze had prijzen gewonnen in binnen- en buitenland. Lulu werkte hard, ze stond uren op haar benen, en ze had last van haar gewrichten en haar knieën waren versleten, en ze had geen zorgverzekering of pensioen maar ze had een eigen zaak.

Lulu ging uit met mannen, meestal jonger dan zijzelf, en ze danste in grote stadionachtige bars en kon stevig drinken. Ze kapte en deed manicures en pedicures, en ze deed iets met modderpakkingen en een prikkelloze tank wat pseudospiritueel was, en met alles wat ze deed en alles wat ze zei bracht ze de boodschap over dat als je voor je uiterlijk zorgde, je innerlijk er wel bij zou varen.

Volgens Lulu's reclames kon ze dingen met je doen waardoor je jezelf zou ontdekken. Wat Lulu met je deed zou een hevige en niet-aflatende interesse van de andere sekse bewerkstelligen. Of van dezelfde sekse. Ze verkocht biologische vitaminen en gedroogde paddenstoelen en bepaalde tincturen en harsen die volgens Helen een beetje giftig waren. Overal in de hele stad zwoeren vrouwen van rond de menopauze bij haar chakramassages en cactussap. Precies in het midden van de vagina zat een chakrapunt, voor zover Helen kon afleiden uit een tekening in een van Lulu's folders, maar daar dacht Helen liever niet over na.

Lulu kwam bij Helen langs om haar moeders ijskast te plunderen. Ze kwam niet zozeer langs om te praten maar om alle gordijnen dicht te doen en rozig te worden op de bank terwijl haar moeder macaroni met kaas stond te maken. Lulu dronk Helens drankkast leeg en flanste iets in elkaar van verlepte groente en lepelde Helens pot pindakaas leeg. Ze werd door Helen op haar wenken bediend. Lulu was een zwerveling. Ze was sexy en tenger en aartslui.

Mrs. MacLaughlin bijvoorbeeld, zei Lulu terloops terwijl ze Helen eyeliner opdeed. Met haar armen over elkaar deed ze een stap achteruit om te bekijken wat ze had gedaan.

En Mrs. Buchanan, zei ze. Ken je Mrs. Buchanan nog, die lesgaf in de derde? Die zijn allebei aan het internetdaten.

Lulu had een sponsje en ze depte Helens wangen. Je bent nog steeds heel mooi, zei ze. En ze depte Helens neus.

De meisjes zeiden computer. De meisjes zeiden internetdaten. En Helen had het geprobeerd. Zelfs nu nog schrok ze soms midden in de nacht wakker van schaamte.

Ze was heel openhartig geweest online. Zo dom. Ze had het allemaal gemeend. Ze zette haar foto er niet op; de meisjes hadden gezegd: geen foto meesturen. De meisjes zeiden: Later is er nog tijd genoeg voor een foto.

Helen had moeite gehad om te omschrijven wie ze was en wat ze zocht in een man. Het leek belangrijk om te weten wat waar was over haarzelf. Hoe ze onder woorden moest brengen hoe overweldigend heerlijk haar leven was geweest; hoe ze moest zeggen dat ze iets heel belangrijks was kwijtgeraakt en midden in haar hart nog steeds een gat had zitten waar de wind doorheen floot. Hoe ze moest vertellen hoe trots ze was op haar werk. Dat ze vriendinnen had. Hoe ze moest uitleggen dat haar vriendinnen hun bruiloft vierden, de vijfentwintigjarige, de veertigjarige, en dat ze zelfvoldaan waren over hun huwelijk, zelfvoldaan over hun geluk, bot zelfs, en het was een zelfvoldaanheid die erop gericht leek te zijn om jou buiten te sluiten. Ze hadden niet eens door dat ze zelfvoldaan waren, en dat had Helen hen allemaal vergeven. Ze wilde duidelijk maken dat ze haar vriendinnen dat geluk niet misgunde. Ze wilde zeggen dat zij het type vrouw was dat zich bleef openstellen en dat dat enorm veel moeite had gekost.

Er waren andere vragen. Hoe oud, hoe jong? Welke interesses. Wat zij kon bieden; wat zij kon delen. Ze wilde zeggen: Ik voel me zo afschuwelijk eenzaam dat het me niet uitmaakt wie of wat je bent, ik kan van je houden. Ze wilde zeggen: Ik zal op zo'n manier met je vrijen dat je er de rest van je leven dankbaar voor zult zijn. Ze wilde zeggen: Zulk genot kan ik je geven. Kan ik ondergaan.

Wat ze wilde was praten. Eigenlijk wilde ze seks maar dat schreef ze niet; ze schreef dat ze wilde praten. Ze wilde voor iemand koken, of (dat is het vernederendste) zijn hand vasthouden. Of (dat is het allervernederendste) ze wilde praten over boeken. Ze schreef dat ze van kaarsen hield. Ze schreef dat ze verwachtte dat een man aardig was en gevoel voor humor had.

Er kwam geen humor naar voren uit wat ze geschreven had. Totaal geen humor. Het was bloedserieus. En totaal niet oprecht.

Als ze eerlijk was geweest dan had ze gevraagd: Wil je een middag mijn overleden man zijn? Wil je zijn kleren aantrekken? Ik heb ze nog. Wil je het luchtje opdoen dat hij altijd droeg? Wil je Export A roken, een middagje maar? Wil je India-bier drinken en het vlees laten aanbranden op de barbecue, wil je grappig zijn en moppen tappen en boodschappen brengen naar de familie verderop in de straat die geen geld heeft voor boodschappen? Kun je Cal zijn? Kun je lachen als Cal, een zachte, scheve grijns, en de kinderen opvoeden zoals Cal, en moedig en hoffelijk zijn en charmant tegen mijn vriendinnen, en geliefd bij iedereen die je kent, en kun je net zo slim en alert zijn als Cal, en kun je me telkens weer laten klaarkomen?

Helen en Cal hadden nooit elkaars hand vastgehouden. Dat was een van de vele dingen waar ze spijt van had. Ze zagen allebei in dat je wat afstand moest houden. Ze waren het soort geliefden dat helemaal in elkaar had kunnen opgaan, totaal door elkaar opgeslokt had kunnen worden, en daar moesten ze zichzelf voor behoeden. Ze hielden elkaars hand niet vast; ze aten niet van elkaars bord. Maar Helen had voor hem gezorgd. Ze had koffie voor hem gezet en 's avonds zijn wollen wanten op de verwarming gelegd. En aan hem gedacht als hij op het booreiland zat.

Het probleem is dat je eraan gewend raakt, dacht Helen. Je raakt gewend aan alleen-zijn. Je gebruikt de achterkant van een vork om het samengeperste koffiedik uit het espressoapparaat te halen dat je voor Kerstmis van de kinderen hebt gekregen. Het ruikt naar koude koffie, uit Ethiopië of Somalië, als het om vijf uur 's ochtends in de vuilniszak in de prullenbak belandt. En wat ziet het vuil er hard en echt uit, en wat stinkt het (aardappelschillen, een kwak nat hondenvoer, de koffie). Er raasde een sneeuwstorm, de wind loeide, het was koud in huis. Die hoge plafonds in deze oude stadswoningen. Deze huizen werden nooit warm. Dat was het probleem, hoezeer ze ook gewend was geraakt aan de eenzaamheid.

De nacht dat het booreiland zonk, februari 1982

Dat is het gekke. Helen had het gas aan laten staan. Er stond een enorme pan op het kleine pitje omdat ze soep ging maken, en ze had er een kippenkarkas en een paar uien in gegooid, en het gekke was dat ze met haar boek op de bank in slaap was gevallen.

Ze had de kinderen al naar bed gebracht en ze was *De druiven der gramschap* aan het lezen en ze werd wakker van kramp in haar nek. Het was koud in huis en alle lampen waren nog aan. Van dat kille licht.

Helen liep naar de keuken en zette de kranen open zodat de leidingen niet zouden bevriezen. Ze voelde zich dom als ze daaraan dacht. Ze had niet gedroomd, maar ze had het boek vastgehouden en ze had haar ogen maar ternauwernood open kunnen houden. Stupiditeit zat als een verkrampte spier midden op haar voorhoofd.

Ze liet de kraan met een klein straaltje lopen. Als de leidingen bevroren zou ze met de föhn de kelder in moeten. De pan had als een gek staan koken maar ze had geen oog voor de pan, en later dacht ze dat ze waarschijnlijk nog half sliep.

In het voorbijgaan had ze alle lampen uitgedaan. Op de kamers van de meisjes stond de verwarming op de hoogste stand, en de vloer lag vol kleren en autootjes en poppen. Lulu lag te snurken en Helen bleef even luisteren totdat Lulu zich op haar zij draaide en meteen stil was.

De lakens waren koud, en ze kroop met haar sweatshirt en joggingbroek aan in bed. Ze begon weer te lezen in haar boek maar ze merkte dat haar ogen dicht waren. Ze waren vanzelf dichtgevallen en ze probeerde ze open te doen maar dat lukte niet. Ze kon de woorden niet zien maar ze verzon het verhaal zelf om haar ogen niet open te hoeven doen. In het boek zei iemand dat ze het licht uit moest doen en moest gaan slapen, dus dat deed ze.

Maar toen was ze wakker. En ze hoorde Cal in de badkamer. Ze hoorde water spetteren en ze hoorde de kraan met dat piepje dichtdraaien, en ze kon hem zijn tanden horen poetsen en ze hoorde hem spugen. Ze hoorde het laatje onder de wasbak opengaan en hem rommelen tussen alle make-up en uiteindelijk hoorde ze een stuk flosdraad uit het plastic doosje gehaald worden, en het *pling* van de flosdraad toen hij die tussen zijn tanden door haalde. Toen ging de kraan weer aan en werd dichtgedaan. Ze hoorde Cal de la dichtdoen. Ze wilde dicht tegen hem aankruipen; ze wilde zijn warmte. Ze had het merkwaardig koud. Dat komt ervan als je op de bank in slaap valt. Ze lag te bibberen in bed.

De klep van het afvalemmertje in de badkamer knalde tegen de muur en viel weer naar beneden.

Kom eens uit het raam kijken, zei Cal tegen haar.

Helen stond op en zette haar bril op en liep naar het raam. Het was vier uur 's nachts. Dat weet ze omdat ze op de wekker op de toilettafel keek. Die lelijke bruine radiowekker met stof in alle groeven boven de luidspreker en de grote rode digitale cijfers, en de radiozenders die het geen van alle deden. Het alarm deed het ook niet. Of ze zetten de wekker altijd verkeerd. Dan zetten ze hem voor zes uur 's ochtends en hoorden ze om zes uur 's avonds dat zwakke *tuut-tuut-tuut*, of wat er nog over was van het alarm. Dagen nadat ze hem hadden gezet werden ze erdoor opgeschrikt, als ze naar de wc gingen of de was stonden op te ruimen, en vooral als de kinderen buiten waren of als ze met Cal aan het vrijen was.

Helen was verbaasd dat het zo laat was, dat weet ze nog heel goed, dat ze het zo gek vond, want ze had het gevoel dat ze helemaal niet had geslapen. En nu zou de dag beginnen. Het raam zat vol ijsbloemen, ranke, sierlijke varenbladeren, scherp afgetekend en mat of doorzichtig. En de wind beukte tegen het huis. Ze zag het deksel van een blikken vuilnisbak door de straat vliegen en in de takken van een boom blijven hangen.

Maar toen kwam er een sneeuwschuiver de heuvel over die piepte en het zwaailicht boven op de cabine viel op het bevroren raam en Helen zag duizenden barstjes en kristallen en grijze schemering die zo wit als een flitslamp oplichtte, violetwit, heel even maar, zo fel dat het ergens achter haar ogen zeer deed.

Ergens diep in haar schedel deed het zeer. Het voelde alsof het licht haar had doorboord, door haar heen was gegaan, en het krankzinnige patroon van de ijsbloemen, die eindeloos naar binnen krulden, was op haar netvlies gebrand.

Het voelde als een prik. Als extase. Het was de zwangerschap, realiseerde ze zich veel later. Het was de zwangerschap waardoor ze zo ontzettend slaperig was, alsof ze een slaapmiddel had genomen, en ze voelde zich slap, of de hormonen hadden een soort hallucinerend effect gehad, of het licht dat op dat moment op de ijsbloemen viel werd verstrooid en elk kristalletje werd een spiegeldoolhof zodat de intensiteit enorm werd uitvergroot.

De pan op het vuur. Ze knipperde met haar ogen en achter haar oogleden zweefde een vlek in de vorm van het licht van de sneeuwschuiver naar beneden, en het was wit in het midden met een paars aureool eromheen. Ze dacht niet echt aan de pan op het vuur; het schoot door haar heen. De pan stond nog op het vuur. Of misschien had ze het geroken, en in een plotselinge vlaag van paniek had ze de stank van de rook door een soort verkeerde zenuwverbinding ervaren als een verblindend licht.

De pan was drooggekookt en de botten van het karkas waren geblakerd en de binnenkant van de pan was zwart en de keuken stond vol rook. De rook hing als watten tegen het plafond en in de halve kamer en was ondoordringbaar grijs, en ze hield haar adem in. Ze gooide de achterdeur open; de sneeuw stond tot aan de deurkruk en ze pakte de ovenwanten en greep de pan en gooide hem in de sneeuw op de veranda. Hij zonk uit het zicht.

Het was vier uur 's nachts. Ze zette alle keukenramen open en liet de achterdeur openstaan en de wind loeide erdoor. De sneeuw waaide vanaf de verste uithoeken van het heelal neer, hij kolkte en zwermde om het kale peertje van de buitenlamp op de veranda, en hij glinsterde eromheen; elke sneeuwvlok fonkelde roze of blauw of groen. Toen de pan in de sneeuw terechtkwam klonk het als het gesis van een reptiel.

Pas weken of maanden later realiseerde ze zich dat Cal helemaal niet in de badkamer was geweest; ze had hem alleen maar gedroomd. Maar ze had onherroepelijk geweten dat er reden was om bang te zijn. Ze had geweten dat hij dood was.

EEN NIEUWE DAG

Een les, november 2008

Helen heeft ochtendyoga en iedereen zit roerloos op z'n eigen matje, met de blik naar binnen gericht. De eerste oranje zonnestralen vallen door de grote berijpte ramen naar binnen en strekken zich in lange bobbelige rechthoeken uit over de tegelvloer. Krampachtige concentratie. Ze zijn een klasje glimmende, krampachtige vrouwen, op de homojongen van de middelbare school na die een spandex hoofdband om heeft en zijn haar blauw heeft geverfd.

Lulu was over yoga begonnen, dus zit Helen nu op yoga. De geur van zweetvoeten en boenwas en nu en dan een stroef piepende blote voet op een van de koningsblauwe gymmatjes die met een klap openrollen en waaruit de geur van stof en zweet opstijgt.

Zwaai je armen naar buiten en draai je handpalmen naar boven, zegt de lerares, zodat je de adem kunt ontvangen. Jullie gaan je hart openstellen, zegt ze tegen hen. Helen voelt haar hart bonken en probeert eruit te zien alsof ze het openstelt. Ze kijkt even om zich heen. Sommige vrouwen hebben een bepaalde uitdrukking op hun gezicht; ze lijken oprecht hun hart open te stellen.

En rekken, rekken tot aan de hemel moeten ze nu. De lerares ademt hoorbaar in, en dan ademt het klasje in. De lerares ademt uit. Ze ademen allemaal uit.

Denk aan alles wat je hebt geleerd, zegt de lerares. En laten we tijdens het rekken dankbaarheid ervaren. In stilte ervaren ze dankbaarheid.

Buig je linkervoet naar binnen, zegt de lerares als ze denkt dat ze nu wel even dankbaar genoeg zijn geweest. En kom terug naar de kern. Helen krijgt kramp in haar bil. Dat gebeurt haar elke keer.

Richt je hart tot de hemel, zegt de lerares. Helen houdt die houding vast. Er wordt van ze verwacht dat ze tijdens het rekken over hun leven filosoferen. Rekken alleen is de yogalerares niet genoeg. Ze moeten de wijsheid aanspreken die ze tot nu toe hebben vergaard. En vasthouden. Yoga heeft een spirituele kant, had Lulu Helen uitgelegd. En Helen denkt: een ongrijpbare religie die naar schimmel ruikt en te maken heeft met gemeenschapsruimtes van de kerk en buurthuizen, pijn en loslaten.

Ontspanningshouding, net even anders, zegt de lerares. Kijk over je linkerschouder. Ze draaien zich allemaal meteen naar links en kijken achterom.

Dat is wat Helen heeft geleerd: het is mogelijk om zo moe te zijn dat je niet naar de hemel kunt reiken, dat je geen adem kunt halen. Dat je niet eens kunt praten. Dat je de telefoon niet kunt opnemen. Dat je nog geen bord kunt afwassen of kunt dansen of koken of je eigen rits kunt dichtdoen. De kinderen maken zoveel kabaal. Ze rennen maar rond. Ze zetten de muziek keihard of ze liggen een soap te kijken op de bank. Ze maken ruzie en gooien dingen stuk en raken hun maagdelijkheid kwijt of ze raken de weg kwijt. Ze willen geld hebben en ze willen de auto lenen. Er is altijd wel een schoen zoek. Je zoekt in de schooltas, je mest de kast uit; altijd één schoen. Weg.

Ontspanningshouding, net even anders, kijk de andere kant op, zegt de lerares. Helen laat de pijn in haar andere dij schieten en het is een sonore stem. In haar dij zit een steeds luidere stem vol verwijten over en weer. Een middag in april, denkt ze, toen het zo koud was dat er een laagje ijs op de drinkbak van de hond zat en de kinderen een stuk bubbelplastic vonden op het kerkhof en het aan hun armen bonden – Cathy en Lulu – en er de hele middag mee zwaaiden als toegetakelde vogels. Ze maakten drankjes van piccalilly en afwasmiddel en gedroogd gras in weckpotten. Ze hadden loopneuzen en er zat sneeuw in de lucht en toen ging het ook sneeuwen.

Kat-hondhouding, zegt de lerares. Als je je borst en je hart openstelt, vraag je dan af: ben ik dankbaar?

Ze gaan op handen en knieën zitten en strekken hun kin naar het plafond. Ze steken hun billen hoog de lucht in en maken dan een bolle rug. De billen in de rij voor Helen zijn allemaal totaal verschillend. De glimmende, in lycra geperste billen op de voorste rij zien er mager uit, als gehamerd metaal, of gedeukt en vormloos als zandzakken. Ze is dankbaar voor deze vrouwen en hun serieuze, hardwerkende billen. Helen is dankbaar dat ze nog min of meer haar oude figuur heeft.

Ze is dankbaar dat haar kinderen erdoorheen zijn gekomen. Haar dochters werden dronken, werden *stoned*. Er was altijd een priester die iets aan te merken had. En ook een leraar. En later waren er mensen die het over *coke*, over *wisselende contacten* hadden. Maar dat was allemaal schromelijk overdreven. Zo direct moet ik mijn balans vinden, denkt Helen.

En balancerende tafel, zegt de lerares. De basis van yoga is balans.

En ik ben dankbaar, denkt Helen, voor de zomerkaskrakers in het winkelcentrum. Al die keiharde soundtracks, dingen die ontploffen en uit elkaar knallen en de brokstukken die door de lucht vliegen. Ze had genoten van hout en metaal dat langzaam omwentelde, de vlammen en rook die het grote doek vulden. Ze had genoten van de bulderende muziek en de bakken popcorn en dat het buiten nog licht was als ze de bioscoop uitkwam. Helen ging met de kinderen naar de film, met de bus, en de kinderen renden door het gangpad van de bus heen en weer en zwierden om de chromen palen. Alle buurkinderen die zin hadden mochten mee, zolang ze maar zelf geld meenamen. Dan zaten ze anderhalf uur samen in het donker en voelden de kinderen en zij zich verbonden, zittend op een rij als het licht werd gedimd. Ze was dankbaar voor elke kortstondige vlucht uit de werkelijkheid.

En balancerende tafel de andere kant op, zegt de lerares. En ze strekken een arm en een been. Helens linkerbil verkrampt helemaal, een en al spierknopen en pijn. Haar arm begint te trillen. De schooljongen is zachtjes aan het fluiten. Een stukje van een melodie maar, iets wat ze zowaar herkent, van Nirvana.

Hou je tong tegen je verhemelte gedrukt, adem door je neus, maak je borst vrij en stel je hart open, zegt de lerares. Jullie gaan je hart openstellen.

Helen is dankbaar voor elk van haar kinderen. Maar op dit moment is ze nog het dankbaarst voor Gabrielle. Haar jongste dochter komt Kerstmis thuis vieren. Als John haar ticket betaalt. Ze zijn snel uitverkocht, die tickets. Ze had hem achter de broek gezeten. Vergeet niet een ticket voor je zus te boeken.

En Helen denkt aan de wieg. Ze had een wieg in elkaar moeten zetten – Gabrielles wieg – en ze was alleen en het vel tussen haar duim en wijsvinger was klem komen te zitten in het metalen glijding waarmee je de zijkant naar beneden kunt klappen, en ze kon de mobile niet uitzetten die *Twinkel, twinkel, kleine ster* speelde. Er was iets klem komen te zitten in het opwindmechanisme waardoor hij maar bleef spelen.

De wieg paste maar niet in elkaar – het stuk waar A op stond wou niet in het bijbehorende haakje waar ook A op stond – en ze pakte er een hamer bij en verboog de metalen groef ietsje en toen trapte ze hem helemaal in elkaar.

Ze bleef trappen totdat ze zeker wist dat ze een teen had gebroken, en toen zette ze het hekje tegen de deurpost en sprong erbovenop zodat twee houten spijlen versplinterden, en toen smeet ze de mobile tegen de muur en vreemd genoeg begon *Twinkel, twinkel, kleine ster* daardoor langzamer te spelen, zodat elke noot er langgerekt uit kwam.

De vader hoort de wieg in elkaar te zetten, dat hoorde Cal te doen, en nu had ze geen wieg. Ze zat op haar knieën met haar vuisten op dat ding te beuken, ertegen te schreeuwen: Dit hoort Cal te doen! Ze smeet de hamer tegen de muur, zodat er een gat in de gipsplaat kwam. Ze leerde dat je geen hamer tegen de muur moet smijten. Dat was een van de dingen die ze had geleerd en waarvoor ze dankbaar was dat ze het wist.

Ze stond in de hoek van de slaapkamer naar de kapotte wieg te kijken, ze wist niet met wat voor uitdrukking. Misschien dezelfde als nu, het verwrongen geluidloze gejammer van opgerekte buikspieren.

Helen is dankbaar dat haar dochters eerlijk tegen haar zijn. Haar dochters vertellen haar alles. Dat doen ze omdat ze niet oordeelt. Helen heeft ze altijd laten doen wat ze zelf wilden. Ze wil niet dat ze voorzichtig zijn, maar ze zijn het wel. Die onheilspellende kalmte die ze soms aan de dag kunnen leggen als ze allemaal samen in de keuken zijn maakt dat Helen aan zichzelf begint te twijfelen. Ze maken zich zorgen om haar en dat vindt ze niet fijn.

Spreid je vingers, zegt de lerares, zodat je een stevige basis hebt. We gaan nu naar de krijgerhouding. Degenen van jullie die nog niet toe zijn aan de krijger mogen zo ver mogelijk meedoen.

Ik ben klaar voor de krijger, denkt Helen.

Maak je rug lang, zegt de lerares. Lulu en Cathy zijn langer dan Helen en op de middelbare school hadden ze om beurten een baantje zonder dat zij zei dat het moest en ze hadden haar geld gegeven voor de huur. Ze zaten in de bediening of ze gingen babysitten. Ze werkten in Hotel Newfoundland. Ze hadden een uniform en werden uitstekend betaald en ze mochten zelf weten wat ze met de rest van hun geld deden. Ze gingen naar de universiteit. Ze hadden een nuchtere kijk op hoger onderwijs ontwikkeld; zo zouden ze nog eens iets bereiken. Ze hoefden niet te weten wat ze wilden doen; ze waren bereid om te doen wat iedereen deed, maar diep vanbinnen behielden ze een soort tegendraadse onstuimigheid.

Toen Cathy op de middelbare school zat, had een politieagent op Helens deur geklopt en daar zag ze Cathy, zo dronken dat ze nauwelijks op haar benen kon staan. Een jonge agent die Cathy overeind hield, en het zwaailicht strooide rode en blauwe flitsen in het rond ten overstaan van alle buren. En het enige wat Helen kon denken was: Godzijdank. Godzijdank. Godzijdank. Godzijdank. Om vier uur 's nachts was ze door alle straten gelopen en

de kroegen ingegaan, met een vest dat onder haar ski-jack uitkwam en in haar joggingbroek, en ze zag het uitgaanspubliek,
allemaal jong en dronken en hitsig en eigenzinnig, en ze had het
gevoel dat ze een reclamebord droeg waarop stond: *Iemands
moeder.* Maar Cathy was er niet bij. Helen had rondgebeld en
door de snijdende kou gelopen, en er waren sterren en het
sneeuwde.

En toen die politieauto, en Helen wist zeker dat... want ze had
al eerder slecht nieuws gekregen en dit voelde net zo, de ijzige
lucht, de felheid van de tl-buis in de keuken, de gierende angst –
maar Cathy stapte uit de politieauto, min of meer op eigen
kracht; ze was dronken en de knie van haar spijkerbroek was gescheurd maar ze leefde nog.

Ze lag bij de haven in een sneeuwhoop te slapen, zei de agent.
Helen hield Cathy bij de schouders van haar spijkerjack overeind: haar dochters bleke huid, haar zwarte haar, haar gescheur-
de spijkerbroek, wat voelde het allemaal komisch nu ze ongedeerd was.

Bedankt, agent, ontzettend bedankt, zei Helen. De bebloede
knie, vegen mascara op het bleke gezicht vol sproeten van haar
dochter van vijftien. Het was de dochter met de onvoorstelbaar
blauwe ogen en een abnormale wiskundeknobbel. Een hevige intelligentie die ze kwijt kon zijn, als een oorbel of een sleutel.

De gebeurtenis werd overspoeld door haar eigen einde. Het
was voorbij. Cathy was ongedeerd. Het was een dramatisch
voorval, gekruid met de bijsmaak van een bijna-vermissing, al
verworden tot een verhaal dat ze later grinnikend zouden vertellen: En hoe die arme jonge politieagent stond te kijken. En dan je
moeder die de kroeg inliep, dacht Helen dat ze later zou zeggen.
Over een hele tijd hoorde ze zichzelf al tijdens een familie-etentje
vertellen, over zichzelf in de derde persoon: En dan je moeder die
helemaal in paniek in haar joggingbroek de bar binnenliep,
doods- en doodsbang, en het volgende moment stond de politie
op de stoep en alle buren voor het raam om het goed te kunnen
zien.

Deze kleine meid moet eens naar bed, dacht Helen. Cathy's voorhoofd kwam op Helens sleutelbeen terecht. Ze wiegden zachtjes heen en weer. Of de plafondlamp, die aan een ketting hing, zwaaide heen en weer. Cathy tilde haar hoofd op en daar zag ze die ogen, en Helen wist het voordat Cathy iets zei.

Ik ben zwanger, zei Cathy. En Helen gaf haar een klap in het gezicht. De afdruk van haar hand.

De meisjes lieten hun haren in de wasbak en in de afvoer slingeren, en ze schoren hun benen en lieten een grijze rand achter in het bad, en ze zaten eindeloos aan de telefoon, en dan die feestjes die ze gaven, met de kille geur van sigaretten en bier de volgende ochtend, en alle ramen open, de vrieskou die binnenkwam.

En ze maakten ruzie, haar dochters; ze vlogen elkaar in de haren. Er belandde een haarborstel tegen de muur, iemand had iets van de ander geleend zonder het te vragen. Waar is mijn nieuwe trui? Ze heeft mijn trui gejat.

Maar als er dan iemand van buiten de familie een denigrerende opmerking maakte. Moest je eens zien hoe ze de rijen sloten als een buitenstaander iets zei over een van de meisjes, klaar om elkaar te verdedigen. Ze kwamen voor elkaar op. En dan de zorg dat ze met dronken jongens meereden, zorgen om ziektes of geen jongen hebben voor het schoolgala, of ze wilden dure spullen voor Kerstmis of voor hun verjaardag, of een leraar was onrechtvaardig geweest, er was gedreigd met schorsing, of ze wilden een baantje of iemand wilde met ze trouwen. En toen, zonder waarschuwing, waren ze weg. Ze waren allemaal hun eigen leven in gegroeid, en het was heel stil. Helen had gedacht dat ze zich met haar klauwen uit die stilte zou moeten optrekken, en toen, heel snel daarna, was ze er dankbaar voor.

Ga met je bewustzijn naar je buik, zegt de lerares. Ontspan je onderste ribben. Krul langzaam je staartbotje. Adem in en rek naar boven. Deze oefening is bedoeld om lichaam en geest en ziel met elkaar te verenigen. Het zorgt voor diepe ontspanning. Vergeet niet om je hart open te stellen als je uitademt. Deze houding heeft eerder te maken met levenskracht dan met brute kracht.

Het is een sleutel die je ware zelf kan bevrijden en je dankbaar kan maken voor alles wat je hebt, en ook nog eens je buikspieren verstevigt. En uitademen.

Glasscherven, 1987

Toen John veertien was, werd Helen gebeld door het ziekenhuis, en ze vroegen of zij de moeder van John O'Mara was, wat ze beaamde. Ze zeiden dat ze sprak met het Janewayziekenhuis, en het ging goed met John maar hij had een paar snijwonden en de dokter was hem net aan het hechten.

Behoorlijk wat hechtingen, zei de verpleegster hijgend terwijl ze achter Helen aan rende door de gang van het ziekenhuis. John was met zijn vriendjes Neal Yetman en John Noseworthy naar Zeller's aan Topsail Road gegaan en ze hadden besloten een paar cassettebandjes te stelen, die ze in de capuchon van hun jack hadden gestopt, en John, haar John, had chocoladepaashaasjes gestolen. Hij had ze in zijn sokken gestopt en er stond meteen een bewaker voor zijn neus, en hij rende het gangpad door en toen de hoek om. Er loeide een beveiligingsalarm door de winkel en er kwamen van alle kanten bewakers aangerend, een stuk of drie, vier, en op het allerlaatste moment schreeuwden ze allemaal op een andere manier, hun stemmen klonken anders, of ze riepen iets anders, maar John verstond ze niet. Hij rende zo hard en was zo opgewonden dat hij dwars door een glazen deur heen ging.

Hij knalde er gewoon doorheen, en er vlogen glazen driehoeken om hem heen door de lucht waar het zonlicht in weerkaatste, en ze flitsten en kwamen rinkelend op hun scherpe punten op de stoep terecht, en toen versplinterde elk scherp stuk nog eens duizendmaal. John had een grote snijwond onder zijn arm en snijwonden in zijn benen, maar het zag er erger uit dan het was, zei de verpleegster, eigenlijk alleen maar wat snijwondjes, en de verpleegster holde achter Helen aan die door de gang vloog – Het ziet er veel erger uit dan het is – maar godzijdank was zijn gezicht ongedeerd. Hij was dwars door die glazen ruit gevlogen en had nog geen schrammetje in zijn gezicht.

Daarna had John gras gemaaid. Dat moest van Helen. En hij schilderde tuinhekken. Hij had elk stukje gras gemaaid dat ze kende.

De meisjes bezorgden haar geen problemen en als het enigszins kon hielden ze John de hand boven het hoofd. De meisjes logen voor hem en leenden hem geld, en ze glipten naar buiten om hem op te halen als hij dronken was zodat Helen zich geen zorgen hoefde te maken, en ze ruimden het huis op als John een feestje had gegeven, en ze maakten zijn huiswerk, en toch gaf John Helen geen moment rust.

Bezoek, juni 2008

Als je er nou cens goed naar kijkt, hoorde Helen John zeggen. Hij was tussen twee reizen door thuis voor een bezoek en pakte net een bladerdeeggebakje. Er zijn veiligheidsprocedures die zo zijn ontworpen dat de mannen niet zelf hoeven na te denken, zei John. Ze hoeven niet zelf na te denken.

John, zei Cathy. Er was een feestje bij Helen, ter ere van het schoolgala van haar kleindochter Claire.

Het was nog maar gisteren, had John eerder gezegd. Hij had Claire laten zien hoe groot ze bij haar geboorte was, met zijn handen uit elkaar, zoals je laat zien hoe groot een forel is.

Echt een kleinduimpje, had hij gezegd.

Kom eens op de foto, zei Cathy tegen John. Ze gaf John een trap en stootte met haar heup tegen hem aan totdat hij van de keukenstoel viel. Er stond een feestmaal in de eetkamer. John had gekookt. Bladerdeeg met gekarameliseerde uien en appel en brie. Hij had de dikste sint-jakobsschelpen die hij had kunnen vinden in prosciutto gewikkeld. Hij had minibietjes doormidden gesneden en er ricotta in gestopt. Hij had konijn willen maken maar zijn zussen aten geen konijn, dus had hij Helen kalkoen laten klaarmaken.

Iemand had het over de hoeveelheid natrium die de gemiddelde Newfoundlander binnenkreeg.

Ik bedoel maar, zei Cathy. Moet je kijken hoeveel zout John gebruikt.

Gekookte groente zonder zout, zei Cathy. Ze rolde met haar ogen. Ze stonden met z'n allen in de keuken omdat Claire de trap af zou komen in haar schoolgalajurk. Cathy's dochter Claire, die nu al eindexamen had gedaan.

De jongere kinderen waren buiten op straat aan het hockeyen en de voordeur ging telkens open en dicht en het rook naar frisse lucht.

Helen kneep in de rubberen bol van de bedruipspuit en zoog het borrelende vet op en spoot het over de kalkoen. Haar bril was beslagen. Ze schoof de braadslee weer in de oven en deed de piepende ovendeur met haar voet dicht.

Ik laat een timmerman komen, zei ze. Om de vloeren te doen, en ik laat de boel schilderen.

Mam, zei Lulu. Wat fantastisch.

Na het roeren sloeg Helen met de roestvrijstalen lepel op de rand van de pan, en met de donkerblauwe en zilveren ovenwanten nog aan draaide ze zich om naar haar kinderen. Voor het houtwerk wil ik iets wat zeilwit heet, en voor de eetkamer een kleur die ze koffie verkeerd noemen.

Ze denken nu anders over zout, zei Claire. Daar stond ze, in de deuropening. Ze droeg roze met een glimmend lijfje, en de rok bestond uit allemaal lagen in verschillende tinten roze, en er zaten glitters op. Ze stond wankel op haar nieuwe hoge hakken. Met de ovenwanten nog aan kneep Helen in haar handen om niet te gaan klappen.

Die lipstick vind ik maar niks, zei Claire. Ze tuitte haar mond.

O, je moet lipstick op, zei Cathy. Doe het dan voor mij.

Ik wil niet.

Het maakt het af, zei Cathy. Een beetje kleur.

Je bent een plaatje, zei Helen.

Wat een schoonheid, zei John.

156

Cathy sloeg haar hand voor haar mond. Hoe kan dat nou, jammerde ze. Hoe kan het nou dat je zo snel groot bent geworden?

Ik hou die lipstick wel op, zei Claire. Ik weet niet waarom, maar mama draait helemaal door over die lipstick.

Cathy begon te huilen en stoof met haar hoofd naar beneden de kamer uit, gebukt en met kleine pasjes. Boven hoorden ze de badkamerdeur dichtslaan. De deur ging open en Cathy schreeuwde naar beneden: Ik wil alleen maar dat ze er mooi uitziet. Is dat zo erg? En de deur sloeg weer dicht.

Ik hou die lipstick wel op, riep Claire naar het plafond. Er spoelde een wc door en dat klonk akelig. Ze waren stil in de keuken. Helen had het gas onder de pannen op het fornuis uitgezet en zelfs het geluid van kokend water was weggestorven, en in de achtertuin konden ze een of ander vogeltje horen tsjilpen.

Cathy kwam de keuken weer binnen en goot de aardappelen af en begon met stampen. Ze stampte de aardappelen. Lulu gaf haar een half pakje boter in folie aan.

Ik ben gewoon zo trots op haar, zei Cathy. Haar gemiddelde eindcijfer.

Ik weet het, zei Lulu.

Ze heeft cum laude eindexamen gedaan.

Dat heb je verteld.

Ik snap niet van wie ze het heeft.

Ik snap wel van wie ze het heeft, zei Helen.

Die stomme lipstick kan me echt niet schelen, zei Cathy.

Ik heb de lipstick op, zei Claire. Zie je wel, mam? Ik heb de lipstick op.

De stilte was oorverdovend toen ze de zeventienjarige in zich opnamen, toen ze haar schoonheid door de hele kamer lieten stralen. Ze lieten het moment allemaal op zich inwerken en voelden hoe ontzagwekkend het was. En op dat beladen ogenblik begon John weer over de olie-industrie.

Wat ik al zei, zei John, het probleem is dat zo'n man nu niet meer zelf hoeft na te denken. En dat kan gevaarlijk zijn. Dat is niet goed voor de oliebranche, de veiligheidscultuur die is ontstaan. Het is net een stel ouwe wijven.

Hij ging maar door over booreilanden en protocollen en dingen die ze geen van allen wilden horen.

Veiligheid is belangrijk, zei Helen.

Niemand zei iets. Claire stond te friemelen aan haar corsage en er viel een speld op tafel.

Hoorde je die speld vallen? zei Claire.

Ik wil niets oprakelen, zei Helen.

Rakel dan niets op, mam, zei Cathy. John weet hoe belangrijk veiligheid is.

Ik wou alleen maar zeggen, zei John.

Hou d'r over op, John, zei Cathy.

Wat ik net zei...

Waarom hou je er nou niet over op?

Goed, champagne dan, zei John. Mag ik wel champagne zeggen?

Het was lente en het was nog koud buiten, maar de zon scheen en Claire was naar een schoonheidsspecialiste geweest en ze rook naar crème.

Laten we er een maken van jou en je oma, zei Cathy. Helen sloeg haar arm om haar kleindochter en trok haar naar zich toe.

Geen kreukels maken, zei Claire.

De champagnekurk knalde omhoog, schoot tegen het plafond en viel op tafel. Een witte kronkelende klodder schuim spoot uit de fles en Cathy hield een glas bij, maar John zette zijn mond aan de opening en zijn wangen bolden op.

De bel ging.

Hij is er, zei Claire. Ze wapperde met haar handen voor haar gezicht alsof ze het te warm had, en ze kreeg tranen in haar ogen. Door het waas van tranen veranderden haar ogen van blauw in ultramarijn, en de bel ging nog eens. Ze werd meteen zakelijk. Doet er nog iemand open? zei ze. Ze zette het champagneglas aan haar lippen en trok haar neus op vanwege de prikkels.

Pas op je make-up, zei Cathy. Ze verpest haar make-up. Zeg dat ze haar make-up niet verpest.

Pas op je make-up, lieverd, zei Helen.

Ik verpest mijn make-up helemaal niet. En ze draaiden zich allemaal om zodat ze Claires date konden begroeten. Maar het was Mrs. Conway van verderop in de straat.

Ik kwam even naar je kijken, zei Mrs. Conway. Claires date was er nog niet. Het gesprek werd ineens weer luidruchtig. Helen keek naar het klokje op het fornuis. Op weg naar de wc bleef Helen even bij de voordeur staan en keek naar de kinderen die aan het hockeyen waren.

Haar kleinzoon Timmy op doel. Patience die zich opmaakte om te schieten. De puck ging hard omhoog en raakte Timmy, en hij sloeg dubbel en viel op zijn knieën en verroerde zich niet. Iedereen op straat bleef staan. Timmy bracht zijn hand naar zijn helm alsof zijn hoofd te zwaar was voor zijn nek. Toen zaten ze allebei op hun knieën, Timmy en Patience. Ze had haar hand op zijn schouder, haar hoofd naar hem overgebogen. Zo zaten ze een poosje te praten, op hun knieën. Achter hen kwam een auto aanrijden, koplampen in de schemering. Ze werden erdoor beschenen en gingen in alle ernst op in iets intiems, vol kinderlijke onschuld.

Toen stond Timmy op en hief zijn stick alsof hij hem op Patience' hoofd wou laten neerkomen en haar de hersens wou inslaan. Hij deed het zo snel, met twee handen, boven zijn hoofd, dat Helen haar adem inhield. Ze rukte de deur open om te schreeuwen, maar Patience sprong opzij en sloeg dubbel van het lachen, en de stick kwam met een klap op het asfalt terecht en brak doormidden. De kinderen zetten de doeltjes opzij en de auto ging erlangs, en ze zetten de doeltjes weer terug.

In de keuken achter Helen werd het gesprek steeds luidruchtiger en opgewekter; er werd nog meer gelachen. Mrs. Conway vertelde over een aanval van jicht. Ze had een aanval van jicht gehad, ze kon letterlijk niet meer lopen, en toen had haar andere heup het laten afweten. Ze moesten allemaal lachen.

Eerst die voet en toen die heup, zei Mrs. Conway. Ze brulden van het lachen. Iemand sloeg op tafel.

In dat stomme winkelcentrum, piepte Mrs. Conway. Met winkelwagen en al. Eerst de ene, toen de andere, zei Mrs. Conway.

Helen zag de straatlantaarns aanspringen. Ze flikkerden en sprongen aan, bijna allemaal tegelijk. Een of twee gingen ietsje later aan. En toen reed er een taxi voor en verplaatsten de kinderen de doeltjes weer en stapte Helen weg bij het raam, een klein stapje maar, en daar was de jonge knul in een pak en hij betaalde de taxi, ze kon hem in het licht van de taxi zien, en hoeveel was hij te laat? Een half uur? Niet eens. Twintig minuten. Ze zag hem op het papiertje kijken en toen naar het huis, en ze liep terug naar de keuken en de bel ging.

In de keuken hield iedereen op met praten. Terwijl John ging opendoen, begonnen ze zacht te fluisteren.

En daar was hij dan. Hij liep de volle zwijgende keuken in en zag Claire staan met een cracker en een stukje kaas bij haar mond, met haar andere hand eronder om de kruimels op te vangen. Claire liet de cracker zakken. Wat is die jurk toch roze, dacht Helen. Ze had anderhalve maand over de kraaltjes gedaan. Ze stonden allemaal te wachten tot hij zou zeggen hoe mooi ze eruitzag, maar hij stond Claire in zich op te nemen, en de volle keuken en de cracker met het stukje ontzettend oranje kaas en de stilte.

Wat zie je er mooi uit, flapte hij eruit, en iedereen moest lachen, en Mrs. Conway deed haar jichtloopje, dwars door de keuken, morsend met champagne, en Helen zei dat iedereen zelf mocht opscheppen.

Het is klaar, zei ze.

Johns survivaltraining, 1992

Net als alle andere mannen die op een booreiland werkten moest John in de simulator. Hij had het survivalpak aan. Hij moest zichzelf vastsnoeren. Een klein trapje leidde naar de cabine van een helikopter waar stoelen aan de vloer waren bevestigd. Je stootte een raampje open. Je trok aan het touw en duwde zachtjes met allebei je handen zodat de helikopter wegdreef. Dat was het idee. Je duwde zachtjes of je trapte keihard tegen dat raampje.

Het zweet brak hem uit. Het survivalpak was te warm, de rubberlaarzen te zwaar. Het was een groot pak met ventilatieritsen maar John had alles dichtgeritst. Hij had de manchetten van polypropeen met klittenband dichtgedaan. Het pak plakte aan zijn kuiten en aan zijn rug, schuurde langs zijn nek. Hij gespte zichzelf vast in de helikopterstoel.

De instructeur heette Marvin Healy. Marvin wurmde zijn wijsvinger onder de veiligheidsgordel, trok 'm van Johns buik en liet hem toen weer terugschieten. Toen klopte hij John op zijn schouder.

Je zit goed vast, zei Marvin.

Hij keek even neer op John en zag ongetwijfeld de straaltjes zweet op zijn voorhoofd en slaap. John wist wat er nu zou komen: ze zouden de cabine laten zakken en er zou door alle naden water binnenkomen, steeds hoger in de plastic bol, tot aan zijn voeten en benen en kruis en borst en nek, en dan zouden ze hem omkeren zodat John ondersteboven zou hangen, en zijn gezicht en nek en de rest van hem zouden helemaal kopje-onder gaan.

Het was dat bedekken van zijn gezicht met god weet hoeveel kubieke ton angst dat hem de stuipen op het lijf joeg. Het sloot je in en drukte op je en was verstikkend, en het zou maar een paar seconden duren voor het leven uit je werd geknepen. Je moest erop vertrouwen dat de anderen je zouden bevrijden. De vorige keer was hij buiten westen geraakt.

Buiten westen raken was makkelijk, weer bij je positieven komen was moeilijk. Je moest intuïtie en vertrouwen hebben om weer bij je positieven te komen. Vertrouwen kun je niet afdwingen. Schaamte en falen en kotsen hoorden er allemaal bij als je weer bij je positieven kwam. Zodra je bijkwam werd je geconfronteerd met alles wat er aan je mankeerde. Dan was je binnenstebuiten gekeerd, en zag iedereen je van je kwetsbaarste kant.

De instructeur had zichzelf voorgesteld als Mr. Healy en had elke man aangesproken met zijn achternaam, gevolgd door zijn voornaam. O'Mara, John. Alsof hij ze voorlas van het klembord.

Mr. Healy zei: Ik zoek een vrijwilliger. O'Mara, John bood zich niet aan om als eerste te gaan.

Mr. Healy hield een verhaal over veiligheid en hoe die je leven zou veranderen op manieren die je op het eerste gezicht misschien niet zou verwachten, maar uiteindelijk – beloofde Mr. Healy – zou de gelegenheid zich voordoen; zulke gelegenheden kwamen minstens één keer zonder waarschuwing of trompetgeschal in elk modern leven voor, en dan had je deze veiligheidsprocedures maar al te hard nodig. De mannen zouden nog dankbaar zijn, voorspelde Mr. Healy.

Het gewone reddingspak is je beste vriend op zee, zei Mr. Healy. Zo simpel is het.

Terwijl Mr. Healy stond te praten moest John ineens denken aan een non van de lagere school die praatte over een jongen die vlak naast het waterfonteintje dood was neergevallen toen John in de derde zat. John had achter Jimmy Fagan staan wachten tot hij aan de beurt was voor het fonteintje. Plotseling had het jongetje naar de zijkant van zijn hoofd gegrepen en was hij naar de trap gewankeld, waar hij zich vastgreep aan de leuning alsof ze op ruwe zee waren. John kon zich het kraantje nog herinneren, het water dat opborrelde als je aan de hendel draaide, en het jongetje, Jimmy Fagan, met zijn mond bedolven onder die natte zilveren boog.

Een eenvoudige ziel, had de non gezegd. Dat wist John nog. Daar hoorden ze naar te streven: eenvoud. Voor zover hij het had begrepen moest je voor eenvoud op de een of andere manier vergeten. Vergeten dat je ertoe deed. Of dat ook maar iets ertoe deed.

In het water van het zwembad achter Mr. Healy schitterde de plafondverlichting, die telkens door elkaar heen golfde en weer uit elkaar ging.

Ze moesten streven naar een vergetelheid die vergelijkbaar was met het uitslijpen van bergen door gletsjers waar John dat jaar bij aardrijkskunde over had geleerd. Het wegslijpen van alles wat niet eenvoudig was.

Iemand moet de eerste zijn, zei Mr. Healy. Hij wipte twee keer omhoog op de bal van zijn voeten. Hij droeg witte gymschoenen die onaangenaam vrouwelijk waren. Marvin Healey deed aan gewichtheffen en zijn borstspieren leken op die van een stripheld, en hij was gebruind, en zijn haar was glanzend zilver. Het was een ongecompliceerde kleur grijs die je associeerde met wijsheid.

Wie biedt zich aan? vroeg Mr. Healy. Maar twee van de tien mannen in de groep konden zwemmen. Die mannen boden zich niet aan. Ze zwegen in alle talen.

O'Mara, John, zei Marvin Healy. Hij keek naar de namen op zijn klembord. Tijdens de lessen had Mr. Healy af en toe persoonlijke informatie over zichzelf gegeven, soms bij wijze van leerzame anekdote – zo had hij de mannen verteld over zijn fobie voor vogels. Op een dag was hij een tankstation in Bay Roberts uitgelopen en zat er een zeemeeuw op de voorste stoel van zijn cabriolet. Hij was naar het fastfoodrestaurant ernaast gegaan en had een jumboportie frites gehaald om de meeuw mee uit de auto te lokken. Hij had hem geroepen en met zijn tong geklakt en bijna een half uur lang blootshoofds in de zon gestaan, hij had de meeuw gesmeekt, staan fluisteren en bidden en frietjes gegooid, en de vogel had hem volstrekt roerloos zitten aankijken. Op dat moment had Mr. Healy iets langs zijn broekspijp voelen strijken en toen hij naar beneden keek zag hij bij zijn voeten een stuk of vijftig meeuwen die steeds dichterbij kwamen. Wat hij had geleerd was dat je niet in paniek moet raken, had hij tegen de groep gezegd.

Mr. Healy zwaaide even naar iemand in het kantoortje en de cabine zakte het zwembad in.

Water kent maar één gebod. Elke druppel stort zich altijd op zichzelf. Water wil alleen maar zijn honger stillen met zichzelf. Het stroomt door zichzelf heen en wordt zwaarder en sneller en ploetert maar door, zelfs al staat het stil.

Er waren duikers op de bodem van het zwembad, in zwart-rubber pakken, en van de kant gezien waren hun lichamen kronkelig als verbrande luciferhoutjes en zwollen dan plomp en breed op.

Zonder goedsluitend reddingspak zou niemand langer dan vijf minuten blijven leven in de Noord-Atlantische Oceaan, al kon hij zwemmen. En de kans dat je een helikoptercrash zou overleven was, zelfs in zo'n pak, praktisch nihil. Dat wist iedereen. Dat wisten ze allemaal. Maar elke man die ooit een voet op een booreiland zette moest zich uit een gesimuleerde helikoptercrash weten te werken als hij zijn baan wilde houden.

John werd met zijn plastic cabine in het zwembad gegooid. Het water kwam sneller binnenstromen dan alles wat ooit ergens naartoe was gestroomd. Dat was een eigenschap van water, het bewoog soms sneller dan je dacht. Het bewoog in zijn geheel. Het stroomde naar binnen en Johns hoofd verdween onder water en hij trapte tegen de deur.

Hij dacht eraan om de gordels los te maken, wat beter was dan zijn vorige poging, en het volgende moment raakte hij buiten westen. Wat alleen maar betekende dat hij het nog een keer zou moeten doen.

Noodweer, 1980

Soms denkt Helen er weer aan dat die hond zoekraakte een half uur voor het noodweer losbarstte. De regen viel loodrecht naar beneden, zonder een zuchtje wind. Het waren honderden, duizenden regengordijnen, het ene na het andere, en samen vormden ze een doorzichtige muur. Achter die muur van water helden de bomen op de hoek van het grasveld over en golfden heen en weer, alsof ze van gelatine waren. Het schuurtje hing scheef. De regen spatte op van het terras. Hij kwam zo hard op de tegels neer dat hij vonken had kunnen veroorzaken. De drinkbak van de hond liep over. Het begon donker te worden en de hond had een hekel aan regen. Een van de kinderen was vergeten de achterdeur dicht te doen.

Cal trok rubberlaarzen aan en een oliejas die hij achter op de veranda had hangen, en hij pakte de zaklamp. De bleke cirkel van de zaklamp op de regen danste het hele grasveld over. Hij stapte in de truck en zette de motor aan. Soms was het geluid van de motor alleen al genoeg om de hond te lokken. De koplampen gingen aan en de regen viel heel snel in het licht van de koplampen, kaarsrecht, als spelden.

Helen kon het huis niet uit omdat de kinderen lagen te slapen. Er was bliksem die de slaapkamer deed oplichten met fel licht dat blauwig leek of te wit. Ze liep naar het raam om te kijken, en in de bliksem was de regen buiten te zien, die alle kleur uit het groene gras zoog zodat het er grijs uitzag, en ver weg op de heuvel deed hij de zijkant van de witte kerk oplichten. De zee werd grijs en het woeste schuim op de golven was ultraviolet. Het was een flits van onnatuurlijk licht die te lang duurde, en toen flikkerde hij en zoog zichzelf weer weg van het land en de zee, en alles was donkerder dan daarvoor. De donder hield heel lang aan. Het leek alsof hij helemaal vanaf Bell Island kwam aanrollen, aan de andere kant van de zee. Hij kwam helemaal tot aan het grasveld. Hij rolde het gras op en donderde daar vlak bij het raam. De raamkozijnen begonnen ervan te trillen in de oude, half verrotte raamstijlen. Dit was het huis dat ze aan de andere kant van de baai hadden gekocht, en ze kwamen hier in de zomer als Cal niet op het booreiland zat.

Helen was in slaap gevallen zonder zelfs maar te besluiten om te gaan liggen, en ze werd wakker toen Cal terugkwam. Hij leunde huilend tegen de deurpost.

Het enige wat ik kan bedenken, zei hij, is dat hij ergens vastzit of dat hij niet thuis kan komen. Hij houdt niet van regen. Helen liep naar Cal toe om hem vast te houden, maar hij schudde haar van zich af.

Ik ben zeiknat, zei hij.

Ze hadden ruzie gehad om die hond. Ze hadden er ruzie om gehad dat hij op hun bed sliep. Cal liet vorken met nat hondenvoer in de gootsteen liggen en van de geur moest Helen kokhalzen. Hij liet zich door de hond in z'n gezicht likken. Hij voerde de hond aan tafel. Dan hield Cal een stuk vlees van de barbecue boven de kop van de hond en de hond keek ernaar en bleef roerloos zitten.

Moet je kijken, moet je kijken, zei Cal. Niet bewegen, zei hij zachtjes.

De hond bleef doodstil zitten en dan kwam er een hoog geluid uit de keel van de hond, en de hond tilde een poot op en zette hem neer en tilde de andere op en zette hem neer.

Af, zei Cal. En de hond zat weer stil. Helen ergerde zich er rot aan. En dan viel het vlees, en de bek van de hond klapte open en griste het vlees uit de lucht en dan kwamen er nog twee natte smakken van die bek en weg was het vlees. Cal had zoveel plezier in de hele vertoning dat hij zijn stoel van tafel duwde en op zijn dijen sloeg, en dan sprong de hond op en legde zijn kop in Cals hals en dan gromden ze naar elkaar, en dan zei Helen: Niet aan tafel.

Cal stroopte zijn natte kleren af en kroop naast haar in bed, en zijn benen waren ijskoud, en zijn voeten ook. Toen gooide hij de dekens met een ruk weer van zich af en weg was hij, en Helen hoorde de achterdeur en de auto en Cal die wegreed.

Bij het ochtendgloren kwam hij weer thuis, en Helen kleedde zich aan en ging naar buiten om zelf naar de hond te gaan zoeken. Ze liep een uur rond. Haar kleren waren doorweekt zodra ze een voet buiten de deur zette. Haar spijkerbroek bleef aan haar dijen en kuiten plakken.

In de gezwollen rivier kolkte bruin water en er waren bomen afgeknapt, en het versplinterde hout zag er heel geel uit in het ochtendgloren. De rivier stroomde sneller dan ze ooit had gezien, en hij was buiten zijn oevers getreden en gleed dik en glad over de kei waar de kinderen meestal vanaf sprongen, en het was gevaarlijk. Ze bleef staan om aan een hondsroos te ruiken, de blaadjes bedekt met grote regendruppels, en hij rook naar kaneel en een donkerzoete geur die zo kenmerkend was voor hondsrozen.

De hond is vast dood, dacht ze. Het was absurd hoe gek Cal op die hond was. Ze zeiden dat het een Nova Scotia Duck Tolling Retriever was, maar het was een bastaard. Roodbruin met een krulstaart, en na een paar zomers zag ze in de buurt heel wat honden met zo'n staart. Het was een mooie kleine hond, maar als Helen hem aan de riem probeerde uit te laten, rukte hij haar de arm bijna uit het lijf. Dat beest barstte van de energie. Als hij de achtertuin in wilde, dan blafte hij tegen de deur en sprong jankend op en neer.

Toen Helen weer thuiskwam stond er een laag water op het gras en alleen de uiterste puntjes van de grashalmen piepten uit het glanzende oppervlak, en het was bijna opgehouden met regenen. Hij viel nog steeds, maar dan geruisloos, en er was zon en de wolken en de blauwe lucht weerspiegelden in de glanzende laag die over het grasveld lag. De rookgeur van de houtkachel was heel sterk. Alles rook fris. De kinderen waren op en Cal stond roerei te maken en hij draaide zich niet om toen ze binnenkwam.

Ik wéét gewoon dat hij dood is, zei Cal. Maar ik kan het me niet voorstellen.

We gaan wel met z'n allen met de auto, zei Helen.

Als hij niet dood was, zou hij nu wel terug zijn. Cal schudde de eieren op plastic bordjes waar Pino op stond. Hij had toast op een rooster in de oven en hij pakte het eruit, vergat dat het heet was. Hij liet het op het fornuis vallen en zwaaide driftig heen en weer met zijn hand, die hij bij de pols vasthield.

Kloterooster, zei hij.

Hij deelde de eieren rond en gaf iedereen toast, en hij schonk sap in voor de kinderen, en er was koffie en hij schonk twee koppen in.

Iedereen de auto in, zei Helen.

Laat ze eten, zei Cal.

Iedereen de auto in, zei ze. De kinderen stapten allemaal in en Helen hees zich naar binnen en trok de deur dicht en draaide het raampje naar beneden. De grond dampte nu overal.

Gordels om, zei ze. De zon brandde inmiddels feller, en er gleden flarden stoom over de hoofdweg, en er zweefde een laaghangende mistbank boven de baai. De hele hoofdweg riepen ze naar de hond. Cal reed langzaam, en toen schreeuwde Cathy.

Daar is hij, riep Cathy.

Eerst bewoog de hond niet en leek het erop dat hij echt dood was, maar toen tilde hij zijn kop op en Cal zette de auto stil. Ze renden het steile talud af; de hond was gewond. Hij lag in een plas water en in de kou, en zijn vacht was doorweekt, en hij zag eruit alsof hij alsnog zou doodgaan, zelfs nu ze hem gevonden hadden. Bij zijn achterpoot was zijn vacht afgestroopt tot op het bot, dat witgeel was, en hij lag te beven als een riet en kon zich nauwelijks bewegen, en Cal tilde hem op en praatte tegen hem.

Cal zei: Rustig maar, we laten je niet doodgaan.

Cal reed met iedereen naar de dierenarts, en aan het eind van de dag reden ze terug naar huis. Ze hadden er lang over gedaan om bij de dierenarts in Carbonear te komen, dus lieten ze de hond er een nacht achter. Hij had zijn achterpoot gebroken maar er waren geen interne verwondingen en het zou ze tweehonderd dollar kosten.

Toen ze weer thuiskwamen was het donker, en Cal deed het licht aan. Lulu lag in zijn armen te slapen. Samen met Helen stopte hij de kinderen in bed. Toen gingen ze met z'n tweeën weer naar beneden, en het roerei lag nog steeds op de gele Pinoborden en er stonden nog drie onaangeroerde glaasjes sinaasappelsap. Ze stonden allebei naar de tafel te kijken. De lamp boven de tafel was een kaal peertje.

De eieren en de Pinoborden en het sap en de geur na de regen – Helen weet nog dat ze door al die dingen even dacht dat ze op een stijlkamer in een museum was gestuit, een tableau van een vervlogen leven: Outport Newfoundland, circa 1980.

Johns vriendin, 2005

John had twee relaties gehad die hij serieus zou kunnen noemen. Allebei de vrouwen waren tegen de kwestie van kinderen aangelopen. Ze waren allebei verliefd op hem geworden zonder echt te geloven dat hij niet door list of overreding tot het vaderschap kon worden verleid.

Beide keren was het uitgegaan met een knallende ruzie. Met Sophie was het uitgegaan in haar kelderappartement; ze hadden de keuken net lichtgroen geverfd en de verf had een geurtje. Later zou de geur van munt hem altijd doen denken aan dat late tijdstip, de kale muren, en hoe Sophie langs een daarvan naar beneden was gegleden zodat er een veeg in de natte verf kwam. Met gebogen schouders zat ze op de grond, met haar ellebogen naast elkaar tussen haar knieën en losse polsen, zodat haar handen slap langs haar gezicht hingen.

Ze zat te schokken van het huilen maar er was bijna geen geluid. John probeerde haar op de rug te kloppen of haar haren te strelen, maar ze sloeg zijn hand weg. Ze keek op, haar gezicht glanzend van tranen en snot, rood van woede.

Jij zult alleen overblijven, zei ze. Een eenzame oude excentriekeling met niemand om je stomazakje te legen. Nog geen kat zul je hebben, of je hebt dertig katten die de keukenvloer onderschijten. Je zult stinken naar eenzaamheid.

Zonder nog een woord te zeggen liep hij het appartement uit. Terwijl ze Sophies appartement hadden staan schilderen was het buiten donker geworden. Het water kwam met bakken uit de hemel. De regen plensde op de trottoirs en stuiterde weer omhoog onder de straatlantaarns. Het liep in stroompjes langs de stoeprand, hoopte zich op bij een blikje en kolkte verder, sleurde bruine bladeren mee. Het hulde de straat in overlappende gordijnen die oplichtten in de koplampen van passerende auto's. De sokken in Johns schoenen waren doorweekt. Wat hij niet voelde was spijt of verdriet. Hij voelde zich uitgelaten.

Hij had van Sophie gehouden, of hij was dol geweest op haar kookkunst en de wietplanten die ze in de kast van haar slaapkamer had. Een grote inbouwkast met broeilampen. De doordringende groene stank en kriebelende bladeren als je erin ging staan. De struiken waren bijna net zo groot als zijzelf en van een halve joint kon je zowat buiten westen raken. De manier waarop ze de bladeren wreef en dan haar vingers naar haar neus bracht om eraan te ruiken, vond hij erotisch. Ze zei dat ze bepaalde dingen wist als ze aan de bladeren rook. Ze praatte over de planten alsof die een gevoelsleven hadden, en hij vroeg er maar niet naar omdat hij bang was voor wat ze zou zeggen. Sophie had een zweverig vocabulaire van wattverbruik en zaden en water en ze verzorgde die planten met een gevoel dat grensde aan respect.

Ze verkocht haar wiet voor redelijke prijzen; dat vond ze belangrijk. Ze hield van het sociale aspect van de ontmoetingen met klanten. Ze hield van de steelse luie uurtjes die ze doorbracht met werklozen of professoren van de universiteit of gepensioneerde advocaten. Ze hadden het over politiek en over manieren om de wereld te veranderen.

John vond het prachtig hoe ze de tafel dekte: zware, verweerde kandelabers, een handgeweven Mexicaans tafelkleed met een knalroze baan in het midden. Ze was in voor onbekende drankjes en het soort wild dat vol minuscule botjes zat en dat ze verpakte in korstdeeg. Of ze at wekenlang vegetarisch. Soms lag haar hele keukentafel vol drogende cantharellen. Ze ging altijd naar piepkleine reformzaakjes waar ze granen en kruiden kocht waar John nog nooit van had gehoord, en ze had het erover om een barbershop-kwartet te beginnen. Als ze ergens een talent voor had, dan was het voor het brengen van harmonie. Ze was slimmer dan John en als ze wachtte tot hij haar snapte kneep ze haar ogen altijd een beetje toe.

Maar een kind – ze leek wel bezeten van het verlangen naar een kind. John had gedacht dat ze een priester of een of ander soort heilige nodig hadden om het uit te drijven. Hij had het gevoel dat hij een glimp had opgevangen van hoe Sophie er later uit zou zien: voorovergebogen en met gezwollen oogleden, bijna een lijk tegen die zachtgroene verse verf. Dat was heel wat anders dan Sophies blote rug in haar zwarte jurk met lovertjes of haar fluit die hij altijd aan het eind van de middag hoorde – dingen waar hij dol op was. Ze was uit op een vorm van slavernij die hen allebei zou vastketenen. Ze wilde al haar elegantie opzij zetten voor iets wat krijste en een bloedband met hen had. John viel flauw als hij bloed zag.

Toen hij die avond het straatje bij haar appartement overstak, raakte hij tot op de huid doorweekt. Hij wachtte tot de auto warm was. Die rook naar de natte tweedjas die hij aanhad. Het leek wel alsof Sophie was weggespoeld.

En ze belde niet, al had hij dat wel verwacht en was hij al van plan om een ander nummer te nemen.

Twee maanden later kwam hij haar op straat tegen aan de arm van een vent met een gitaar op zijn rug. Ze leek dolblij hem te zien. Er was nu geen spoortje felheid in haar te bespeuren. Ze omhelsde hem met één arm, zonder de muzikant los te laten. Ze stelde John voor als een *ontzettend goede vriend*, en liet niets los over de identiteit van de muzikant die haar stond weg te trekken.

We zijn wat laat, zei Sophie bij wijze van verklaring. Ze haalde haar schouders op, alsof te laat zijn een gril was die ze deelde met de muzikant, een charmante eigenaardigheid waar ze om onverklaarbare redenen als stel vatbaar voor waren geworden.

Na die toevallige ontmoeting had John korte tijd verschrikkelijk veel liefdesverdriet gehad. Hij zag wat hij was kwijtgeraakt: de ruwe sjaal die ze om haar nek wond; ze was slungelig en te lang; ze had een camera bij zich, flanste altijd wel ergens een aandenken van in elkaar; hij had haar een keer een origami-zwaantje zien vouwen van het folie van iemands pakje sigaretten. Hij was toen tweeëndertig; wat was er mis met kinderen? Hij betrapte zich er ineens op dat hij overal naar rugdragers en buikdragers keek. Het idee dat kinderen niet draagbaar waren boezemde hem angst in. Dat ze niet draagbaar genoeg waren. Hij piekerde zich suf maar kon niet meer op de naam van de muzikant komen.

Na Sophie ontdekte John dat hij het leuk vond om met jongere vrouwen naar bed te gaan. Vijf, tien jaar jonger. Die vrouwen hadden tenminste niet zo'n haast om zwanger te worden; ze waren er juist op gebrand dat te voorkomen. Hij was dol op hun Facebookpagina's en roze telefoontjes en katoenen slipjes, eerder sportief en humoristisch dan sexy, met grappig bedoelde kreten op de billen geschreven. Geweldig vond hij de honderden foto's die ze van zichzelf maakten met het toestel op een armlengte van zich af, hun Breezers en hoe ze zich om middernacht te buiten gingen aan patat met vinaigrette en vleessaus, en de lege bierflesjes op de verbleekte formica en chromen tafels die ze bij de kringloopwinkel vandaan haalden en regelmatig voor schandalig veel geld wilden verkopen op eBay. Hij hield van hun lipgloss met smaken die hem aan zijn kindertijd deden denken (watermeloen, bubblegum) en hoe snel ze een romance of een vechtpartij konden analyseren.

Ze waren snel/langzaam in seks, zowel beschroomd als onvermoeibaar, alleen maar op een grappige manier humeurig, en bovenal gul. Uiteindelijk leek het niet om hen te draaien. Het leek wel alsof ze allemaal de zelfhulpboeken van Dale Carnegie hadden gelezen en verwachtten dat ze iets konden bereiken door aardig te zijn. Hij zag dat er eindeloos veel te halen viel, en hij kon er geen genoeg van krijgen.

Voordat Johns vader overleed waren zijn ouders vaak naar de baai geweest, en uiteindelijk kochten ze een stuk grond bij een meer waar ze de weekenden doorbrachten. John had genoten van de verzadigde intensiteit van die avonden in zijn kindertijd, als zijn vader en moeder op de steiger zaten met whisky met ijs in een plastic glas of emaille campingbeker. Zijn moeders gehaakte bikini, haar zongebruinde huid. Dan zaten zijn ouders te kijken terwijl hij zat te vissen en dronken wat, en soms praatten ze met elkaar, soms ook niet. Als ze iets tegen hem zeiden, dan was het zachtjes, want ze wisten dat hun stemmen over de roerloze waterspiegel droegen. Hij kon de vislijn van een buurman aan de andere kant van het meer horen uitrollen, de lucht doorklieven.

Zijn ouders waren meer bij elkaar dan zonder elkaar geweest. Ze waren met elkaar vergroeid; ze waren één geweest. Dat wilde John niet voor zichzelf.

Helens date, 2006

En dus had Helen, na een hele hoop e-mails, een date. Ze had gezegd dat ze een paarse jas aan zou hebben en dat ze aan de bar zou zitten, en het was vreselijk om daar alleen met haar gin-tonic te zitten.

Iedereen zat naar haar te kijken, zag dat ze de boel voor de gek hield. Zag dat ze niet thuishoorde in een café. Ze was een stuk vlees aan een haak dat op een koper hing te wachten. Ze was die middag naar Halliday's geweest, en de slager had de deur naar de inloopvriezer opengedaan en ze had iets gezien wat ooit een koe moest zijn geweest, hangend aan een haak.

Ze had de vrieskou en de metalige lucht geroken. De roestige geur van bevroren bloed, en ze had de strengen geel vet gezien. Toen de slager naar buiten kwam had hij zijn handen in elkaar geslagen en over elkaar gewreven, en hij had een biefstuk op het roestvrijstalen hakbord gelegd en de zaag aangezet om het voor haar in blokjes te zagen. Keiharde blokjes met vrieskristallen in het paarsige vlees, en nu drong het tot Helen door dat zij het zelf was, haar eigen hart dat heen en weer werd geschoven onder het zaagblad.

Haar hart klopte in haar keel en ze zou liegen als ze ontkende dat ze opgewonden was. Geen van haar vriendinnen zou het lef hebben om dit te doen, om op die barkruk te zitten wachten. Ze kende helemaal niemand die zou doen wat zij nu deed.

Die arme jonge serveerster achter de bar – ze deed zo haar best om te doen alsof er niets raars aan Helen was. Ze probeerde te doen alsof ze nog nooit van eenzaamheid of aftakeling of verrotting of maden had gehoord of iets langzamers en minder waardigs, die behoefte van een vrouw van middelbare leeftijd om een ander aan te raken. Ze begon over het weer en over haar studie aan de universiteit, koetjes en kalfjes, en Helen moest telkens vragen: Sorry, wat zei je? Want ze kon geen enkele gedachtegang volgen; ze was te bang.

Als er klanten het café binnenkwamen, voelde ze een vlaag kou en sneeuw omdat het hard sneeuwde, en dit soort weer leverde problemen op met het verkeer. Helen zat op een plekje waar ze de deur kon zien en ze telde zeven mannen die Heathcliff zouden kunnen zijn.

De man op wie ze zat te wachten noemde zichzelf Heathcliff en hij was verzekeringsagent, maar hij had van iemand gehoord dat vrouwen van romanpersonages houden. Ze vinden het een fijn idee als je gevoelig bent, had hij aan Helen geschreven.

Dat had hij allemaal aan Helen opgebiecht en hij was scheutig met emoticons. Drie maanden lang hadden ze elkaar elke dag geschreven, Helen en Heathcliff.

Terwijl Helen zat te wachten kwamen er negentien mensen het café binnen, en zeven van die negentien hadden hem kunnen zijn. Er waren zeven mogelijke Heathcliffs, en ze kwamen binnen en haalden een drankje en gingen weg, en ze keurden haar geen van allen een blik waardig. Ze zaten daar in hun eentje zonder hun jas uit te trekken en het barmeisje zette een drankje voor ze neer dat ze over het glas gebogen opdronken, alsof ze dachten dat iemand het anders af zou pakken.

Of ze trokken hun jas uit en kregen gezelschap van iemand van kantoor en ze dronken snel een biertje omdat hun vrouw thuis op hen wachtte. Hun vrouw had het eten op staan. Ze namen het glas bij hun biertje aan maar ze dronken er niet uit; ze dronken direct uit het flesje en zetten het vastberaden neer en schoten haastig hun jas weer aan.

Eén man in een jas met visgraatmotief en een wijnrode kasjmier sjaal en zwarte handschoenen kwam naast Helen aan de bar hangen, en ze dacht natuurlijk dat hij het was.

Wat een weer, zei hij.

Is het nog slechter geworden? vroeg ze. Het barmeisje zette een borrel voor de man neer en hij peuterde een biljet uit een pak papiergeld en zei tegen het barmeisje: Ik wil dat je me iets plechtig zult beloven. Je geeft me er geen één meer ook al draai ik je arm om.

Het meisje rolde met haar ogen en Helen zag dat ze stonden te flirten, al was de man dertig jaar ouder. Het meisje vond het wel leuk om te flirten. Ze kon niet ouder zijn dan twintig en gek genoeg vond Helen hun geflirt hartverwarmend. Het leek alsof ze haar erbij betrokken, en het meisje rolde speciaal voor Helen met haar ogen, en wat was het grappig – het vieze weer en de oudere man die de borrel in één teug achteroversloeg en het glaasje nadrukkelijk weer neerzette. Zijn mobieltje ging en hij haalde het uit zijn zak, keek naar het nummer, zette het uit en stopte het weer in zijn zak.

Moeder de vrouw, zei hij. Hij rilde even en het meisje achter de bar gnoof. Hij was zo'n man die het fijn vindt als de barman weet wat hij altijd drinkt. Hij was Heathcliff niet want Heathcliff was niet getrouwd.

De man ademde luidruchtig uit en Helen rook de whisky en pepermunt, en daaronder de geur van iets slechts. Het was maar een zweem pepermunt en whisky en een bittere geur, de geur van een lange middag op kantoor, opgeslokt door een of ander onfris zaakje.

En geef me er nou nog maar een, schatje, zei de man. Het meisje sloeg nogal overdreven haar armen over elkaar, deed haar ogen dicht en stak haar kin omhoog, een toonbeeld van preutsheid. Ze deed alsof ze onvermurwbaar was.

Ik hoef toch niet over de bar te springen om je te dwingen, hè? zei de man.

Het meisje slaakte een diepe, gemaakte zucht en schonk de borrel in.

Want ik zou het helemaal niet erg vinden om over de bar te springen, zei de man. Hij glimlachte. Het was Heathcliff niet.

En het begon Helen te dagen dat Heathcliff was binnengekomen en weer was weggegaan. Het drong maar langzaam tot haar door. Ze was verbijsterd.

Heathcliff was binnengekomen en had naar haar gekeken en haar niet aantrekkelijk gevonden. Het ging de grenzen van wat zij beschouwde als menselijk fatsoen zo ver te buiten dat ze het zich niet kon voorstellen, al wist ze het ergens ook heel goed. Ze ging naar de toiletten en knielde neer voor de smerige wc en gaf over. De vloer van de wc lag helemaal vol sneeuwprut en de knieën van haar panty werden drijfnat; één klein steentje prikte scherp in haar knie. Wat ze uitkotste was het idee dat ouder worden niet erg was. Want het was wel erg. Het was heel erg en je kon het niet tegenhouden, en alles in haar kotste dat idee uit.

Helen had een hele e-mail gelezen over hoe pijnlijk het was om een wrat te laten weghalen uit Heathcliffs voetzool. Ze had meegeleefd. Hij was bang geweest en zij had meteen geschreven om te vragen hoe de laserbehandeling was gegaan.

Ze hadden erotische mails geschreven. Zij had bepaalde fantasieën opgebiecht. Hij had gezegd wat hij lekker vond. Zij was bloemrijk en subtiel geweest; hij was bot en cliché.

De cafédeur klapperde van de wind. De wind kwam achter de deur en sloeg hem dicht.

Heathcliff schreef haar niet meer en Helen schreef hem niet meer. Maar de enorme banaliteit en hevige intimiteit van de wrattenmail zou haar nog maanden achtervolgen.

Herintreden, jaren negentig

Toen Cal was overleden en de kinderen ouder waren, kreeg ze een baan op kantoor, en Helen moest leren omgaan met computers. Alle andere werknemers waren twintig jaar jonger. Die rotcontrole; die rotcontrole van de boeken. Tien jaar lang had ze een baas die door de gangen tegen haar riep: Daar hebben we dat ouwe wijf weer. Trevor Baxter was een Amerikaan en hij probeerde leuk te doen.

Helen had een hekel aan computers. Het enige wat ze deed was werken en slapen. Ze viel in slaap in de auto terwijl ze wachtte tot die warm was. Ze viel in slaap als ze in de rij stond bij de bank, met haar portemonnee open en bloot in haar hand. Ze was depressief, zei de dokter. Ze zat in de menopauze. Hij schreef transcendente meditatie voor. Hij schreef de biecht en de eucharistie voor. Zou u niet eens een reisje maken? stelde hij voor.

Trevor Baxter zei: Daar hebben we dat ouwe wijf weer, vijf minuten te laat, zie ik. Dan stond hij in de deuropening van zijn kantoor op zijn horloge te kijken.

Het ouwe wijf is weer eens te laat, bulderde hij dan.

Helen klaagde nooit omdat ze wist dat Trevor Baxter z'n vrouw bij hem was weggegaan en hij het aan zijn hart had. Hij kon nog geen ei bakken, had hij haar een keer huilend aan zijn bureau verteld. Hij kon zijn sokken niet bij elkaar zoeken als ze uit de droger kwamen. Hij stommelde in zijn eentje door zijn lege huis; slapen deed hij niet. Hij had in geen maanden geslapen.

De kinderen staan aan haar kant, vertelde hij Helen. Hij sprak de kinderen nog maar nauwelijks. Zijn schoonzus was tegen hem uitgevaren in de supermarkt, ze had staan tieren en krijsen.

Zo zuinig dat er bijna niks van je overblijft, had de schoonzus gesist.

Trevor Baxter was in armoede opgegroeid. Hij stond het niet toe. Al die geldsmijterij. Hij wist wat een dollar waard was. Haar op pad sturen met een creditcard? had hij verachtelijk gezegd. Van z'n leven niet.

Toen Trevor op een dag thuis was gekomen, was de eettafel verdwenen, en de stoelen en de helft van het bestek, en er waren spullen weg waar hij pas weken later achter kwam. Zijn vrouw had de kurkentrekker meegenomen. Ze had de ovenwanten meegenomen. De zoutstrooier die al vier generaties in zijn vaders familie zat. Hij had al het geld voor hen allebei verdiend; in zijn beleving was het voor hen allebei. En dus had zij de helft meegenomen. Hij kon er niets tegen beginnen. Zij had de helft meegenomen maar hij was alles kwijtgeraakt. Daar kwam het uiteindelijk op neer.

Natuurlijk had Helen medelijden met hem, maar onder dat medelijden zat een gigantische berg irritatie.

Jij hád tenminste iemand, wilde ze tegen hem schreeuwen. Ze wilde hem een klap geven. Ze wilde hem in zijn gezicht slaan, en bij elke klap zou ze hebben gezegd: Jij hád iemand, jij hád iemand.

Aan de slag maar weer, zei Trevor Baxter.

Helen duwde de doos met tissues zijn kant op, en hij pakte er een en snoot er zijn grijze harige neus in, hard en nat, hij duwde hem heen en weer in de tissue, veegde hem van de ene naar de andere kant af. Ze zag dat hij lelijk was; de lelijkste, meest misvormde man die ze ooit had gezien, en hij zou altijd alleen blijven, en Helen zou ook altijd alleen blijven.

En later die ochtend deed hij zijn deur open en riep door de gang: Waar is dat ouwe wijf met mijn memo?

De meisjes op kantoor waren jong en ze dachten dat Helen rechtvaardig was. Helen kon een ruzie sussen door haar hoofd even schuin te houden; ze had gezag en intuïtie als het aankwam op de gevoeligheden en bekrompenheid en opvliegendheid die zich razendsnel door een kantoor konden verspreiden; ze haalde geld op voor de personeelscadeaus. Helen had iets wat zij niet hadden, iets wat zij nastreefden maar niet konden benoemen. Ze zouden het vreselijk hebben gevonden om erachter te komen dat het ervaring was. Ze wilden helemaal geen ervaring. Helen had iets treurigs en de jonge vrouwen begrepen die treurigheid niet maar respecteerden die wel. Er was haar een klap toegebracht, midden in de roos, zonder waarschuwing, en hij had Helen getekend. Als hun ooit zoiets zou overkomen, dan zouden ze erbovenop willen komen zoals Helen erbovenop was gekomen. Ze was niet streng; ze gaf geen raad; ze weigerde te oordelen. Helen was wat hun grootmoeders een dame zouden hebben genoemd, dachten de meisjes op kantoor.

Deze jonge vrouwen waren het feminisme net vijf jaar misgelopen. In hun ogen was een dame een vrouw die een zekere mate van geestelijke verlichting had bereikt, die uitblonk in het huishouden, maar het uiteindelijk meed; enigszins romantisch en gul. Helen was gul in al haar gebaren en de jonge vrouwen van kantoor zagen dat ze er niet minder om werd. De meisjes wisten dat Helens man was verdronken op de Ocean Ranger, maar dat konden ze niet rijmen met de vrouw van de salarisadministratie.

Op een dag kwam Joanne Delaney Helens kantoor binnen en deed de deur achter zich dicht. Joanne Delaneys ogen glinsterden.

We hebben allemaal besloten om te gaan staken, zei ze. We gaan samen staken. We zijn stuk voor stuk bereid. We staan niet meer toe dat hij zo tegen jou praat, Helen. Dit zeg ik namens ons allemaal.

Nog terwijl Joanne Delaney dat zei, riep Trevor Baxter: Waar is dat ouwe wijf? Waar is ze?

Maar Helen zette de situatie naar haar hand. Rustig nou maar, zei Helen. Ik kan hem wel aan.

Wie is daar? 1995

Gaan we nou ruziemaken om een slakom? vroeg Cathy. Er stonden twee precies dezelfde grote slakommen. Cathy had de bak achter in de kast gevonden en veegde het stof er met een stuk keukenrol uit.

Mam, mag ik deze?

Neem alles maar, zei Helen. Claire was vijf en begon op de

kleuterschool, en Cathy had een nieuw flatje. Ze waren met z'n allen gaan kijken en het was een rothok. Vloerbedekking voor binnen en buiten dat naar zweetvoeten stonk en aan de andere kant van de muur kon je iemand een keukenla horen opendoen en bestek horen kletteren.

Je kunt hier nog geen scheet laten, had Helen gezegd. Zonder dat iedereen het weet.

Cathy had op de avondschool haar eindexamen gehaald en zich toen ingeschreven op Memorial University. Ze had de verpleegopleiding gedaan. Helen had verpleging voorgesteld en dat had Cathy gedaan. Al die boeken opengeslagen op de eettafel. Dan kookte Helen en deed de afwas terwijl Cathy zat te blokken. Helen bracht Claire naar bed.

Samen met Claire las ze *Dag dag, dag nacht* en *Thomas de Stoomlocomotief*, en ze lazen *Het Koekemannetje* en *Amelia Bedelia* en *Drieminutenverhaaltjes*. Ze lazen eindeloos klop-klopgrapjes, met de antwoorden ondersteboven onder aan de bladzijde. KLOP KLOP. Wie is daar? Ki! Ki wie? Nee, banaan! Zevenmind. Zevenmind wie? Zeven min dwie is view! Wie. Wie Wie? Non, non!

Helen dacht zo over het ouderschap: Omdat ik het zeg.

Ouderschap. Voor zover zij wist bestond dat woord toen nog niet eens.

Helen nam geen kalmeringsmiddelen. Haar kinderen zouden het nooit weten, maar zo dacht zij over het ouderschap: ze stond voor ze klaar. Haar huisarts had het over pillen gehad, en zij zei nee. Helen stond van 's ochtends vroeg tot 's avonds laat voor ze klaar. Zo dacht zij erover. Ze had dood gewild. Ze ging niet dood.

De wijkverpleegster had tegen de zwangere vijftienjarige Cathy gezegd: Adopteren. Ze had gezegd dat de katholieke kerk meisjes zoals zij hulp bood. Ze zei niets over abortus. In die tijd repten wijkverpleegsters niet over abortus.

Ze had het tegen Cathy gezegd, maar ze keek naar Helen.

In die periode hadden de andere kinderen op hun tenen door

het huis geslopen. Er was een tijd dat ze muisstil op hun kamer zaten. Dat ze 's avonds muisstil aan tafel zaten. Als Cathy achter de wc-deur moest overgeven waren ze muisstil. Ze konden haar horen kokhalzen en ze hoorden braaksel in het wc-water vallen en dan begon het theewater te koken, wat klonk als gebrul. Gabrielle wilde weten wat er aan de hand was. John begon van de weeromstuit in zijn doperwten te prikken. De tanden raakten het bord: *pling, pling, pling, pling*. En toen liet hij zijn vork kletterend vallen.

Helen zat een trouwjurk te naaien voor Louises aanstaande schoondochter en John hing tegen de deurpost. Ze liet de machine de hele zoom naaien en de naald was gebroken, en ze deed haar bril af en zei: Doe jij het soms zo goed?

Nee, zei John.

Ik doe echt mijn best, zei ze. John duwde zich met veel moeite van de deurpost overeind en liep de gang uit, en de hordeur sloeg dicht.

Waar ga je naartoe? riep ze hem achterna. Maar hij was al weg.

Cathy had het kind samen met Helen opgevoed, en nu woonde Cathy op zichzelf. Helen zei dat het te duur was, maar ze wisten allebei dat het niets met geld te maken had. Stank voor dank, dacht Helen. Zo zeggen ze tegenwoordig dankjewel.

Omdat het mijn kom is, daarom, dacht Helen. Want als ik verdomme twee precies dezelfde kommen wil hebben dan mag dat verdomme ook. Daarom. Maar dat zei ze niet.

Ik heb per ongeluk de echo gezien, had Cathy verteld voordat Claire werd geboren. Ze had Helen vanuit het ziekenhuis gebeld. Ze stond in een van die donkere gangen aan een stinkende munttelefoon die krioelde van de bacteriën.

Ik heb het gezien, zei Cathy. Ze hadden het me niet mogen laten zien maar de echoscopiste draaide het scherm.

Ze had Helen niet bij de bevalling willen hebben.

Ik wil erbij zijn, had Helen gezegd.

Dat wil ik niet, mam.

Waarom niet?

Daarom niet.

De opwinding toen de uitgerekende datum dichterbij kwam. Helen wilde erbij zijn, maar Cathy ging niet overstag.

Waarom voeden we het niet samen op? zei John. Niemand zei iets. Ik vraag het alleen maar, ik bedoel, we zijn toch familie? Dat kind is toch familie van ons?

Cathy stond water in haar glas te schenken en het stroomde over en liep op het tafelkleed en ze bleef maar schenken.

Kijk nou wat je doet, zei Helen. Dat was ouderschap: ze zelf hun weg laten zoeken.

Dit is al moeilijk genoeg, zei Cathy.

De avond waarop Cathy vanuit het ziekenhuis belde, zat Helen pailletten op de bruidsjurk te naaien, en er zaten veel van die versieringen op het lijfje en het was allemaal handwerk. Cathy was niet thuisgekomen van school en het was donker. Het sneeuwde en er kwam Pink Floyd uit Johns kamer, waar ze een hekel aan had. Lulu was naar kunstschaatsen. Claire was bij de padvinders. Het licht van de lamp viel op een pailletje, en het leek net een klein vuurtje op de stof, en ze had de telefoon naast zich staan en voelde dat hij ging rinkelen vlak voordat hij begon te rinkelen.

Mijn vliezen zijn gebroken, zei Cathy. Ik wou dat je hier was.

Ik ook, zei Helen.

Ik wil mijn moeder, zei Cathy.

Ik kom eraan.

Niet komen, zei Cathy. Ik moet dit zelf doen.

En Helen had de volgende ochtend om zeven uur pas weer iets gehoord. Helen had niet gezegd: Hou het kind alsjeblieft. Ze bleef de hele nacht op en zei niet: Hou het kind alsjeblieft. Ze had aan de bruidsjurk zitten werken. Toen John 's ochtends naar beneden kwam, zat Helen nog steeds op haar stoel.

De baby is geboren, zei Helen.

Wat is het? vroeg John.

Een meisje, zei Helen. John liep naar de keuken en ze hoorde hem een bord uit het kastje pakken en ze hoorde hem de brood-rooster indrukken en de ijskast opendoen, en toen hoorde ze hem het bord stukgooien.

Lulu kwam de kamer binnen.

Is de baby al geboren? vroeg Lulu. Ze gaapte en had de muis van haar hand in haar oog gedrukt en ze had een babydoll aan. Gaat het goed met haar?

Ja. Met allebei.

Na het telefoontje van die ochtend werd er niet nog een keer gebeld, dus had Helen een taxi gebeld. Misschien zat Cathy wel adoptiepapieren te ondertekenen. Helen moest ernaartoe. Ze zou ingrijpen. Ze zou haar overhalen.

De taxi stond voor en de telefoon ging en Cathy zei: Mam, ze heeft papa's oren.

Ik kom eraan, zei Helen.

Ik hou haar, mam.

Echt waar, liefje?

Ze heeft een kop vol haar.

Cathy en Claire hadden bij Helen gewoond, en Helen hield op een ontspannen manier van haar kleindochter. Ze las haar elke avond voor. Tegen Cathy zei ze: Ga maar lekker uit. Veel plezier.

Helen was niet streng geweest tegen Claire omdat dat niet no-dig was. Ze naaide smokjurkjes voor Claire. Haar eigen meisjes had ze jongenskleren aangetrokken. Ze moesten stoer zijn; dat dacht ze toen. Ze moesten op alles zijn voorbereid. Het waren meisjes geweest met grasvlekken op hun knieën en vuil onder hun nagels.

Maar voor Claire kocht ze witte enkelsokjes met kant. Ze maakte drie jurkjes van hetzelfde patroon voor Claire, lichtgeel, lichtroze en lichtblauw, en ze deed eindeloos over het smokwerk en er zat een strik achterop en ze hadden een rond kraagje, en ze kocht lakleren schoentjes, en een van de ergste ruzies die ze ooit met Cathy had gehad: Helen had gaatjes in Claires oren laten prikken toen het kind drie was. Twee gouden knopjes.

Dat hadden ze vast gezegd. Toen Claire vijf was, hadden Helens volwassen kinderen de koppen bij elkaar gestoken. Ze hadden een hartig woordje met Cathy gesproken dat ze op zichzelf moest gaan wonen. Niemand wilde voor een oud mens moeten zorgen. Dat hadden ze vast gezegd.

Ze zuigt je leeg, Cathy, zou Lulu hebben gezegd. Nou gaat het nog, maar over tien, vijftien jaar kun je niet meer weg.

Je moet weg nu het nog kan, zou John hebben gezegd. John had vast gezegd dat Cathy een flatje moest zoeken. John had Cathy geld gegeven. John zorgde dat het kon.

Het was hemeltergend kwetsend geweest. Het enige wat nog groter was geweest dan de pijn was Helens verlangen om te zorgen dat de kinderen het nooit zouden merken.

Ik ben het zat om achter je kont op te ruimen, zei ze tegen Cathy. Of: Fijn dat ik de ruimte weer terug heb.

Helen was bang om alleen te zijn. Ze ging naar de dokter omdat ze kortademig was, en de dokter had het over een inhalator. De dokter had het over een licht kalmeringsmiddel. Slaappillen. Helen was bang om beroofd te worden. Ze was bang voor spoken. Wat nou als er een medisch noodgeval was? Klop, klop. Wie is daar? Niemand.

Maar Helen zei niets tegen Cathy.

Ze zei: Neem die kom maar. Ja, je mag de kom hebben.

We wonen maar twee straten verderop, zei Cathy. We wonen om de hoek.

Helen zat in de kelder oud servies uit te zoeken, en Cathy kwam de trap af en ging naast haar staan. In de kelder hing een vochtige, metalige lucht. De muren waren van steen en er hingen muffe rugzakken die ze allemaal mee op reis hadden genomen en een stapel koffers en dozen vol kerstspullen. Eerder die week hadden ze de meeste van Cathy's spullen al verhuisd, en Helen had in een doos naar een spatel zitten zoeken. Ze weigerde Cathy een nieuwe spatel te laten kopen als zij er eentje overhad.

Dat is gewoon zonde, had ze gezegd.

Helen had dagenlang in dozen naar de spatel gezocht. Ze had een sleutelhanger gevonden met een marihuanablad in doorzichtig plastic eraan en een ribfluwelen broek die Cathy had gedragen toen ze zeven was – tweekleurig, paars en wijnrood. Cathy kon er maar niet over uit hoe klein hij was. Ze vond een plastic Disneybeker met glitters die naar beneden zweefden als je hem omkeerde en piepkleine plastic schoentjes die op en neer dwarrelden, en Assepoester in haar baljurk. De spatel lag naast Helen op de koude betonnen vloer. Hij zat onder de roestvlekken. Helen zat op haar knieën en ze had iets in haar vuist en die vuist hield ze tegen haar borst geklemd.

Ze deed haar hand open. Het was een filmrolletje. Ze had een rolletje nog niet ontwikkelde foto's gevonden.

God mag weten van wanneer dit is, zei ze tegen Cathy.

En later haalde Helen het mapje foto's op bij de drogist en ging in de auto zitten en nam er de tijd voor om het open te maken. Ze zat maar te kijken naar een vrouw met een peuter in een winkelwagentje, al haar boodschappentassen wapperend in de wind, en grote regendruppels die op de voorruit vielen. Druppels zo groot als stuivers.

De eerste twee foto's waren van populieren. Alleen maar boomtoppen en heel veel lege, grauwe lucht.

De derde foto was van Cal op de regatta. Hij droeg een vaalblauw sweatshirt met een capuchon en had de grijze ribfluwelen buikdrager om.

Wie zat erin? Was het John? Het moet John zijn geweest. Cal had een donkere zonnebril op en overal om hem heen waren mensen en de zon en het water erachter en roze zonnekristallen van het licht dat verkeerd in de lens viel of omdat het filmpje zo oud was.

Drie lichtkristallen die uit de zon kwamen zweven, allemaal in elkaar, roze en geel en wit. Cal hield een suikerspin omhoog, overbelicht langs de randen, zo wit als een lampje.

En Cathy kwam natuurlijk iemand tegen. Mark Hamlin woonde in de flat onder haar. Een doctorstitel in de musicologie en haar tot op zijn schouderbladen. Helen mocht hem van meet af aan.

Helen en Louise in Florida, 1998

Louise zette veertien porties stoofschotel in de diepvries voor haar man, elk met een stukje afplakband waarop stond op welke datum ze ontdooid moesten worden. Ze ging met Helen naar Florida. Ze zaten met een drankje bij het zwembad en liepen langs het strand en zaten de hele dag te lezen. Ze maakten hun eigen eten klaar omdat ze een appartementje met kitchenette hadden, en ze kenden iedereen. 's Winters gingen alle Newfoundlanders naar St. Pete's. De Murrays waren er toen Louise en Helen gingen, en de O'Driscolls en de Roaches. Meredith Gardiner was er; ze had een rijke weduwnaar met een koopflat ontmoet. Meredith nodigde hen uit voor een etentje.

Helen en Louise lagen alleen maar op het strand, en het water was warm en ze werden heel bruin, en ze gingen winkelen voor de kleinkinderen. Ze kochten zomerpakjes en snorkels en maskers en doorzichtige plastic schoenen met glitters of met rode lampjes in de hakken.

Op een dag reed Louise een afslag op en schreeuwde: Wat doen die eikels nou?

Het was inmiddels donker en alle koplampen kwamen op hen af, zwenkten opzij, schuurden langs de betonnen keermuur, een regen van vonken, blèrende toeters.

Je rijdt aan de verkeerde kant, schreeuwde Helen terug.

Louise trapte de rem en het gaspedaal tegelijkertijd in en ze draaiden drie of vier keer om hun as en gingen over de middenberm, waarbij het rechtervoorwiel keihard neerkwam en Helen met haar hoofd tegen de voorruit sloeg, en toen stuiterde of sprong de rest van de auto, en de achterkant botste misschien wel ergens tegenaan. Keihard getoeter van auto's die voorbijsuisden, en toen stond hun auto de juiste kant op. Ze slingerden, en toen werd er nog meer getoeterd, en toen Helen omkeek zag ze dat er achter hen een paar auto's op elkaar waren gebotst. Louise reed stug door; ze gingen niet langzamer rijden. Op een snelweg mag je niet vertragen. Ze gingen pas langzamer rijden toen ze de parkeerplaats van een grote fastfoodketen op draaiden – wat was het, een McDonald's of een Arby's of Wendy's? Een van die tenten, en Helen en Louise bleven maar zitten, maar onder hen leek de auto nog steeds langzaam rond te tollen. Helen deed de zonneklep naar beneden en bekeek haar gezicht in de spiegel en er liep bloed vanuit haar haren over haar voorhoofd naar beneden en ze was lijkbleek.

Nog maanden daarna voelde Helen als ze wakker werd haar bed soms draaien als een langzame draaimolen in een leeg park met alleen maar wat wind. Ze wist nog hoe het voelde toen ze als kind met beide armen aan de draaimolen hing en haar hoofd achterover boog zodat de boomtoppen langzaam rondtolden, met alle wolken in het midden.

Nog een les, 1998

Wat u nu gaat doen, zei de instructeur, is invoegen.

Ik voeg in, zei Helen. Ik ben nu aan het invoegen.

De instructeur zei: Ik zou het knipperlicht aandoen.

Helens blouse was kletsnat onder haar oksels en plakte aan haar rug. De andere auto's waren heel fel in het zonlicht. De zon weerkaatste op hun rode motorkappen en blauwe motorkappen en op het chroom.

Goed zo, zei Jim Picco, de rij-instructeur. Het is helemaal niet moeilijk. Als je als volwassene begint.

Ze schoot met een ruk naar voren en de gordel hield haar tegen en ze viel weer terug.

Dat was... zei Jim. Ik moest op de rem trappen omdat we op die telefoonpaal afreden. Ga eens langs de kant van de weg staan.

Ik kan dit niet, zei Helen.

U reed de andere weghelft op.

Ik ben te oud.

Dat mag niet, de andere weghelft op rijden.

Je hebt geen flauw idee, zei Helen.

Jim tilde zijn heupen ietsje op en trok aan de geperste vouwen in zijn broek zodat ze recht kwamen te zitten. Hij raakte de manchetten van zijn overhemd aan, trok er met een rukje een onder zijn jasje uit. Toen wreef hij over zijn stijve nek en greep zijn knieën stevig vast. Mrs. O'Mara, nu wacht u even, zei hij. Dan doet u uw knipperlicht aan en kijkt u in de blinde hoek en in de binnenspiegel. Dan gaat u invoegen.

Jim Picco had grijze stoppels op zijn kin en Helen had het gevoel dat ze van schrik overeind waren gaan staan, want ze waren haar nog nooit eerder opgevallen. Hij wreef driftig met zijn handen over zijn dijen.

Ik ben er klaar voor, zei hij. Bent u er klaar voor?

Helen deed het knipperlicht aan, zoals Jim had gezegd. Ze zette de auto in de versnelling. Jim draaide zich om, keek over zijn schouder en ging weer recht zitten. Hij draaide met zijn schouders, en toen hij zei dat ze kon gaan drukte ze het gaspedaal in, maar ze trapte te hard en ze had de auto in zijn achteruit staan in plaats van in de vooruit, en met piepende banden schoten ze achteruit en ze kwamen met een ruk tot stilstand. Helen veerde keihard terug in de gordel, en Mr. Picco ook, zag ze.

Mrs. O'Mara, zei hij. Mag ik Helen zeggen?

Ja, zei ze.

Helen, we moeten vooruit.

Touwtrekken, 1978

Cal zat in het andere team. De ouders tilden het zware touw uit het gras en gingen op een rij staan en keken uit voor ellebogen en waar ze hun voeten neerzetten. Niet op mijn voet gaan staan.

Helen stond achter de vader van Felix Brown. De secretaris van school, die een spastisch kind in de eerste had zitten, stond achter Helen. De secretaris was één bonk spieren. Dan had je Monique LeBlanc, die een meisjesachtige hulpeloosheid voorwendde, en Maggie Ferguson, en Maggies man Brad. De tweeling van de Fergusons stond langs de zijlijn naar hun ouders te kijken. Ze hadden blikjes prik met speciale plastic rietjes die uit de blikjes kronkelden en een bril die achter hun oren gehaakt zat en langs de kaak weer naar beneden kwam, tot bij de mondhoeken. Ze stonden eensgezind te zuigen en er zoefde oranje prik door de doorzichtige buisjes, die eerst door de ene en daarna door de andere lus ging en dan verdween. De ouders stonden te kletsen en te giechelen en ze duwden en botsten met hun schouders tegen elkaar.

De lucht was strakblauw met hier en daar een wolkje, en de boterbloemen in de schaduw aan de rand van het veld waren glanzend en geel, alsof ze een vernislaagje hadden. De zon brandde op het hoofd van de ouders en maakte smaragdgroene en lichtgroene ruiten op het veld, en onder de bomen was het heel donkergroen. Bijna zwart. Het was de eerste warme dag voor ze. De geur van gekookte knakworst en kleffe broodjes.

Vanaf de andere kant werd even een testrukje gegeven en Helens kant struikelde naar voren, een of twee stappen, en trok terug. Ze kon maar niet geloven dat Cal in het andere team zat.

Hé, wat doe je daar nou? riep ze tegen hem. Waarom staat mijn man aan de andere kant? Maar Cal hoorde haar niet.

Er klonk een schril fluitje. Ouders, op de vlag wachten graag, zei de gymjuffrouw. Stilte alstublieft. Ze zei het ironisch, en de kinderen vonden het geweldig dat hun ouders zo op hun kop kregen en ze gierden van het lachen.

Johns eerste sportdag. Hij zat in de kleuterklas en had al een lintje gekregen voor de tweelingrace.

Eerder die ochtend had het ernaar uitgezien dat alles moest worden afgelast. Het was al dagen koud en bewolkt. De mist kroop als nat cement over Signal Hill.

Maar op de radio hadden ze gezegd dat er overal in de stad sportdagen doorgingen en alle scholen werden opgelezen en er werden zonnepetjes en snacks aangeraden.

In de loop van de ochtend klaart het op, hadden ze op de radio gezegd. De hele middag zon en twintig graden.

Helen had heel vroeg de was opgehangen in de tuin, en de geur van de seringen was heel sterk geweest en ze had de wind van richting voelen veranderen. De bladeren aan de esdoorns hadden plotseling meer kleur gekregen. Dingen kunnen zomaar opeens veranderen. Dingen kunnen veranderen zonder dat echt duidelijk is waarom.

Toen Helen John die avond naar bed bracht, vroeg hij: Droom je ook nog als je dood bent?

Ze lag hem een verhaal voor te lezen en ze legde het boek op haar borst en deed haar ogen dicht. Ze had haar nek bezeerd en wist precies hoe. Het fluitje had schril geklonken in de heiige lucht en ze was ervan geschrokken hoe hard de andere kant trok. Ze trokken zo hard als ze konden, en ze had haar evenwicht verloren. Ze besloot terug te trekken. Helen gooide alles in de strijd. Ze boorde haar hielen in het gras en in de modder onder het gras. Ze knarste met haar tanden en trok keihard en gaf het niet op.

Haar team begon achterover te leunen, en in het midden van het touw zat een knoop die ze over de punt van een pilon heen moesten trekken, en de knoop kwam langzaam hun kant op.

Helen en de andere ouders aan haar kant leunden ver achterover, met gebogen knieën, hun billen vlak boven de grond, en plotseling vond ze het wel grappig dat Cal aan de andere kant stond. Wat deed hij daar eigenlijk? Hoe waren ze van elkaar gescheiden geraakt? Ze boog zich een stukje naar buiten en zag zijn gezicht. Hij had zijn ogen stijf dichtgeknepen en zijn bovenlip opgetrokken, zodat al zijn tanden te zien waren. Het kwam door de manier waarop hij zijn hoofd in zijn nek hield; ze kreeg enorme lachstuipen. De stuipen gingen door haar hele lijf en ze gaf het op. Ze hield op met trekken want door de slappe lach had ze helemaal geen kracht meer, en op de een of andere manier had ze haar nek bezeerd.

Helen had het niet belangrijk gevonden. Haar hele team hing achterover en ze helden over, en de kinderen stonden te juichen en op en neer te springen en papa of mama te roepen. Haar team werd weer vooruit getrokken en helde de andere kant op en de knoop kroop over de pilon naar het andere team. Plotseling snerpte het fluitsignaal en het oranje vlaggetje wapperde naar beneden. Toen Helen het touw losliet, tintelden haar handen. Ze moest ze een poosje open- en dichtknijpen.

Helen had haar ogen dicht en het verhalenboek lag open op haar borst, en ze zei tegen John: Als je dood bent, ben je dood. Verder niets. Helemaal niets.

Ze vergat dat ze het tegen een kind van vijf had. Ze realiseerde zich niet dat ze het hardop had gezegd.

Niets, zei John nog eens. Zijn verbijstering vulde de hele slaapkamer. Het leek wel alsof de dag, met al zijn felle zonlicht en frisse, ruisende blaadjes en akelig gele boterbloemen en lintjes en opwinding op een eroderende wind de kamer was binnengekomen en bij hen vandaan werd geblazen. John kwam op zijn elleboog overeind en staarde voor zich uit het lege donker in.

De handgeschakelde, 2008

Van Lulu had ze een handgeschakelde auto moeten kopen omdat je dan korting kreeg en omdat ze minder benzine verbruikten.

Het milieu, mam!

Helen rijdt na yoga terug naar huis, ze staat boven aan Long's Hill voor het rode stoplicht met een bus tegen haar bumper. Dat stomme milieu kan haar gestolen worden. Groen. Het is groen. Ze trapt het gaspedaal in, de motor slaat af en de auto rolt achteruit, en de bus begint te toeteren. Hij blijft maar toeteren. Ze start de auto en trapt het pedaal in. Laat de koppeling opkomen, en er klinkt raspend metaal en de banden piepen, en de motor slaat weer af en de auto rolt achteruit. Handrem, die klotehandrem, en gaat die bus haar nog ruimte geven of hoe zit dat? Hij komt zo dicht mogelijk achter haar staan en begint alweer te toeteren.

Helen schiet naar voren, er pakt iets, onderdelen die gillen als speenvarkens. In z'n twee, denkt ze, in z'n twee. Ga dan, rotding. Handrem! Naar beneden dat ding. Twee schokjes en ze rijdt. Het gaat. Helen scheurt door het volgende rode stoplicht.

Gisteravond was er op het nieuws een verhaal over twee vrouwen die zonder te betalen de Magic'Wok waren uitgerend, en de serveerster had ze ingehaald. De vrouwen zeiden recht in de camera dat ze geen berouw hadden.

Ik heb helemaal nergens spijt van, zei de ene vrouw. Toen ze in handboeien de rechtszaal uitkwam. Spijkerhard. Helen was bezig op de naaimachine maar ze stopte om te kijken. En toen door tot het eind van de zoom, een zigzagsteek.

Iemand had IJsland op eBay gezet. Instortende markten, Harper en Dion, Obama en McCain, ze hebben het over Afghanistan, over Gaza. De macht van de Keltische Tijger is op zijn retour.

Helen heeft spijt van die stomme handgeschakelde. Een zilverkleurige Yaris. Gloednieuw.

Terwijl ze gisteren televisie zat te kijken, beet Helen het draadje met haar tanden door en legde een piepklein fluwelen jurkje op de strijkplank om de zoom te persen. Patience' oudste zus Elizabeth had een dochtertje gekregen en Helen maakte een roodfluwelen kerstjurk voor haar. Met een witkanten petticoat. Een bijpassend mutsje. Drie dagen oud, en de baby had een hoofd vol zwart krulhaar en roze vingernagels. Elizabeth had de baby in Helens armen gelegd. O kijk nou toch. Ach schatje toch. Ben jij zo'n stoute baby? Als ze klaar was met de zoom zou ze met het cadeautje voor de baby even de straat oversteken.

Een kwestie van oefenen, had Lulu gezegd. Schakelen is leuk.

Helen herinnert zich dat Lulu op haar zestiende thuiskwam, de trap op liep en stilletjes de badkamerdeur dichtdeed. Hoe heette dat slome vriendje van d'r ook alweer? Aaron nog wat. Of Andrew. Helen had niets van hem moeten hebben. Een of andere snobistische opmerking van die knul. Helen klopte op de badkamerdeur en wachtte. Ze leunde met haar voorhoofd tegen de deur en zei Lulu's naam. Een of andere opmerking over fabrieks-kaas. Andrew nog wat had terloops gezegd dat ze bij hem thuis nooit fabriekskaas aten.

Het is alleen maar celluloid en houtsnippers, had hij gezegd. Net toen Helen de merkloze voordeelbus Parmezaanse kaas midden op tafel had gezet. Cathy had hem gepakt, boven haar spaghetti omgekeerd en een paar keer met haar vlakke hand kei-hard op de bodem geslagen. Cathy mocht Aaron – of Andrew – ook al niet.

Helen legde haar hand op de badkamerdeur alsof ze door het hout heen kon voelen hoe haar dochter eraantoe was. Toen draaide ze de knop om en ging naar binnen. Lulu legde de natte rand van een washandje op haar onderste ooglid om zwarte eye-liner weg te halen, en ze was stomdronken. Ze trok aan haar oog totdat het een spleetje was.

Heeft Aaron je thuisgebracht? vroeg Helen.

Andrew.

Heeft Andrew je thuisgebracht?

Andrew had die avond iemand anders thuisgebracht. Niet Lu-lu met haar witte nagellak, witte lippenstift en doffe, egaal zwart-geverfde haar. Een ringetje in haar neus, een tatoeage van een vo-gelspin op haar schouder. Of later, toen had ze haar hoofd als een ingekerfde ham geschoren, elk vierkantje een andere kleur, en overal deed ze veiligheidsspelden doorheen, en ze had een tijdje een beha over haar kleren heen gedragen, stijf en metallic van de spuitbusverf en met grote plastic edelstenen erop, als een stripheldin.

Lulu was die avond straalbezopen geweest, maar dat wilde ze niet toegeven. Die koppigheid had ze van Cal. Dat verdoezelen, het weigeren om zich over te geven aan een dronkenschap die je alles deed vergeten. Het maakte dat Lulu niet onduidelijk ging praten. Ze trok haar onderste ooglid naar beneden om de make-up ervan af te krijgen, en haar oog was bloeddoorlopen en gla-zig, en het onderste ooglid knalrood. En wat moest Helen dan? Het hoorde er allemaal bij: experimenteren met alcohol, hun hart vertrapt en bespuugd, in de grond gestampt; ze moesten het leren.

Maar was het daar wel veilig geweest voor Lulu?

Het oog dwaalde naar Helens gezicht dat in de spiegel werd weerkaatst, en Lulu had er nog nooit zo triest en stoïcijns uitgezien, vastberaden om zo nuchter mogelijk over te komen; het water kletterde in de wasbak.

Was het leuk? vroeg Helen.

En het ene oog keek weer naar zichzelf, met het andere dichtgeknepen, en Lulu legde het washandje neer en knipperde met haar oog. Toen ze antwoordde was het vooral tegen zichzelf, troostend en dwingend tegelijk: Ja, het was leuk. En het komt wel goed met me.

En het kwam ook goed. De koppeling op laten komen, mam. Voel je die wrijving? Je krijgt wrijving als je hem op moet laten komen.

Lulu's punkfase was van de ene op de andere dag voorbij. Nu draagt ze naaldhakken en tweed, bedenkt Helen terwijl ze schakelt in die stomme Yaris; Lulu gaat naar de sportschool en laat kauwgum knetteren. Alles doet ze nadrukkelijk en zelfverzekerd. Ze had een avondcursus stapelmuren bouwen gevolgd.

Er zijn dingen die je alleen maar kunt leren door ze te doen, had Lulu tegen haar moeder gezegd. Dingen die je niet kunt weten zonder blauwe plekken op te lopen of eerlijk te zijn als je maar beter kunt liegen. Ze had een hele rits vriendjes achter de rug en ook tijdenlang helemaal geen relatie gehad.

Lulu heeft een bepaalde uitdrukking op haar gezicht – denkrimpel, lippen op elkaar geperst – als ze iets zit uit te rekenen wat met geld te maken heeft. Ze kapt omdat ze dol is op kappen, maar al haar winst haalt ze uit het runnen van haar schoonheidssalon. Ze maakt inkoopreizen en komt terug met koffers vol modder en loofahsponzen en lotions die op de gevoeligste plekken worden gesmeerd en dan worden weggewreven. Ze doet dingen met hete was waar ze niets over wil loslaten tegen Helen. Mam. Dat wil je echt niet weten.

Massage is haar specialiteit. Lulu is ervan overtuigd dat elke pijnlijke plek en elk verdriet zich vastzet in de spieren en er met warme babyolie en flinke tikken uit kan worden gehaald. Snelle, meedogenloze karateklappen op de grijze billen en dijen en kuiten van mannen en vrouwen die ten prooi vallen aan de stijfheid die met de jaren komt. Lulu's duimen zijn beroemd in de stad. Wat ze al niet kan met die duimen. Mensen met een whiplash zweren bij haar. Sporters met ingewikkelde verstuikingen, pas gescheiden mensen die onbedwingbaar huilen. Lulu kneedt de verkrampte spieren van brede pijnlijke schouders en laat ze ontspannen. Ze heeft drie zonnebanken, waarvan de bovenkant als het deksel van een doodskist boven haar blote klanten hangt. Iedereen komt geboend en gebruind bij haar schoonheidssalon vandaan, bevrijd van knagende zorgen en dode cellen, geurend naar dennen.

Gabrielle en Cathy klagen dat Lulu's flamboyante houding vervelend wordt als ze drinkt; Lulu is uitgesproken en pijnlijk direct. Ondanks Lulu's scherpe kantjes kunnen haar zussen makkelijk tegen haar liegen omdat ze het niet verwacht. Lulu gaat uit van het beste in mensen. Ze verwacht dat ze vrijgevig zijn en de waarheid vertellen en hard werken.

Haar zussen tolereren Lulu's opvliegendheid en kleine driftbuien omdat ze hun geld en raad geeft, en omdat ze altijd maar loopt te commanderen zodat ze zelf overal het allerbeste van krijgen. Helens dochters hebben met elkaar gemeen dat als het op regels aankomt, ze onverzettelijk zijn. Helens dochters hebben de overhand. En John... John is op weg naar huis voor Kerstmis.

Binnenkort krijg ik er net zo eentje als jij, zegt Helen tegen de jurk voor Elizabeths pasgeboren kindje. Ik krijg een gloednieuw kleinkind.

Zakenlunch in New York, november 2008

Met volle mond heft de enige vrouw aan een tafel vol mannen haar escargotvorkje op, waaraan een natte grijze slak bungelt. Ze heeft een slak in haar mond en haar lippen glanzen van het slakkenvocht. Tot zijn eigen verbazing blijkt John dat erotisch te vinden. Het is knoflookboter waar de kin van de vrouw zo vet van wordt, en ze probeert iets te zeggen maar ze heeft haar mond vol. Ze zwaait een slak aan haar vorkje heen en weer en probeert de mannen tot zwijgen te brengen. Het is Natalie Bateman van Neoline Inc., en ze presenteert een reclamecampagne om de ontwikkeling van het offshore olieboren op wereldwijde schaal aan te prijzen. Johns bedrijf had offertes opgevraagd en Neoline Inc. kwam als eerste uit de bus.

Boter en het uitgezwete vocht van een gekookt organisme, een en al spier. John probeert te bedenken welke spier in het menselijk lichaam net zo groot is als een slak. Natalie wipt op haar stoel heen en weer en zwaait met het vorkje. De mannen wachten. Een voor een vervallen ze in een geagiteerde stilte.

John moet aan de Heimlichmanoeuvre denken. Hij heeft een keer een rib van een vrouw van zesenzeventig gebroken omdat hij dacht dat ze aan het stikken was. Winnipeg. Dat was in Winnipeg. Ze had alleen maar gelachen, zei haar zestigjarige dochter.

Ze zat te lachen, ontzettend stomme idioot die je d'r bent, riep de dochter.

John had een stoel omvergelopen en nam in het voorbijgaan het tafelkleed mee, en alle obers stonden te kijken en er vielen borden op de grond, en hij stond daar de Heimlich te doen omdat hij getuige was van een verstikkingsdood. De dood had zijn vuist om de nek van dit schriele oude vrouwtje geknepen en John zou wel even ingrijpen.

Schurk! krijste de kenau van een dochter.

De zwarte orthopedische schoenen van de vrouw schopten zwakjes tegen zijn schenen. Ze kon niet veel meer dan dertig kilo hebben gewogen. Een man vlakbij met zijn servet in zijn kraag en zijn mes en vork rechtop in zijn vuisten. Een toonbeeld van verontwaardiging, met wijd open mond, verstijfd van wrang ontzag. Later zou diezelfde man John zijn kaartje geven. Advocaat en getuige, zei hij. Het was geen servet dat de man in zijn kraag had; het was een choker.

De dochter had met een rechtszaak gedreigd. John had een vrouw van zesenzeventig aangevallen. Een klungelige poging die voortkwam uit de oprechte wens een goede daad te verrichten. Lachen. Het geluid was lachen geweest: akelig snerpend gepiep van vreugde als een taai stukje vlees dat in de keel van de vrouw was blijven steken.

Natalie Bateman doet haar hand voor haar mond en kauwt en kauwt en rolt komisch met haar ogen, want er wordt hier een tafel vol mannen opgehouden door een piepklein vorkje. Ze krijgt tranen in haar ogen en neemt een slok champagne en John ziet dat ze beeldschoon is. Ze doet hem aan iemand denken. Iemand die belangrijk voor hem is.

Natalie zegt: We hebben plannen voor een reeks advertenties van over de hele wereld, karakteristiek, indringend, met exclusieve cocktailparty's, feestjes op dakterrassen, strandfeesten. We zitten te denken aan Bondi Beach, en ondertitels, echt ontzettend internationaal, om dat ene aan te spreken, dat etnische, dat ene, verbondenheid. *Wham*, we zitten in Thailand; *wham*, we zitten in Alaska; *wham* Nigeria. Snap je, *wham, wham, wham*, de camera schiet razendsnel de hele wereld over, iedereen is met elkaar aan het feesten, het heeft lef, het is artistiek, en we eindigen met een zonsondergang. Natalie stopt de slak in haar mond en knijpt haar lippen op elkaar en zwaait met het vorkje in haar ene hand en bedekt haar mond met de andere. Wacht even, wacht even, gaat ze verder: Die dingen, *derricks* of hoe jullie ze ook noemen, die boorplatforms op zee vervagen tot een silhouet, en muziek natuurlijk. Iets Wagnerachtigs.

Het was een lange dag en John heeft een houten kop en hij realiseert zich dat de vrouw tegenover hem met het slakkenvorkje – Natalie – hem aan iemand doet denken. Hij kijkt hoe ze haar neus optrekt als ze uit het champagneglas drinkt. De belletjes prikken en nu weet hij het weer: Natalie doet hem denken aan een non van wie hij op de middelbare school les heeft gehad. Natalie heeft een zekere goedheid, denkt hij, ondanks dat reclamegezeik. Iets goeds.

Wat John nog weet van de middelbare school: een non met een blauw polyester habijt dat onder het krijt zit. Het hing tot op de knie, dat habijt – met een friswitte blouse eronder en een korte sluier op het hoofd. Hij zag haar handen weer voor zich, steunend op zijn tafel, naar hem overgebogen, want ze had al het andere al bij hem geprobeerd.

Ze had op het bord staan schrijven en haar jurk was helemaal op en neer gegaan, haar stevige schoenen en kousen. Ze had helemaal uitgeschreven hoe je tot het antwoord kwam, en John vond het net waterskiën. Ze sleepte hem achter zich aan, en elke spier in zijn hoofd deed zeer, en de ski's sloegen op de harde golven in het water en het was makkelijker om los te laten; of hij had geen keus en ging kopje-onder, terwijl de non maar doorging. Toen draaide ze zich om en zag dat hij haar niet meer kon volgen. Ze zette haar handen plat op zijn tafeltje en leunde voorover.

De stelling van Pythagoras. John snapte dat er in theorie oneindige vlakken bestonden en dat je die A en B kon noemen. De non had een paar harde witte haartjes op haar kin. Ze was mannelijk en ze was mild. Ze kon hem geen wiskunde leren: John was immuun. Maar in haar zag hij hoe mildheid werd opgeroepen. Dat was wat ze in zijn hoofd had gestampt. Ze had hem ervan doordrongen goed te willen zijn, voor zijn zussen te zorgen, voor zijn moeder, de hond.

Ze boog zich naar hem over en haar blik hield de zijne vast. De gangen van de school waren bijna leeg; hij hoorde de echo van een kluisdeurtje dat dicht werd geslagen.

En toen wist hij het, het antwoord. Hij zou het net lang genoeg onthouden om examen te kunnen doen. Buiten scheen de zon en de bomen zaten vol nieuwe blaadjes, onschuldig groen dat met het verstrijken van de zomer donkerder zou worden. De zomer begon fris en er stond veel te gebeuren want hij zou straks klaar zijn met de middelbare school, maar zover was het nog niet. John en zijn klasgenoten stonden in de rij. Te wachten op wat komen ging.

John werd 's nachts nog steeds bezocht door de oude toverkol, maar minder vaak, en hij had zich erbij neergelegd. Er was een monsterlijke hoeveelheid verdriet in de wereld, en die moest je onder ogen zien.

Natalie Bateman neemt een slokje champagne en doet haar ogen dicht. Ze heeft iets ernstigs als ze haar haren achter haar oren doet, waardoor ze er betrouwbaar uitziet. Het leek wel alsof die non op de middelbare school, bedenkt John – die onwillekeurig zelf zijn mond opendoet als Natalie met haar tanden weer een slak van het vorkje trekt, en zijn mond dichtdoet als zij dat doet, haar lippen vol en vochtig –, alsof die non zijn voorhoofd had opengemaakt en een kern van wiskunde en goedheid achter het bot had gestopt. Hij voelde zich geraakt door de kracht en intensiteit van haar blik. Ze gaf wiskunde, maar John had gezien dat het geen wiskunde was. Het was religie. Ze schreef op het bord en kwam onder het witte stof te zitten, het residu van antwoorden. John kon zien dat de antwoorden ongrijpbaar waren maar bepaalde fysieke eigenschappen hadden, en de antwoorden waren door de non heen gestroomd en het zuiverwitte residu ervan was op haar achtergebleven.

En John dacht: ze zou dit eigenlijk niet mogen doen, die harde kern van liefde zomaar in zijn hoofd stoppen. Misschien ontplofte hij wel. Maar hij had erom gevraagd. Hij had om genade gevraagd. En de non had zich naar hem overgebogen en gezegd: Ach, lieverd toch. Want dat zei ze altijd tegen leerlingen die haar probeerden te volgen maar dat niet konden. En ze nam de beslissing, en John zag dat ze het deed. Hij zag het in haar ogen, en toen wist hij het. De kennis viel uit zijn hersenen op het examenpapier, en toen hij opstond van het examen was het weg.

Natalie Bateman geeft iedereen aan tafel een pakje, een glimmend zwarte envelop die je ingenieus kunt openvouwen, met vakjes en sleuven – glanzende vergrotingen van locaties en informatie over de belangrijkste medewerkers: ontwerpers, acteurs, regisseurs, locatiescouts. Er is een specificatie van het eindproduct, kostenplaatjes en storyboards.

De zon gaat onder en John kijkt op zijn horloge. Om negen uur vanavond zit hij in het vliegtuig naar Toronto. Hij moet nog van alles doen. Hij heeft een wit T-shirt in een etalage gezien dat niet groter was dan zijn hand. Ik hartje New York.

THUIS

Helen onzichtbaar, november 2008

Helen is met haar mobiele telefoon bij de kringloopwinkel en hij trilt tegen haar heup. Louise belt om te vertellen dat de politie een rellenoefening houdt op de parkeerplaats bij haar huis.

Ze bereiden zich voor op rellen, zegt Louise. Dat doen ze elk jaar. Misschien gaan de verpleegsters wel staken. Het halve politiekorps is getrouwd met een verpleegster. Ze hebben hun schild en hun helm met vizier en ze rukken samen op. Als de verpleegsters het te bont maken gaan ze de verpleegsters op hun hoofd slaan met die knuppels van ze. Ik zit hier gewoon in mijn auto te kijken. Die paarden, Helen, wat een prachtige dieren.

De zoon van Louise is agent. Sean, Louises zoon, is een lange-afstandsloper met zilvergrijs haar die het huis schoonmaakt en zijn vrouw elke ochtend koffie op bed brengt. Sherry Aucoin. En hij zorgt zonder morren voor zijn moeder. 's Winters komt Sean sneeuwruimen voor Louise, en hij haalt haar medicijnen en stelt haar computer in. Hij doet het loodgieterswerk en maakt de lichtsensor boven de achterdeur en strooit zout op de stoep voor haar huis.

Wat ze nú doen, Helen. Ze maken lawaai, zegt Louise.

Ik sta naar een kasjmier trui te kijken, zegt Helen.

Ze slaan met hun knuppels tegen hun schild, een soort getrommel, en het is heel intimiderend, zegt Louise. Heel spannend.

Deze minuten kosten me geld, zegt Helen. Ze draait zich om zodat de lijn minder kraakt. Ik heb deze telefoon voor noodgevallen.

Gaan we vandaag nog naar aanrechtbladen kijken? vraagt

Louise. Helen heeft in de oksel van de trui een lusje ontdekt. Er zitten kraaltjes op de trui en hij is roze en heel zacht. Ze stopt haar gezicht erin en ruikt parfum. Iemand heeft deze trui gedragen, denkt ze.

Ik ga niet nog meer minuten verspillen, Louise, zegt Helen. Over een uur zie ik je wel in de doe-het-zelfzaak. En ze hangt op.

Iets verderop in het gangpad staat een grote vrouw met kromme schouders en zo weinig gepermanent zwart haar dat haar witte schedel erdoorheen schemert. De vrouw staat een jas te passen. Ze bekijkt zichzelf van top tot teen en strijkt met haar ene hand het bont glad terwijl ze met de andere de kraag dichthoudt.

Heel mooi, denkt Helen. De vrouw laat de jas even zwieren. Ze poseert even. Dan laat ze haar armen zakken.

Sinds september zijn er bij ons acht mensen overleden, zegt de vrouw. Ik kom uit Flower's Cove, in Noord-Newfoundland. Dat zijn een hoop mensen voor een kleine gemeenschap. Ik ben hier met mijn vriendin Alice, en ik dacht bij mezelf: dit is een mooie jas. Ze kriebelt weer met haar hand door het bont.

Hij lijkt me heerlijk warm, zegt Helen.

Kopen we deze dingen om ons beter te voelen? vraagt de vrouw. Dan komt ze vlak bij Helen staan. Haar tranende ogen zakken zachtjes weg in opbollende wallen met dunne wijnrode adertjes erop. Eén tand heeft een gouden randje en haar adem ruikt naar pepermunt.

In Flower's Cove zul je vast wel een warme jas kunnen gebruiken, zegt Helen. Ze heeft de mouw van de roze trui verfrommeld in haar hand.

De priester was de laatste, fluistert de vrouw. Ze draait zich om naar het rek en laat haar hand langs de stalen hangers op de stang gaan tot ze stilhoudt bij iets knalroods. Een hartaanval bij de deur van de kerk. Hij kwam uit het dorp. Geboren en getogen.

Echt waar? Wat vreselijk, zegt Helen.

Als ik zo klein was als u, zegt de vrouw. Ze knikt naar de trui in Helens hand. Dan zou ik mezelf trakteren. Ze roetsjt nog een paar hangers langs en houdt stil bij iets van zilver waarin het licht flitst.

Want het leven is kort, zegt ze. Zo ontzettend kort. Ze haalt het zilveren bloesje eruit en legt het in haar karretje.

Helen denkt eraan dat Louise zegt: Ik ben er niet kapot van. Louise was niet kapot geweest van een bepaalde kleur grijsbruin die Helen haar vorige week in de doe-het-zelfzaak had laten zien. Ze stonden de stalen te bekijken en hadden de hele stapel afgewerkt, en Helen zei dat ze iets nieuws, iets fris wilde. Ze hield de verfstaal op een armlengte voor zich.

Louise pakte haar bifocale bril die aan een koordje om haar nek hing en zette hem op. Ze keken allebei even naar het plafond om te zien wat voor licht er op de staal scheen. Toen schudde Louise haar hoofd en zette haar bril af.

Ik ben er niet kapot van, zei ze.

Helen denkt aan haar kleindochter, Claire, die een paar dagen geleden langskwam. Claire had aangebeld en toen had ze de straat in staan kijken, met het zonlicht op haar haar, en toen had ze zich omgedraaid en haar gezicht tegen het raampje van Helens voordeur gedrukt, met haar handen om haar ogen om licht weg te houden, haar neus plat en wit tegen het glas. Ze had Helen recht aangekeken maar haar niet gezien.

Helen was onzichtbaar. Claire keek haar recht aan maar ze zag helemaal niets.

En nu moet Helen aan Barry denken, die op dit moment in haar woonkamer aan het werk is. *Ik ben er kapot van*, denkt Helen. Ze wordt er ineens door gegrepen. Alsof een hand zich om haar hart heeft gesloten. Ze voelt lust. Maar ook iets gelaagders en gevaarlijkers dan lust. Iets diepers.

Kameraadschap, denkt ze.

Verwen jezelf, zegt de vrouw met een knikje naar de trui in Helens hand.

O, dat kan niet, zegt Helen. Ze hangt de trui weer terug in het rek.

John is weggegaan bij de drankovergoten zakenlunch en loopt een paar straten richting zijn hotel. Buiten voor een gadgetwinkel staan vier met zand verzwaarde opblaaspoppen van George Bush om tegenaan te meppen; ze buigen en zwiepen en botsen tegen elkaar in de wind. Het is gaan sneeuwen. Eigenlijk moet John een vliegticket gaan halen voor Gabrielle, maar hij heeft zin in koffie. Hij heeft altijd even tijd nodig voordat hij geld gaat uitgeven.

John heeft tijd nodig om over de baby na te denken.

Het is heel erg koud in New York.

Hij duikt een koffietent in waar het personeel oortelefoontjes draagt en puntige petjes op heeft. Ze reguleren de rij zodat die doorloopt, wijzen naar een medewerker achter de bar en zeggen: Inez kan u nu helpen. Of: Jasmin, daar aan het eind, staat voor u klaar.

Een vrouw vraagt of ze bij John mag komen zitten omdat het vol is in het café. Ze ritst haar jas open en zucht zo diep dat ze als een pudding in elkaar zakt.

Heel New York bereidt zich voor op Kerstmis, en aan de overkant zit een etalage van een modewinkel vol paspoppen in rode avondjurken met een gouden schoorsteenmantel en een piramide van gouden dozen. De weerspiegelde gele taxi's glijden als gigantische karpers over het glas.

De vrouw die tegenover John in het café zit zegt dat ze geesten kanaliseert voor de kost. Vermoeiend werk, zegt ze. Ze kijkt even naar de bar waar de koffieroom en de melk staan en zegt dat ze suiker wil, dat ze wat gaat halen. Maar ze doet het niet; ze knijpt haar ogen toe en blijft roerloos zitten.

Ik voel iets, zegt ze tegen John. Iets wat u uitstraalt.

Ik ga de suiker wel even halen, zegt John. Wat wilt u? Suiker?

Volgens mij hebt u iemand verloren, zegt de vrouw. Ze komt overeind. Ze staat op het punt om allerlei uitspraken te doen over John en over zijn hele wezen, maar er scheurt een ambulance door de straat en ze wordt afgeleid. De sirene loeit en het rode zwaailicht schiet over de vrouw: een, twee, weg.

John moet denken aan de mannen en vrouwen die in het vliegtuig vanuit Singapore zaten te slapen, aan het rode zonlicht dat door hun raampjes stroomde. Mensen met openhangende mond; de geconcentreerde, moeizaam verkregen overgave op hun gezicht. Was het nog maar gisteren? De aarde onder hen leek net een droomwereld die ze samen hadden opgeroepen.

Ik ga even suiker halen, zegt de vrouw. John ziet dat ze een vale zwarte joggingbroek aanheeft en kapotte plastic sandalen met witte sportsokken en een lila donsjack met vuile manchetten. Terwijl ze terugloopt naar het tafeltje schudt ze een zakje suiker tussen haar duim en wijsvinger heen en weer.

U zei dat u met doden communiceert, zegt John.

De vrouw giet het suikerzakje leeg en trekt met het touwtje aan het theezakje. De geesten komen naar me toe, zegt ze. Ze glimlacht naar John en wrijft haar handen boven de stomende thee over elkaar.

Met kaarsen of zo? vraagt hij. Hij denkt aan Jane Downey die in het Hyatt Hotel in Toronto zit. John heeft een suite voor haar geboekt en voor zichzelf een reservering. Een aparte kamer. Zouden ze met elkaar naar bed gaan? Hij heeft nog nooit met een zwangere vrouw gevreeën. Jane Downey zei dat hij de baby zou kunnen voelen bewegen.

Je moet gewoon je hand op mijn buik leggen, zei ze.

Ik heb geen kaarsen nodig, zegt de vrouw in het café tegen John. Hij kan haar frambozenthee ruiken.

U hoort stemmen, zegt John.

Geesten laten zich aan me zien, zegt de vrouw.

En u houdt seances.

Seance is een ouderwets woord, zegt ze. We noemen het nu kanaliseren.

En het kost geld, zegt John.

De vrouw haalt het theezakje uit de beker en laat het op een stapel servetjes vallen. Er verspreidt zich direct een rode vlek.

Ik moet er geld voor vragen, zegt ze.

John haalt een bankpasje uit zijn portefeuille en rolt het op zijn kant over tafel en peutert ermee tussen zijn tanden; dan beseft hij wat hij aan het doen is en bergt het op. Eigenlijk kan hij alleen maar aan de baby denken. Hij heeft idiote gedachten. Hij denkt: moet ik niet gewoon met Jane trouwen? Of: gewoon niet komen opdagen, dan verdwijnt het vanzelf.

Hij denkt er weer aan dat het vierentwintig uur per dag licht was toen hij die week met Jane in IJsland was, en hij heeft het idiote idee dat ze zwanger is geworden van het licht. Het licht had met hen allebei iets gedaan. Hen in een roes gebracht. Ze hadden gewandeld en lamsvlees gegeten met wijn, en er viel oranje licht op de verbrokkelde, glinsterende stukken gestold lava, en Jane schreef de verhalen over de Berserkers in haar schrift terwijl de gids stond te vertellen.

Ik ben gewoon benieuwd hoe het werkt, zegt John tegen de vrouw in het café.

Alles ligt bij u aan de oppervlakte, zegt ze. Ik zie al van alles. Dingen uit uw verleden. Dingen in uw toekomst.

Wat voor dingen? vraagt John.

De vrouw haalt haar schouders op. Vormen, zegt ze. Kleuren. Ik zie verdriet en verlies. Zelfs zonder proberen.

Dat is best goed, zegt John. Zonder proberen.

Ze kijkt op van haar beker en John ziet dat ze groene ogen heeft. Ze heeft een intense, dramatische blik. Haar huid is melkwit en haar wenkbrauwen zijn dik en gebogen. Ze was vast beeldschoon toen ze jonger was.

Er begint iets te komen, zegt de vrouw. John haalt een briefje van twintig uit zijn portemonnee en schuift het over tafel naar de helderziende.

Wat begint er te komen? vraagt hij. Jane had het in zich om altijd maar te geven, dat weet hij nog. Of hij haalt haar door de war met alle vrouwen overal. Hij had een week met Jane gehad. Jane was knokig. Dun. Met lichtbruin haar, wilde krullen.

John heeft zijn hele volwassen leven zijn best gedaan om geen vader te worden. Daarvoor heeft hij stiekem en soms ook achterbaks moeten doen. Hij heeft zijn doel duidelijk voor ogen gehouden als het moment vroeg om dromerige overgave. Hij heeft geoefend met terugtrekken. Hij heeft zich helemaal gericht op wat hij wil, wat hij écht in zijn leven wil, zelfs als hij een orgasme heeft. Hij heeft zichzelf strak in de hand gehouden.

Ik zal u vertellen wat er in het verschiet ligt, zegt de helderziende. Ze heeft het geld niet aangeraakt. Het biljet ligt nog steeds midden op tafel. Als de deur opengaat, waait het ietsje op en daalt wat verderop neer.

Misschien wil ik helemaal niet weten wat er in het verschiet ligt, denkt John. Hij heeft veel nagedacht over het fenomeen tijd en het idee dat een leven veel te snel voorbij kan zijn als je niet uitkijkt. Het heden lost voortdurend op in het verleden, heeft hij zich lang geleden gerealiseerd. Het heden lost op. Het raakt op. Het verleden is agressief en gulzig en kan alles binnen een paar seconden opslokken.

Dat is het raadselachtige van het heden. Het verleden is er al in doorgedrongen; het verleden heeft er zijn kampement opgeslagen, soldaten met tandenborstels in stelling gebracht om al het *nu* weg te poetsen; en hoe meer je erover nadenkt, hoe sneller alles oplost. Het heden bestaat niet. Het heden bestond niet. Of hoe je er ook tegenaan kunt kijken: je leven gaat ook wel door zonder jou.

John had het heerlijk gevonden om in Reykjavik te vrijen met een beeldschone vrouw. Dat is waar. De zon scheen dag en nacht. Hij had er totaal niet bij stilgestaan.

Achteraf heeft John het gevoel dat hij met Jane in het nu leefde. Die hele week was in de tegenwoordige tijd verstreken. Misschien is dat liefde. Dat soort idiote gedachten spoken door zijn hoofd.

Hij was met Jane naar de Blue Lagoon gegaan en ze hadden witte modder op hun gezicht gesmeerd omdat er werd gezegd dat ze daar beter van zouden worden. Daar hadden ze om moeten lachen omdat ze helemaal niet het idee hadden dat er iets beter moest worden. Ze zeiden zelfs allebei dat ze zich nog nooit zo goed hadden gevoeld.

Waarom blijf je niet in mijn appartement? had John tegen Jane gezegd. Op mijn kosten. Want ze hadden het leuk en het bleef maar licht, alleen om vier uur 's nachts werd het wat minder, en verder was er niet veel te doen. Hij had gekeken hoe de waterval neerkletterde op Janes hoofd en op haar handen toen ze die omhooghield, en het water viel in een gladde glanzende baan op haar gezicht, en ze had haar mond open en haar haar zat glad en glanzend om haar hoofd. Haar tepels in het glimmende rode badpak. De welving van haar heupen. Hij had haar navel zien doorschemeren. De harde stralen van de waterval hadden de witte modder in straaltjes van haar gezicht gespoeld.

Er was dichte stoom opgestegen en uiteengereten en het stonk naar zwavel, wat je even kon vergeten, totdat de wind het twee keer zo sterk weer aanvoerde.

Antropologie, zei Jane.

Wat is dat ook alweer? vroeg hij.

De studie van de mensheid, zei Jane. Rituelen, symbolen, magisch-religieuze praktijken, klassen, soorten, verwantschap, taboe. Hoe we ons bewegen en praten, zei ze. Wat we eten en drinken en dromen en wat we met onze stront doen. Hoe we neuken en kinderen opvoeden. Dat soort dingen.

Met Jane, had ze aan de telefoon gezegd. Alsof hij nog wist wie dat was.

Je bent vroeger iemand kwijtgeraakt, zegt de helderziende. Dan pakt ze zijn hand. Ze drukt haar nagels in zijn pols, hard genoeg om de huid te doorboren. Het lijkt wel alsof ze een kleine epileptische aanval krijgt. Haar ogen zijn weggedraaid in haar hoofd en haar oogleden trillen. Het wit van haar ogen. Het duurt misschien twintig seconden. Dan ontspannen de spieren in haar gezicht. John ziet een beetje spuug in haar mondhoek. Ze heeft verwijde pupillen.

De helderziende drukt haar duim en wijsvinger tegen haar ogen en buigt haar hoofd. Als ze eindelijk weer opkijkt, is ze gedesoriënteerd. Of u gaat in de toekomst iemand kwijtraken, zegt ze.

Ze ziet dat ze Johns pols vast heeft en laat hem los.

Trouwjurken, november 2008

Helen heeft een opdracht die in het nieuwe jaar af moet zijn. Elke jurk is uniek. Het zijn eenvoudige en flatteuze jurken. Het merendeel van haar klanten is eind veertig of in de vijftig en ze willen niet iets maagdelijks en ze willen niet voor aap lopen. En ze willen ook niet zo'n stijf pak dat ze de afgelopen twintig jaar in de directiekamer hebben gedragen. Haar cliënten zijn radioloog of ingenieur of chirurg, of ze werken aan de universiteit.

Van kant vliegen ze in de gordijnen. Kant en alles wat zacht is, want dat maakt dat ze zich weer jong en mooi voelen. Dat is een enorm risico. Dan zouden ze zich weer herinneren dat ze zwichten voor de liefde; dan zouden ze hun scalpel en hamer en loodschort moeten neerleggen.

Bruiloften zijn duur geworden. De bloemen zijn tropisch, wasachtig, opgezwollen en licht antropomorf. De video's worden opgenomen door jonge kerels die in Montreal of Nova Scotia op de kunstacademie hebben gezeten, jonge kerels met iets te lang haar. Helen krijgt de indruk dat ze luisteren naar zachtere, lyrischer vormen van punk. Het soort jonge mannen dat net niet synchroon knikt op wat je tegen ze zegt. Ze knikken afwezig, vlak voordat je bij de clou bent, alsof ze willen dat je opschiet.

Helens cliënten zijn meestal vriendinnen van vriendinnen, en ze gaat vaak naar de bruiloften. Ze voelt iets bij de trouwjurken die ze maakt; die zijn heilig. Ze zijn belangrijk voor Helen. De jurken voor schoolgala's niet, al is ze dol op het smaragdgroen en magenta en rood en kobaltblauw dat dit jaar in de mode is. De schoolgalajurken zijn een en al decolleté en opgebolde rokken. De schoolgalajurken zijn zowel onstuimig en onschuldig als sletterig, bijna ironisch.

Maar de trouwjurken zijn belangrijk. Elke steek. Gebroken wit of koraalrood of parelgrijs, niet glimmend, jurken die bewegen en lekker zitten en onverslijtbaar zijn, die meer bedekken dan ze laten zien.

Vandaag is Barry bezig met de vloer in de woonkamer terwijl Helen in de keuken zit te naaien. In het begin had Helen Barry hetzelfde aangeboden als wat zij at voor de lunch, maar hij zei dat hij liever geen pauze hield.

Ik eet pas als mijn werkdag erop zit, had hij gezegd.

Barry's visie was dat je moest doorwerken tot de klus geklaard was. Hij vond het wel mooi om tijdens lunchtijd door te bikkelen.

Ik ben nogal koppig, had hij gezegd.

Hij duwt een sliert kit in een kier in de deurpost en strijkt het spul glad met zijn duim. Zij zit achter haar naaimachine naar zijn duim te kijken die over de kier gaat. Iemand belt hem op zijn mobieltje, denkt ze, iemand die een lift nodig heeft. Iemand die vindt dat ze daar recht op heeft, dat ze dat kan vragen. Vast zijn vriendin of zijn vrouw.

Ze kijkt naar Barry's duim die kit in de kier duwt en denkt weer wat elke volwassen vrouw over zichzelf denkt – dat ze nog steeds een meisje is, een meisje van zestien.

Het is geen gedachte. Helen wordt zestien; ze ís zestien: de verlegenheid en de verwondering. Het overvalt haar even. En dan is het weg. Ze is negenenveertig, vijftig, ze is tweeënvijftig. Zesenvijftig. De wereld heeft haar bedonderd, artritis in haar polsen.

Zo intens verlangt ze ernaar om te worden aangeraakt. Want na niet worden aangeraakt, heeft Helen ontdekt, komt alleen maar meer van hetzelfde: niet worden aangeraakt. En wat er na een gebrek aan aanraken komt is het verschrikkelijkste geheim van alles, het meest onterende: vergeten dat je het wilt.

Dat vergeet je, denkt ze. Je vergeet het zo compleet dat het verlangen wordt uitgewist. Er daalt een intense, ijzige steriliteit op je neer.

De enige remedie is opdreunen: ik wil, ik wil.

Ze is zestien en ineens ziet ze Barry's versleten riem en zijn spijkerbroek die onder de kalkspetters zit, en zijn haar is eerder wit dan grijs en er zit nog wat zwart doorheen en het is wat aan de lange kant, en hij zegt niets. Een oude hippie. Hij heeft al laten doorschemeren dat hij af en toe wel van een joint houdt. Hij drinkt niet, of hij heeft gedronken en dat achter zich gelaten. Ze voelt aan dat hij veel achter zich heeft gelaten, en in die zin hebben ze iets met elkaar gemeen.

Ze zijn te oud voor de liefde. Het is lachwekkend. Heel even ziet ze voor zich hoe ze neuken: grijs schaamhaar, rimpelige huid, krakende gewrichten. Het is gewoonweg grotesk, die hunkering. Ze snakt naar fysieke tederheid – ze schrikt er zo van dat haar knieën knikken, daar achter haar naaimachine, en ze wacht even voor ze verder naait, met de stof in haar handen, en de schok doet haar duizelen; het duizelt haar van lust.

Maar Barry en zij zijn niet te oud voor timmerwerk, voor de kost verdienen, voor jurken naaien, voor sneeuwstormen en nachtelijke zweetaanvallen en dreigementen van de bank en kinderen en huilende kleinkinderen. Er wordt een beroep op ze gedaan. Er wordt van ze verwacht dat ze deelnemen. Misschien hoort het voorbij te zijn, maar het is niet voorbij. Het is niet voorbij.

En daar komt het eigenlijk op neer: Helen wil met hem naar bed. Het interesseert haar niet hoe ze eruitziet (in een bepaald licht ziet ze er niet eens zo slecht uit), het interesseert haar allemaal niets, behalve dan dat ze misschien wel wil vrijen met deze man, die ze niet kent, die rookt, die de telefoon opneemt. En wat gevaarlijk, zo gevaarlijk: ik wil, ik wil.

Barry en zij zitten nu al weken zo met elkaar in het lege huis. Halverwege de ochtend naar Tim Hortons voor koffie, en 's middags weer. Barry komt niet naar de eerste verdieping; hij gaat niet bij haar naar de wc. Helen vermoedt dat het een ongeschreven wet is voor timmerlieden: jezelf niet opdringen. Hij rookt achter op de veranda. En Helen betrapt zichzelf er soms op dat ze naar hem kijkt vanuit het raam op de tweede verdieping. De bovenkant van zijn zwart-witte basketbalpetje.

Ze zit plooien in een tailleband te naaien en prikt in haar vinger. En het dringt tot haar door: ze vindt het al bevredigend om hem te zien roken.

Helen in de zon, 2007

De kinderen hadden Helen voor Moederdag een vliegticket gegeven.

Mam, je moet naar Europa, zei Cathy.

Nou ben je wel vaak genoeg naar Florida geweest, zei Lulu.

Dus lag ze nu met Louise op een strand in Griekenland. Ze keek naar een jongeman op een catamaran. Het opbollende zeil raakte het water bijna, zijn lichaam hing aan de andere kant naar buiten, helemaal naar buiten, hij had alleen zijn voetzolen op de boot en hing met zijn hele gewicht aan het zeil.

Hangt hij niet te ver naar buiten? vroeg ze aan Louise. Maar Louise lag te slapen.

Een eindje achter de catamaran lag een vissersboot voor anker. De vissersboot ging op en neer, hevig deinend in de klotsende golven. Elke keer dat de boeg omhoogkwam gutste er water van het touw waaraan het anker zat.

Het was niet druk op het strand, maar iets verderop lagen twee mensen. Een man en een vrouw, ongeveer van Helens leeftijd. Ze lagen naast elkaar, doodstil.

Na lange tijd rolde de man eindelijk om, stak zijn hand in zijn rugzak en haalde er een fles water uit. Helen hoorde de fles indeuken en kraken terwijl hij dronk.

De catamaran kwam keihard neer en draaide. Het zeil zwenkte de andere kant uit en de man dook vlug onder de giek door.

Volgens mij heeft hij geen controle over dat ding, zei Helen. Maar Louise verroerde zich niet.

Toen ging de vrouw die naast de man op het strand lag zitten, pakte de fles water van hem aan, nam een paar slokken en gaf hem terug. Ze had kort, geelblond geverfd haar, en de wind blies het uit haar gezicht zodat de donkere uitgroei bij haar voorhoofd te zien was, en ze kneep haar ogen tot spleetjes tegen de wind. Haar gezicht was donkerbruin verbrand. Ze zag eruit als iemand die al een hele tijd op vakantie is. Helen keek naar de catamaran die pijlsnel op het strand afkwam. Hij klapte hard op de golven.

De vrouw had een appel en een schilmesje, en ze draaide de appel rond en een sliert schil wapperde in de wind. Ze sneed de appel doormidden. De man deed zijn donkerblauwe basketbalpet af, wreef met zijn hand over zijn hoofd en zette de pet weer op. De vrouw gaf hem de halve appel en zij at de andere helft op, voorovergeleund, met toegeknepen ogen tegen de wind.

En de catamaran kwam bij het strand en gleed er door de branding naartoe, en de man sprong eraf en draafde er met kleine pasjes naast om hem het strand op te sleuren.

Cal en zij hadden dat paar wel kunnen zijn dat een eindje verderop zat, bedacht Helen. Misschien waren Cal en zij wel zo geworden, dat je pas weer iets hoefde te zeggen als de appel op was, dat je in slaap sukkelde op een strand en om beurten wakker werd en dan begon te praten, verder praatte waar je een paar uur geleden was opgehouden.

Het stel had gepraat en was het ergens over eens geworden, dacht Helen. Ze hadden iets gezegd over een van de kinderen of over een van de buren thuis, of over de bank of de auto. De vrouw had een verhaal afgemaakt waar ze uren geleden aan was begonnen, ging halverwege een zin weer verder. Toen stonden ze op en schudden hun handdoeken uit. De handdoeken klapperden luidruchtig in de wind. Ze deden alles in hun tas en liepen het strand af. De vrouw bleef staan en trok eerst haar ene sandaal aan en toen de andere, en een paar stappen later bukte ze zich om het bandje over haar hiel te doen. De man bleef op haar staan wachten.

Als Cal hier bij haar op het strand was geweest, dacht Helen, dan was hij eenendertig geweest. Hij was eenendertig toen hij doodging. En zij zou zijn zoals nu, de huid bij haar boezem rimpelig als oud wc-papier en gebruind en vol ouderdomsvlekken, met flubberende bovenarmen, artritische handen en fikse kraaienpoten. Kleine rimpeltjes boven haar mond.

Helen zou zich intens schamen voor hoe oud zij was en ze zou zich vergapen aan Cals schoonheid.

We zijn uit elkaar gegroeid, dacht ze. Zij was zonder hem verdergegaan. Ze zou naast hem de appel hebben zitten schillen en het gevoel hebben dat ze zijn moeder was. Doden zijn geen personen, dacht ze. Ze zijn allemaal hetzelfde. Daarom was het zo ontzettend moeilijk om verliefd op ze te blijven. Net zoals mannen die de gevangenis ingaan hun wereldse bezittingen worden ontnomen, hun kleren, sieraden, werd de doden hun identiteit ontnomen. Er overkwam hun nooit iets, ze veranderden of groeiden niet, maar ze bleven ook niet hetzelfde. Ze zijn niet hetzelfde als toen ze nog leefden, dacht Helen.

Het dood zijn, als je dat een bezigheid kon noemen, maakte het heel moeilijk om van ze te houden. Ze waren niet meer in staat tot verrassen. Je moest een ijzersterk geheugen hebben om van de doden te houden, en het was niet haar schuld dat dat niet lukte. Ze deed haar best. Maar geen enkel geheugen was zo sterk. Daar was ze nu achter gekomen: geen enkel geheugen was zo sterk.

Wat doe jij nou? vroeg ze. Louise zat haar bovenstukje uit te trekken. Haar borsten floepten er zo wit als aardappels uit, de donkere leverbruine tepels keihard.

Als ik het nou niet doe komen deze tieten nooit in de zon, zei Louise. Ze ging weer liggen en wurmde haar schouders in het zand onder haar handdoek.

De kleintjes kwamen *boem, boem, boem* achter elkaar, dacht Helen.

Dan ben je in één keer uit de luiers, had haar schoonmoeder gezegd. Allemaal achter elkaar. En het leek een vingerknip. Toen was het allemaal voorbij. Eerst leek het eindeloos te duren. En toen was het ineens voorbij.

De vlieger, 1977

Loslaten, riep Cal. Loslaten, loslaten. Hij stond met John op het grasveld en het jochie van vier liet de vlieger los toen zijn vader dat zei, en de vlieger sprong omhoog de lucht in, scheerde alle kanten op, boven zijn hoofd. John sloeg zijn armen voor zijn gezicht.

Toen de vlieger de lucht in schoot, klonk het alsof er vlug werd ingeademd: verrast of bang of opgetogen. Toen de ruk en het geritsel van het plastic. De vlieger scheerde weer door de lucht en kwam nu hoger, en met het volgende sprongetje nog hoger, en toen was hij heel hoog.

Cal gaf een ruk aan het vliegertouw, trok zijn arm achter zijn rug. Hij gaf harde rukjes of hij trok er met zijn hele lijf aan, helde achterover alsof hij een limbodans deed.

De vlieger dook naar beneden en schoot toen recalcitrant nog hoger de lucht in.

Hij dook ritselend heen en weer.

Cal bond het touw aan de waslijn en verdween om de hoek van het huis. Helen hoorde zijn schop *kloink* op stenen terechtkomen. Het vliegertouw hing een poosje slap, maar toen kwam het strak te staan en was de vlieger nog maar een stipje. Het grasveld was groot en verzadigd met dauw en fonkelde, en achter in de tuin stonden wilgenroosjes heen en weer te wiegen. De zaadjes dwarrelden over het gras.

Hun huis in Salmon Cove. Helen heeft een foto van John uit die tijd. In een koningsblauw T-shirt en korte rode broek, met zijn blonde pijpenkrullen en zijn lippen gevlekt door een paarse ijslolly.

Cal had de kinderen meegenomen naar het strand zodat Helen even wat rust had. Weggestopt tussen de rotsen had hij een plastic barbievlieger gevonden, verschoten en kapot. Hij was roze en Barbies blonde haar en witte glimlach waren erop te zien.

Lulu zat op Cals schouders en John en Cathy zaten in een bolderkar die hij achter zich aan trok, en met de kapotte vlieger in zijn hand kwam hij over de stoffige grindweg aanlopen.

Dat soort dingen herinnert Helen zich, stukjes middag die steeds duidelijker worden totdat ze te scherp zijn. Momentopnames. Flarden. Dat de kinderen op Cal klommen. Zich op hem lieten vallen. Dat ze over hem heen klauterden. Dat hij ze kietelde. Ze op zijn rug liet rijden. Verhalen vertelde. Dat hij vliegtuigje speelde. Dan lag hij op zijn rug met zijn benen omhoog, en hun kleine ribbenkastjes op zijn grijze wollen sokken. Hoog in de lucht.

Cal repareerde de vlieger in de tuin met waterdicht plakband terwijl John ingespannen toekeek, en Cal vertelde hem hoe je een vlieger moest repareren, wat aerodynamica was en misschien wel hoe gek Barbie eruitzag met die stralende, verbleekte glimlach.

Helen stond voor het keukenraam met een verrekijker naar de zee te kijken. Ze kon Bell Island zien, een vage, rookblauwe vlek aan de overkant van de baai, een paar ramen aan de kust die opflitsten als mica. Dan het felle geschitter van de zee. Ze dacht dat ze walvissen hoorde en probeerde ze te vinden. De verrekijker was zwaar en rook nieuw, naar het dure leren foedraal waar hij in zat. Als ze erdoorheen keek en aan het wieltje in het midden draaide, werd het vaag trillende licht op elke golf scherp, elke fonkeling hard als diamant, en na een hele tijd zag ze eindelijk de walvissen. De staart van de moeder sloeg op het water. Het was een blauwzwarte staart die glom, en het water viel er in een doorzichtige glaslaag vanaf, en de walvis sproeide water omhoog en naast de moeder zwom het walvisjong, een kleine zwarte vlek pal onder het wateroppervlak, nog maar een paar dagen geleden geboren, had een visser hun verteld.

Helen liet de verrekijker net op tijd zakken om de roze flits te zien. De vlieger schoot naar beneden, een gemene, uitgekiende duik. Het plastic ratelde en het leek net een pijl die op Johns hoofd af suisde.

Hij vloog naar beneden en klapte op Johns schouder en viel over zijn gezicht, en John schreeuwde het uit van schrik. Hij kneep zijn ogen dicht en balde zijn vuisten naast zijn lichaam en riep met een snerpende kreet om zijn vader.

Cal kwam de hoek om en tilde John op. Hij pakte Johns hoofd beet en drukte hem met zijn gezicht tegen zich aan. Cal wiegde hem heen en weer. Nog geen minuut later was het allemaal voorbij en vergeten. John wrong zich uit Cals armen en verdween de hoek om. Het was allemaal voorbij alsof het nooit was gebeurd. Loslaten, loslaten.

Helen in Griekenland, 2007

Op weg naar huis hadden Helen en Louise bijna hun vlucht van het Griekse Heraklion naar het Engelse Stansted gemist. Ze waren tot de ontdekking gekomen dat ze bij de verkeerde gate stonden en ze hadden moeten rennen. Louise kreeg te horen dat ze haar waterfles bij de beveiliging moest achterlaten of hem ter plekke moest leegdrinken, en ze smeet haar tas op de grond en draaide het dopje van de fles en zette die aan haar lippen, en met haar hoofd in haar nek stond ze een hele tijd te drinken, het water druipend langs haar mond en hoorbaar klokkend, onder het toeziend oog van de beveiligingsbeambten. Grote bellen borrelden in de plastic fles omhoog, en uiteindelijk liet Louise hem zakken, draaide de dop er weer op en gooide de fles in de vuilnisbak. Ze veegde haar mond af met de bovenkant van haar pols. De mannen zeiden: *Is okay. Is okay. Go, go, go.*

Maar het alarm ging af bij Louise en ze moest terug om haar schoenen uit te trekken en daarna gaan zitten om ze weer aan te doen.

Ze kwamen als laatsten het vliegtuig binnen, dat vervolgens twee uur stilstond bij de startbaan, en ze hadden maar drie uur in een Best Western Hotel in Stansted voor ze op de bus naar Heathrow moesten. Ze hadden een kamer met tweepersoonsbed gekregen en Louise ging onder de douche en Helen viel gewoon met haar kleren aan in slaap en werd elke twintig minuten wakker, doodsbang dat ze zich hadden verslapen. Toen om vier uur 's nachts de telefoon ging, sprong ze uit bed en greep naar de hoorn, bang dat er iemand dood was, maar ze hoorde alleen maar gezoem en toen muziek aan de andere kant, het was het wektelefoontje.

We zaten buiten in een bubbelbad en de sneeuw viel zo op ons hoofd, zei een vrouw tegen de chauffeur van de bus naar Heathrow. Ze was samen met haar vriendin na Helen en Louise ingestapt, en een van hen had twee wandelstokken bij zich. Ze zag er verhit uit van de inspanning en hijgde flink van de drie treden vanaf de stoep de bus in, en ze zei tegen de hele bus: Let maar niet op m'n stokken. Zwaaiend met een ervan greep ze de chromen stang beet en liet zich op haar stoel vallen.

De chauffeur trok aan een hendel en zijn stoel zakte met pneumatisch gesis naar beneden, en hij pakte een klembord en streepte een paar regels door met zijn pen. Hij borg het klembord op en pakte een handmicrofoon. Ga zitten, dames, zei hij.

Ze reden het busstation uit en na een poosje pakte de chauffeur de microfoon opnieuw om te zeggen dat ze over vijf kwartier zouden aankomen op luchthaven Heathrow. Hij zei dat er achter in de bus een wc zat en dat het verboden was om te roken en dat het in Engeland verplicht was om een gordel te dragen, en hij vroeg of ze die allemaal vast wilden maken. Deze bus rijdt honderd kilometer per uur, zei hij. Soms komen de wielen van de grond.

Louise was verliefd. Ze nam het woord *verliefd* niet in de mond. Ze zei er helemaal niets over tegen Helen. Maar Helen wist het.

Op hun laatste avond in Griekenland hadden Helen en Louise gegeten in een restaurant naast het hotel. Het was aangeraden in de reisgids. Ze hadden Griekse salade besteld, en Louise had om inktvis gevraagd en toen die werd gebracht was ze verbaasd dat het zo op inktvis leek. De piepkleine zuignappen en paarse tentakels die uitgerold op het bord lagen.

Ik ga dingen proberen die ik nog nooit heb geproefd, zei Loui se. Ze besloot te beginnen met de sardines.

De visser heeft ze net gebracht, zei de ober. Hij zwaaide met zijn pen naar de zee om te laten zien hoe vers ze waren. Pas net, zei hij. Hij fronste zijn wenkbrauwen en knikte om te laten zien dat Louise met de sardines de juiste keuze had gemaakt.

Helen had nog nooit eerder een reisgids gebruikt en ze stond ervan te kijken dat het restaurant precies op de plek zat die in de gids stond aangegeven. Louise en zij waren verrast dat de *aimabele* tweeling die volgens de gids de eigenaars waren, gewoon achter de bar stond en er echt identiek uitzag, alleen droeg de een een wit overhemd en de ander een roze.

Je kon buiten onder een rieten dak zitten, en de avondzon boorde zich dwars door het riet heen. De mensen uit het dorp zaten aan houten tafeltjes op de stoep aan weerszijden van het smalle klinkerstraatje. Ze zaten iets uit borrelglaasjes te drinken dat er goudgeel en rokerig uitzag. De paar langsrijdende auto's schampten zowat hun knieën. Mannen met bruinverbrande gezichten en brede wangen en pokdalige, sponzige neuzen die over hun bovenlip hingen. Dikke oude vrouwtjes die helemaal in het zwart gekleed waren met zwarte hoofddoeken, leunend op een houten wandelstok. De oude vrouwtjes liepen midden over straat en het verkeer sukkelde achter hen aan en de stank van uitlaatgassen hing in de lucht, en er waren geraniums aan de witgekalkte muren en kobaltblauwe luiken opgehangen.

De man in het roze overhemd bediende Helen en Louise. Hij had wallen onder zijn ogen en een pen en blocnootje, en hij luisterde wat Louise voor hen allebei bestelde van het menu, ondanks het feit dat zijn mobieltje rinkelde in zijn broekzak. Omdat het maar bleef rinkelen, stopte Louise om te wachten, en met een zucht deed de man zijn ogen dicht en haalde de telefoon tevoorschijn. Hij fronste zijn wenkbrauwen, praatte en luisterde en begon kwaad te worden, en hij luisterde weer en liep weg van hun tafeltje en kwam een hele poos niet meer terug.

De andere ober bracht een mandje brood en twee biertjes die

ze niet hadden besteld, en er stond olijfolie en azijn op tafel om overal overheen te gieten.

Eindelijk kwam de eerste ober weer terug. Hij likte aan zijn vinger en bladerde zijn blocnootje door, en vroeg Louise of ze haar vis gebakken of gefrituurd wilde hebben.

Gefrituurd, denk ik, zei hij zonder haar de kans te geven om te antwoorden.

Mijn zus, snapt u? zei de ober tegen Louise. Ze belt, wat moet ik dan?

Ik begrijp wat u bedoelt, zei Louise. Er zat een kat met witte en bruine en zwarte vlekken en groene ogen bij Helens voeten. Hij duwde zijn rug tegen de dwarslatten van de stoel en het zwarte stuk vacht over één schouderblad rolde omhoog en weer naar beneden toen het scharminkel zich omdraaide, en het liep op hoge poten weg. Toen bleef hij staan om zich met zijn achterpoot te krabben, waarbij hij met een soort zachte felheid op de tegels bonkte.

De zee was donker op een reep wit schuim na, die langs bijna de hele kust liep en heen en weer ging, verdween en weer terugkwam, verdween en weer terugkwam. De ober bracht Helen en Louise telkens nieuw bier en het werd drukker op straat, en er waren Nederlandse toeristen en een paar oude Britten met kniekousen aan, en Louise legde haar hand op haar borst en hield haar andere hand voor zich uit zodat Helen haar mond zou houden. Louise kreeg tranen in haar ogen en ze hoestte en sloeg met haar vuist op haar borst.

Wat is er?

Een graat. Louise hoestte en proestte en dronk Helens glas water leeg. Toen stond ze op en liep de hoek om.

Dat is niet netjes, zei Helen.

Ik kom zo terug, piepte ze. En toen ze terugkwam stroomden de tranen over haar wangen, en de ober in het roze kwam terug met nog meer brood en hij trok een stoel bij en wreef over Louises rug.

Hij zei: Een visgraat, dan moet je brood eten.

Ze at brood.

Weg, zei ze.

Zie je wel? zei de ober. Dat zei ik toch? Het restaurant was bijna leeg en het begon frisjes te worden. Maar de ober bleef op zijn plek zitten en vertelde Louise honderduit over zijn zus, over haar bemoeienis met het restaurant, en over zijn moeder die hij zijn hele kindertijd had horen zeggen: Een visgraat, dan moet je brood eten. Hij tikte met zijn vinger op zijn slaap.

Dat heb ik onthouden, zei hij.

Ik ga maar eens, zei Helen.

Ga jij maar vast, zei Louise. De ober sprong op en kwam terug met twee borrelglaasjes en een kannetje.

Ben je getrouwd? vroeg hij.

Mijn man is twee jaar geleden overleden, zei Louise. Een ontzettend lieve man. We hielden heel veel van elkaar.

Sterk water, zei hij. Hij schonk er een in voor Louise en een voor zichzelf.

Ik kom ook, zei Louise tegen Helen. Zo dadelijk.

Maar uiteindelijk was ze samen met de ober in het roze overhemd in de kamer naast die van Helen beland, en de volgende ochtend stond Helen op haar balkon en zij tweeën op dat van hem.

Tussen hen in zat een witgekalkte muur, en boven Helen de blauwe lucht en voor haar de zee en alle witte daken, en op straat stonden een paar mannen cement te mengen in een cementmolen en de natte klei klotste in het rond, en Helen zag dat haar schaduw heel blauw was op de witte muur. Ze kon de krullen in haar haar zien en de rand van haar zonnebril en zelfs haar waterglas met de parabool van licht van het water dat trilde op het muuroppervlak. Het was een scherpomrande schaduw. Toen hoorde ze de houten balkondeuren naast haar opengaan en daar was Louise. Helen kon Louise en de ober horen praten.

Ze kon niet verstaan wat ze zeiden maar ze hoorde ze iets zeggen over de zon. Ze had het vermoeden dat Louise het had over het fantastische licht. Louise kon nogal theatraal zijn. Ik kan dit licht wel opslorpen, zou Louise waarschijnlijk zeggen.

Helen hoorde hun borden en bestek. Blijkbaar woonde de ober in het hotel en had hij bestek en een kookplaat. Of ze hadden iets besteld.

Helen hoorde Louise een zakje suiker schudden. Ze kon niet verstaan wat ze zeiden maar ze hoorde het zakje tussen Louises duim en wijsvinger heen en weer schudden en de korrels rammelen. En haar zus was achtenvijftig, als Helen het goed had. Ze hoorde Louise het suikerzakje openscheuren. Helen verroerde zich niet; dan zou het net lijken alsof ze hen stond af te luisteren.

Nu liep Louise door het gangpad van de bus, zich in het voorbijgaan vastgrijpend aan de rugleuningen van de stoelen, en de chauffeur hield haar in de binnenspiegel in de gaten. Engeland zag eruit als Engeland zoals het langs de getinte ramen golfde. Het was vruchtbaar en groen en er was een veld met schapen. Net alsof Thomas Hardy en D.H. Lawrence precies hadden opgeschreven wat ze hadden gezien en het allemaal zo was gebleven, of alsof iedereen die boeken had gelezen en zorgde dat het landschap er net zo uitzag als in de romans stond. Er waren bomen en heggen en stenen muurtjes en schapen. De schapen, her en der verspreid over de groene heuvels, gaven het iets authentieks.

Louise was naar de wc gegaan en ze bleef er een hele tijd zitten, en toen kwam er geschreeuw van achter uit de bus. Louise was aan het gillen en trapte tegen de wc-deur, en Helen sprong op en de chauffeur zette de bus stil, en iedereen draaide zich om in zijn stoel en keek naar achteren. De wc-deur vloog open en sloeg weer dicht, en Helen schreeuwde: Louise, Louise, Louise.

De deur vloog open en het hoosde in het kleine hokje en Louise stond te gillen. Haar lichte blouse plakte aan haar huid en het kant van haar beha was te zien, en toen ze de blouse lostrok zoog hij zich weer vast aan haar huid, en er zaten kleine luchtbellen onder haar blouse, en haar haar plakte om haar hoofd en haar mascara liep over haar wangen.

Jezus Christus, zei Helen. Ze had haar zus bij haar armen

beetgepakt en ze keek onderzoekend naar haar gezicht. Ze zocht naar bloed of een schotwond of een of andere snee, maar ze zag niets. Louise was doorweekt. En het bleef maar regenen in het hokje en het water kwam in steeds bredere stroompjes de wc uit en achterin begonnen mensen hun bagage van de grond te tillen en hun schoenen aanstellerig opzij te schuiven. Kleine aanstellerige pasjes opzij.

De chauffeur pakte de handmicrofoon en zijn stem klonk ontspannen. Later zouden Helen en Louise het omschrijven als een slaapkamerstem. Een stem vol sarcasme en vermaak.

In de wc mag niet worden gerookt, zei de stem.

De chauffeur en Louise stonden een poosje samen langs de kant van de weg. Louise had haar armen over elkaar geslagen en stond met haar voet te tikken. Ze knikte. De chauffeur wees naar de bus en toen naar de weg en hij scheen er allerlei ideeën op na te houden over plichtsbesef en goed gedrag en het gevaar van roken in het algemeen. Hij geloofde in strafacties, en hij hield er stevige standpunten op na over schone lucht en meeroken en hoe belangrijk het was om je aan de regels van het openbaar vervoer te houden als je te gast was in het Verenigd Koninkrijk.

Louise stond te kijken alsof ze voor de allereerste keer bij deze ideeën stilstond. Ze keek alsof ze er nog nooit van had gehoord.

De mensen achter Helen maakten geïrriteerde geluiden en kwamen overeind in hun stoel om te kijken en lieten zich weer vallen, en iemand zei op luide toon, zodat Helen het kon horen, dat ze een vliegtuig moest halen.

Louise kwam de bus weer in en graaide haar spullen bij elkaar; ze pakte haar tas en koffer en haar jasje.

Rij jij maar verder, Helen, zei Louise. Ik zie je daar wel.

Ik blijf bij jou, zei Helen.

Helen, jij blijft in de bus zitten, zei Louise. Begrepen? We gunnen die klootzak niet de voldoening ons er allebei uit te gooien.

Ze lieten Louise achter langs de kant van de weg. Helen zag Louise het uitschuifbare handvat uit haar koffer trekken, en ze zag Louise de koffer op zijn wieltjes kantelen en rechtop zetten, en ze keek hoe hij achter Louise aan hobbelde over het geplette grind. De bus reed weg en er stegen twee grote stofpluimen op en toen was Louise verdwenen.

Uren later was Helen in de vertrekhal van Heathrow, waar ze zich op een stoel liet vallen. Tegenover haar zat een jonge Indiase man – hij zag er Indiaas uit – die een aktetas omklemde en diep lag te slapen.

Hij had een rugzak naast zich staan en hij leunde met zijn wang op een hoek van de aktetas, en zijn mond hing open en tussen zijn onder- en bovenlip zat een draadje spuug dat bij elke ademhaling trilde, en hij hield zijn aktetas stevig vast maar zijn bril stond scheef. Eén brillenpoot stak in een rare hoek van zijn gezicht af en één brillenglas zat bij zijn wenkbrauw.

Het was een slaap vol overgave die hem kwetsbaar maakte, en idioot genoeg werd Helen overspoeld door liefde voor hem. Of het was voor iemand anders en ze wist niet precies wie. En toen dacht ze weer aan Louise in de opdwarrelende stofwolken van de bus die wegreed.

Het lawaai in de wachtruimte zwol aan en ebde weg, en er waren kassa's en huilende baby's en stellen die over elkaar heen lagen te slapen, en vriendelijk klinkende waarschuwingen dat je op je bagage moest letten, en oproepen om naar een gate te gaan. Het zwol aan en ebde weg en Helen kon niet meer opletten, en de bril van de jonge Indiër dreigde van zijn gezicht te vallen.

Er kwam een vrouw in een fluorescerend geel hes voorbij met een lange stok waaraan een grijper zat die ze met een knijpmechanisme in het handvat bediende. Achter op de hes van de vrouw stond het woord *reinigingsmedewerker*, en ze reikte met de grijper onder de stoel van de slapende Indiase man, pakte een verfrommeld servetje en haalde het weg zonder de broekspijp van de man aan te raken, en ze liet het servetje in de vuilcontainer vallen die ze achter zich aan trok. Helen had het idee dat de reinigingsmedewerker de stok in de droom van de man had gestoken en er een wending uit had gehaald. Ze had operatief de sleutel, het cruciale scharnierpunt van de droom van de man verwijderd. Of het was haar eigen droom. Het servetje was een soort stop geweest en de hele wereld aan deze kant zou in een grote spiraal door de afvoer wegspoelen naar een parallelle wereld, en Helen had dat idee of ze droomde het. Ze voelde dat ze wegdoezelde.

Het vuile servetje had alles op zijn plek gehouden, precies op de juiste plek, en zonder dat servetje zou alles wat ervoor en alles wat erna kwam verkeerd aansluiten, en ze kon het wel vergeten, ze zou nooit meer thuiskomen, en ze schrok wakker, en toen dat gebeurde was de Indiase man verdwenen en op zijn stoel, recht tegenover Helen, zat Louise met een kop koffie in haar hand.

Ik ben komen liften, zei Louise.

Helens verf

Barry zei dat rood een onmogelijke kleur was. Hij hoopte maar dat ze niet aan rood zat te denken.

Zoveel lagen, zei hij. Een vrouw in Cowan Heights had een keer gevraagd of hij een rode muur in de woonkamer wilde overschilderen, en er waren tien lagen in gaan zitten.

Barry had gezegd dat hij het schilderwerk toch wel wilde doen.

Geen woord gelogen, zei Barry. Hij keek naar de geplamuurde wanden en had een roestvrijstalen meetlat waarmee hij tijdens het praten tegen zijn been tikte.

De laatste tijd gebruiken ze veel donkerbruin, zei hij. Er vielen stiltes als Helen en hij met elkaar praatten. Ze namen de tijd om zich bruine muren voor te stellen. Dat kon omdat ze geen haast hadden, want alles, alles wat ze zeiden kon helemaal worden verdraaid en meer dan één ding betekenen.

Chocola noemen ze dat, zei hij.

Ik dacht aan iets lichts, zei Helen. Barry knikte.

Zijdeglans, zei ze.

Barry vertelde dat hij op het vasteland had gewerkt. Een man had hem gevraagd om ergens buiten bij een meer een landhuis te bouwen, en hij had zwartmarmeren vloeren gelegd. Als jonge knul.

Dat huis, zei hij. Hij schudde zijn hoofd alsof hij zelf niet kon geloven wat hij in zijn mars had. Marmeren vloeren, zei hij nog eens. Hij kon nogal spraakzaam zijn tijdens de pauzes. Hij vond het fijn om te bekijken wat hij had gedaan en dan vertelde hij dingen over zijn leven. Allemaal verhalen over bouwen. Ze gingen over dingen te lijf gaan met een trekzaag, of met een sloophamer of koevoet.

Toen hij het over geld had, dacht hij aan Toronto in de jaren zeventig. Wat een kansen. Soms had hij twee of drie maanden achter elkaar gewerkt zonder een dag vrij te nemen. Wat een geld.

Alsof je het zo van de bomen kon plukken, zei hij. Tijdens het praten stond hij soms ingespannen in de verte te turen. Zijn ogen hadden een kleur grijs die Helen nog nooit had gezien, en ze moest bekennen dat ze hem knap vond. Dat zei ze niet tegen Louise. Ze zei het niet tegen haar dochters. Barry had grijze ogen die in het buitenlicht niet anders werden. Ze waren niet af en toe blauw of lichtbruin.

Vandaag had ze een boterham voor hem gesmeerd en reepjes wortel en olijven op het bord gelegd. Ze wilde het bord mooi opmaken. Hij heeft iemand die hem belt op zijn mobiel en dingen van hem vraagt, zijn werk onderbreekt, en als hij ophangt is hij met zijn gedachten nog helemaal bij het gesprek. Dan zingt hij zachtjes voor zich uit.

Barry Kielly houdt van degene die hem belt. Het is een liefde die kalmte en rust brengt en Helen schrikt ervan hoe territoriaal en teleurgesteld ze zich daardoor kan voelen. Ze heeft wel een halverwege de trap zitten luisteren. Of ze is gestopt met naaien om te luisteren. Vandaag stopt ze met de piepende Glassex om te luisteren. Ze is zich er niet van bewust dat ze luistert; ze heeft haar oren gespitst.

Ze had een boterham voor hem gesmeerd omdat ze een boter

ham voor zichzelf stond te smeren, maar ineens stond ze ook wortels te schillen. Ter garnering. Ze stond borden te garneren en als je op jezelf woont is zoiets als garneren je vreemd. Dan is elk soort opsieren je vreemd. Want je bestaat niet: je hebt de tv en je zus Louise en de trouwjurken en de kleinkinderen; je hebt zorgen om John. Je hebt Kerstmis. Maar Helen gaat geen borden staan garneren.

Helen en Barry gaan allebei op in hun werk en de precisie die daarbij komt kijken. En Helen luistert naar Barry. Ze tekent patronen en knipt het bruine patroonpapier uit en speldt het op de stof en gebruikt de dure schaar en hangt de verschillende delen over de rugleuning van de meubels. Er liggen stapels *Vogue* en *Bride* en *Cosmo*. Ze tekent met grafiet of ze tekent met een houtskoolpotlood. Ze heeft een speldenkussen in de vorm van een tomaat en een rieten naaimand met vakjes in vakjes en naalden en satijnen voering, en hij lijkt uit een andere tijd te komen.

Mensen vinden een handgemaakte bruidsjurk een mooi idee omdat het een soort talisman is.

De laatste tijd zijn sommige van haar bruiden lesbiennes die trouwen op een boot in de haven of op een winderige klif, en ze gaan niet voor ruches en strikjes, maar ze willen er toch mooi uitzien en dan niet op een ironische manier.

Mijn zoon stond erop om de vliegtickets voor ons te betalen, had Barry gezegd. Kom pa, we gaan naar Toronto, naar een wedstrijd. Zijn moeder was een tegendraadse vrouw. Ik ga niet zeggen dat ik iets van vrouwen begrijp. We gingen erheen en op een middag zei ik, ik zei: Laten we dat huis gaan zoeken. Ik moet wel vier, vijf uur hebben rondgereden en denk je dat ik dat huis nog kon vinden? Duizenden huizen, en ze zagen er allemaal precies hetzelfde uit. We hebben het nooit teruggevonden.

De schemering is nu gevallen en Helen staat voor de spiegel in de badkamer met een doorweekte prop tissues. Ze was een jonge vrouw, bedenkt ze. Toen Cal stierf.

En eerst denk je dat je niet altijd alleen zult blijven. Je denkt dat de toekomst oneindig is. Je kindertijd leek oneindig. Beneden gilt de zaag en Helen hoort een stuk hout op de grond vallen. En net zo zal de toekomst oneindig zijn, en die kun je niet alleen doorbrengen.

Maar ze heeft geleerd dat dat wel kan: niemand tegenkomen. Het verleden zwicht, het bezwijkt, het gaat eindeloos door. De toekomst is onbuigzaam. Het is mogelijk dat het verleden is afgebroken, dat het op de grond is gekletterd en dat alleen de toekomst overblijft, en daar is niet eens zoveel van. De toekomst is het kortste eind.

Een zegen, november 2008

Jane loopt in de schemering door een kelderende temperatuur, en het is gaan sneeuwen. Kerstguirlandes golven door Spadina Avenue. Alles is verlicht. Ze is al langs twee kerstmannen van het Leger des Heils gekomen met handbellen en ronde plastic bakken vol verfrommelde bankbiljetten.

Daarnet is ze langs een koor van ten minste dertig mannen en vrouwen gekomen die in het Latijn stonden te zingen op de trap van de Verlosserskerk op de hoek van Bloor Street West en Avenue Road. Ze hadden rode en witte koorjurken aan en er hingen ademwolkjes in de lucht. De dirigente kneep in haar vingers en deed ze uit elkaar alsof ze een onzichtbaar draadje straktrok, en de muziek stokte. Plotseling een ademloze stilte. De dirigente knikte, een keer, twee keer, en zwaaide toen haar handen omhoog, waarna de stemmen twee keer zo hard verder galmden.

Jane liep door omdat ze koude voeten had, ze keek uit naar een taxi. Morgenochtend ziet ze John weer, en ze vindt het doodeng. Waarom heeft ze hem nou gebeld? Ze is bang voor wat hij zal zeggen. Ze vindt het spannend.

Een man in een enorme patchworkdeken houdt Jane staande en wappert met een stapel papieren. Dit is een roman die ik heb geschreven tijdens een cursus die me werk moest helpen vinden, zegt de man. Hij schudt even met het papier.

Dit is een boek over verlossing, zegt de man. Het hemelse licht dat de wereld in kwam met het kindje Jezus.

Jane doet haar tas open en pakt er een handjevol kleingeld uit. De man wendt zijn hoofd af en begint hard te hoesten. Zijn longen zitten vol slijm. Dat hoort Jane. De man heeft dreadlocks tot over zijn schouders, roodbruin en grijs en wittig, en op zijn hoofd heeft hij een sluier van sneeuw.

Ik moet even op weg worden geholpen, zegt de man. Hij is uitgemergeld, en dat magere geeft hem iets koninklijks, en in één glas van zijn zwartomrande bril is een witte, stralende ster te zien van de straatverlichting.

De winkels gaan nu allemaal sluiten en Jane ziet dat het verkeer minder druk wordt. De man zat weggedoken in het portiek van een luxeslagerij en er hangt een rij ontzettend gele kippen ondersteboven voor het raam, en op een bedje van kunstgras staan zilveren bladen vol vergruizeld ijs met daarop donkere, met vetranden gemarmerde biefstukken en een roestvrijstalen bak vol varkensharten.

Het kerstkind, zegt de man zacht, terwijl hij over Janes schouder de straat in kijkt. Werd geboren in een wereld vol duisternis en eeuwige verdoemenis en hij bracht het licht.

Jane strijkt de bladzijden van de roman glad op haar dij. Ze ziet dat het een heel krampachtig handschrift is vol harde punten die in het gelinieerde papier drukken. De roman gaat over het rastafarianisme.

De man heeft zijn hand onder de patchworkdeken gestopt en staat ergens mee te frunniken. Jane hoort zijn adem onregelmatig worden, maar het interesseert haar niet waar hij mee staat te frunniken. Misschien komt het door de kou of haar hormonen, of omdat ze binnenkort moeder wordt, of door het koor dat daar in het donker staat te jubelen in een dode taal – ze weet niet waarom, maar ze is begaan met deze man. Ze ziet wel wat ze met John doet als ze hem ziet. Jane zal tegen hem zeggen: het is zoals het is.

Vorige week, piept de man. Vorige week heb ik mijn hart

opengesteld voor de gedachte van de Heilige Geest. Hij haalt een inhaler onder de deken vandaan, stopt hem in zijn mond en drukt op de knop terwijl hij diep inademt. Zijn ogen puilen uit.

Jane leest hier en daar een bladzijde in zijn roman, met het papier schuin onder de straatverlichting. Ze veegt een paar sneeuwvlokken weg.

Geen dingen eten die een gezicht hebben, staat in het boek van de man. Hij heeft het over goed en kwaad en een zuiver licht dat het hart van de mensen zal doen breken, ze tot stof zal verpulveren, en dat stof zal wegwaaien. Ze leest een zin waarin staat: *Uw kinderen en uw kindskinderen, en er zal hun een kind worden geboren, en dat kind zal het licht van de wereld zijn.* Janes baby maakt een salto, schopt in haar buik, schopt tegen haar ruggengraat.

Ik vraag alleen maar genoeg om deze paar bladzijden te laten fotokopiëren, zegt de man. Zodat ik een begin heb in de uitgeverswereld. Ik moet ergens beginnen. Mijn wedergeboorte was nog maar een week geleden.

Jane doet haar tas open geeft hem een briefje van twintig. Hij verfrommelt het in zijn vuist en trekt de vuist weer onder de deken. Jane neemt aan dat hij het geld in zijn zak heeft gestopt want nu houdt hij zijn hand op voor de bladzijden van zijn roman.

God zegene u, zegt hij.

Johns hennetje, *november 2008*

John zit in een restaurant slakken te eten die druipen van de knoflookboter en peterselie, en hij heeft een vorkje om ze mee uit het slakkenhuis te peuteren maar de tanden buigen steeds om, als gekookte spaghetti, en zijn wiskundelerares van de middelbare school zit tegenover hem aan tafel. Dan ziet hij dat een van de slakken uit zijn huisje is gekropen en een slijmerig spoor achterlaat op de witte rand van het bord, en hij kruipt heel langzaam verder, zich vastklampend aan de rand van het bord.

Hij stopt de slak in zijn zak en denkt er verder niet meer aan, maar dan rijdt hij in een taxi door de straten van New York en er zit iets groots en nats in zijn zak gepropt, en zijn broekspijp is er drijfnat van geworden en hij heeft vreselijk veel moeite om hem uit de nauwe broekzak te krijgen, en het is een hennetje. Het is geplukt en koud, alsof het uit de diepvries komt.

Instinctief weet John dat het hennetje kan nadenken. Hij voelt er een overstelpende liefde voor. Een geiser van liefde en de behoefte het te beschermen. Hij weet dat het nog geen taal kan spreken maar het is iets waar hij met heel zijn hart van kan houden, en hoewel het in bepaald opzicht misvormd is en het daarom verkeerd, heel verkeerd is om er hoop voor te koesteren, heeft hij toch hoop. Hij hoopt dat het ooit zal kunnen praten en ook van hem zal houden.

Nu beseft hij dat het misschien wel een droom is, en hij denkt eraan om zijn lucide droomtechniek toe te passen. Als hij in een droom probeert te lezen, zijn alle woorden gebazel voor hem. Dan staat onomstotelijk voor hem vast dat hij slaapt. Er straalt een fysieke pijn van verdriet door zijn borst, een liefde zo diep en indringend en eenzaam dat het hem verlamt.

Hij voelt dat hij begint te kwijlen. Hij ziet het identiteitspasje van de taxichauffeur op het dashboard en probeert het te lezen, maar het is Arabisch, en omdat hij geen Arabisch kan lezen heeft hij geen idee of er gebazel staat of niet. Geen idee of hij aan het dromen is.

Dan rent hij door een gebouw, een verlaten schoolgebouw. Hij vindt het hennetje bevend in de hoek van een leeg klaslokaal. Ze is aangevallen door een kat. Ze heeft meerdere bijtwonden en ze bloedt. Hij streelt met zijn hand over de koude, blauwwitte bobbeltjeshuid van het hennetje. Hier en daar voelt hij prikjes waar de laatste stukjes veer in het beest zijn blijven zitten toen het werd geplukt. Hij probeert het te knuffelen en hij moet huilen. Hij steekt zijn vinger in een van de wonden die de kat heeft gemaakt. Hij steekt zijn vinger diep in het gat en het is warm en nat van binnen, en als hij zijn vinger eruit trekt zit er bloed om zijn nagel, onder de nagel en langs de nagelriem.

Hij schrikt wakker: het vliegtuig naar Toronto, door de nachtlucht. Hij is bang en opgewonden. Hij wil aankomen. Hij wil er zijn.

Telefoon, februari 1982

Helen werd wakker gebeld. Ze moest de radio aanzetten.

Heb je de radio aanstaan?

Zo werden de families op de hoogte gebracht: Het is op de radio. Je moet de radio aanzetten.

Er belde niemand van de oliemaatschappij.

Hoe het moet zijn gegaan was als volgt: de mannen waren nog geen uur dood en de maatschappij had er de pr-afdeling op gezet. Ze hadden advocaten. Helen kan zich de vergadering in de directiekamer voorstellen. Of misschien ging het wel allemaal via de telefoon. Ze kan zich voorstellen wat voor taal er werd gebezigd.

Of er was afgrijzen. Natuurlijk was er afgrijzen en dat had ze lamgeslagen. Wanneer waren er woorden als *situatie* in het vocabulaire geslopen? Want volgens Helen dachten zij er zo over. Volgens haar wilden ze allemaal *de situatie in de hand houden.*

En buiten voor het raam van de directiekamer woedde de storm. De sneeuwvlagen die alles buiten uitwisten en dat alles er dan weer doorheen sijpelde. De wind loeide en de basiliek was verdwenen onder een laag sneeuw en kwam weer terug. Toen de wind even ging liggen was de rand van het gebouw door het wit heen te zien en toen werd de rest van het gebouw zichtbaar. Gower Street was verdwenen en kwam weer terug bij een nieuwe huilende windvlaag. De wind was een omgekeerd vlakgom die al het wit uitwiste, zodat de gebouwen er korrelig en wazig en vlekkerig bij stonden.

Als ze in een directiekamer bij elkaar waren gekomen dan had er een kapstok in de hoek gestaan. Hier moet Helen zich een voorstelling van maken. Er staat een kan water. Hebben ze echt een kan water staan? Is er iemand naar het keukentje aan het eind van de gang gegaan om de kan te vullen? Staat er een ijskastje met ijsklontjes en tupperwarebakjes met namen en data op de deksels geplakt? Kraken en knallen de ijsklontjes in het plastic bakje en tuimelen ze de kan in? Laat die kan maar even. En nu moeten ze iets zeggen. Helen wil het zien. Ze wil het horen.

Of het was een reeks telefoontjes. Dat weet ze niet. Hoe zijn ze tot het besluit gekomen om het niet aan de families te vertellen?

Maar Helen komt geen stap verder. Want hoe kwamen ze op het idee: *laten we de families maar niet bellen.*

Hoe kwamen ze daarop?

En verder: hoe werd zo'n idee hardop uitgesproken, vormgegeven, bekendgemaakt?

De firma was bezig met pr. Misschien hadden ze toen nog geen weet van pr, denkt Helen, maar ze dachten in pr-termen. Ze verzonnen het zo'n beetje bij elkaar (later, veel later, zou iemand zeggen: Bepaalde dingen hadden we anders moeten doen, maar dat was ook pr).

Of: niemand wist hoe ze het aan de families moesten vertellen. Ze hadden de situatie niet in de hand. Ze waren in shock. Op haar betere dagen kan Helen dat geloven, dat ze niet wisten waar ze mee bezig waren.

En dus hoorden de families via de radio dat hun geliefden dood waren. En ze geloofden het niet want dan had de firma toch zeker wel gebeld.

Helen had Louise gebeld en ze was totaal in de war. Ze had geschreeuwd: Cal is dood, Louise. Cal is dood. Cal is dood. En ze had de hoorn op de haak gegooid.

Tim Brophy, de buurman, was langsgekomen. Helen zag hem door het keukenraam, zwoegend door de opgewaaide sneeuw.

De sneeuw woei in doorzichtige, glinsterende vlagen van de sneeuwhopen, vlagen die golfden en kolkten en dubbelsloegen in de hoeken en nog eens dubbelsloegen, en ze kon iemands autobanden op straat horen gieren. De banden slipten en gierden en de motor brulde en het was zo'n prachtige ochtend en haar knieën begaven het. De bomen zaten gevangen in ijs en het zonlicht fonkelde over de takken. De zon stond als een oude, doffe, verweerde munt in de lucht, achter al die rondstuivende sneeuw. Helens knieën hielden het niet. De hele wereld overspoelt je, klieft je open; de wereld is groter dan je dacht, en feller.

Niet dat ze geen oog had voor de schoonheid, want dat had ze wel. De schoonheid stroomde door haar pupillen en neus en oren en al haar cellen naar binnen, en ze was ervan overtuigd dat wat er nu gebeurde niet kón gebeuren, en daar klampte ze zich aan vast.

De Brophy's hadden het gehoord en Maureen Brophy had Tim naar haar toe gestuurd, dát gebeurde. Tim wadend door de sneeuw, met zijn pet verfrommeld in zijn hand. Hij had zijn jas niet dichtgedaan. Helen zag dat hij voortmaakte.

Maureen durfde haar niet onder ogen te komen, dacht Helen. Ze had vast staan afwassen of de baby zitten voeren in de kinderstoel, en toen had ze gezegd: Ga jij maar, Tim.

Tim zou aarzelend hebben geprotesteerd, en Maureen zou zich met een ruk hebben omgedraaid en naar de achterdeur hebben gewezen, zoals je dat bij een kind of hond doet, en ze had geen tegenspraak geduld.

Dan zou Maureen haar rug hebben gerecht, want bij een ramp moeten sommige mensen normaal blijven. Iemand moet een stoofschotel maken voor de verse weduwe. Maureen bedacht dat ze een stoofschotel ging maken voor Helen.

Dat gebeurde op het hele eiland, want het nieuws was op de radio. Op de universiteit zaten studenten wier vader op het boorplatform zat, die broers op het boorplatform hadden en sommige docenten zetten televisies van de audio-videoafdeling in de klas zodat ze konden kijken als er iets op het nieuws kwam. Mensen belden familie op het vasteland; mensen regelden vliegtickets. Het idee dat er mannen aan het verdrinken waren in die oude duisternis was verbijsterend en angstaanjagend, en de firma had gezegd dat dat kloteding niet kon zinken, wat er ook gebeurde.

Maureen was niet van plan om naar Helen te gaan.

Toen hij zijn keukendeur eenmaal achter zich dicht had getrokken, wilde Tim zo snel mogelijk bij Helen zijn, en de witte deken lag daarbuiten te glinsteren. Prachtig en kil en twinkelend. Haar leven lang zal Helen niet vergeten hoe mooi de sneeuw was, en de lucht, en dat ze erdoor werd overspoeld en dat ze al die schoonheid niet kon onderscheiden van de paniek. Toen besloot ze dat schoonheid en paniek exact hetzelfde zijn, en dat gelooft ze nog steeds.

Ze dacht niet aan de kinderen; de kinderen lagen te slapen. Ze was teruggeslingerd naar een tijd van vóór de kinderen. Van vóór alles behalve haar ontmoeting met Cal, en het mag dan stom en verzonnen klinken, en het mag dan klinken alsof het heemaal niet waar is, maar die allereerste keer dat ze met hem naar bed was gegaan, had ze besloten dat ze met hem zou trouwen. Dit is van mij, dat had ze gedacht. Dit moeten we blijven doen.

Paniek en schoonheid zitten in elkaar, continu, copulerend in een poging nog meer schoonheid en paniek te creëren, en bij het zien ervan gaat iedereen door zijn of haar knieën. Het is een demonisch, hemels copuleren.

Iedereen die 's ochtends naar de radio had geluisterd, wist toen al dat de mannen dood waren, en ze hadden geprobeerd zich hun dood voor te stellen, maar dat ging niet. Tim Brophy zat bij Helen in de keuken met zijn jas nog aan, zijn laarzen druipend op het linoleum.

Toen de telefoon ging nam hij op, en het was Louise die terugbelde. Louise belde terug omdat Helen de hoorn op de haak had gegooid. Helen was de weg kwijt.

Later zou Helen zeggen: Ik wist niet eens dat ik je had gebeld.

Louise belde terug en Tim nam op, en Louise dacht dat Tim Cal was. Dat was een idiote vergissing want Tim klonk totaal anders dan Cal.

Louise zei: Cal, volgens mij is Helen gek aan het worden; ze zei dat je dood was.

Louise vergat dat Cal op het booreiland zat.

En Tim Brophy zei: Met Tim Brophy van hiernaast. De Ocean Ranger is gezonken en het ziet ernaar uit dat er geen overlevenden zijn. Dat hele rotding is gezonken.

De mannen op de Seafort Highlander zagen de mannen in het water. Er blijft je altijd wel iets bij, en wat Helen bijblijft is dit. De mannen op de Seafort Highlander waren zo dichtbij dat ze sommigen van de mannen in de golven hadden gezien. Zo dichtbij dat ze met hen konden praten. De mannen schreeuwden het uit voordat ze doodgingen. Ze riepen om hulp. Ze riepen God aan of ze riepen om genade of ze biechtten hun zonden op. Of ze riepen alleen maar dat ze het koud hadden. Of ze schreeuwden alleen maar. Om geluid te maken.

De touwen zijn bevroren, zeiden de mannen aan boord van de Highlander tegen de mannen in het water. De mannen op de Highlander voelden de drang om te vertellen wat ze allemaal probeerden om de stervende mannen ervan te doordringen dat ze niet in de steek werden gelaten. En de bemanning van de Highlander liep zelf het gevaar te worden weggespoeld, maar ze bleven daar in de storm op het glibberige dek staan en kregen de golven in hun gezicht en probeerden zich vast te klampen en niet toe te geven aan de angst. Ze bleven op het dek staan omdat je het niet opgeeft als er mannen in het water liggen, zelfs als het je zelf het leven kan kosten.

We snijden de touwen door.

Hebben jullie de touwen doorgesneden?

Dat rotding is helemaal bevroren.

Schiet op.

En er moet een moment zijn gekomen, denkt Helen, waarop al dat geschreeuw over en weer er niet meer over ging hoe er kon worden ingegrepen, omdat iedereen aan beide kanten wist dat er niet ingegrepen kón worden. De mannen in het water wisten dat ze het niet zouden overleven en de mannen aan boord wisten dat de mannen in het water het niet zouden overleven. Maar toch bleven ze het proberen.

En toen werd er alleen nog maar geschreeuwd om hen gezelschap te houden. Want wie gaat er nou staan kijken hoe een man door de ziedende golven verzwolgen wordt zonder tegen hem te schreeuwen? Ze hadden tegen de mannen in het water geschreeuwd. Ze hadden geprobeerd om met enterhaken bij de mannen te komen. Ze zagen ze en toen zagen ze ze niet meer. Zo simpel was het.

John in de eetzaal, november 2008

Aan het eind van de ochtend poetst John zijn tanden en hij staat even naar zijn spiegelbeeld te kijken. Gisteravond liep hij pas om middernacht de draaideur van het hotel in Toronto binnen om in te checken. Hij vindt dat hij geen mooi overhemd aanheeft, maar hij heeft geen tijd om een ander aan te trekken. Toch wurmt hij zich er vlug uit en er schiet een knoopje los dat tinkelend in de wasbak valt. Hij trekt een kasjmier trui aan. Vorig jaar heeft hij van zijn moeder voor Kerstmis een zwarte kasjmier trui gekregen.

John strijkt met zijn hand over zijn gezicht en blijft zo staan, met zijn ogen dicht, een en al opwinding en jetlag. Hij is misselijk. Dan klopt hij op al zijn zakken, en zijn portemonnee zit in zijn achterzak en de sleutelpas zit in zijn portemonnee, en hij is op weg en wacht op de lift en gaat twee verdiepingen naar beneden, en dan stappen er drie meisjes in en het ruikt naar shampoo en dat stomme ding gaat twee verdiepingen naar boven en de meisjes stappen uit, en dan gaat hij naar beneden naar de lobby.

Bij de ingang van het restaurant wordt hij begroet en hij neemt alle tafeltjes in zich op. Jane is er nog niet. Hij is blij dat ze er niet is. Hij wil haar binnen zien komen. Een uur later heeft hij de krant gelezen of geprobeerd hem te lezen. Obama heeft gewonnen in North Virginia. *Change. The time has come for change. Yes we can.*

John bestelt gepocheerde eieren en ze worden geserveerd met gegrilde asperges, twee stuks in een x-vorm op het witte bord, en een geroosterde tomaat die hij laat staan. De asperges stinken. Hij walgt van die geur. Het ruikt naar een overrijpheid waar hij onpasselijk van wordt. Hij snijdt het ei met de zijkant van zijn vork en het geel loopt over het hele witte bord en hij legt zijn vork neer. Het gebarsten bolgele oog van het ei staart hem aan. Hij heeft geen trek. Zonet rammelde hij nog van de honger en nu kan hij geen hap door zijn keel krijgen.

Naast hem staat een vrouw zo groot als een olifant en als hij opstaat schopt hij bijna zijn stoel omver en zijn servet valt op de grond.

Ik was in slaap gevallen, zegt Jane. Sorry. Ik val continu in slaap. Soms als ik op een stoel zit. Urenlang. Gisteren viel ik in slaap toen ik in de lotushouding zat. Ik heb het niet onder controle. In één tel ben ik weg. Toen ik wakker werd ging de wekker.

Wat ben je enorm, zegt John.

Maar goed, ik ben te laat, zegt ze. Sorry.

Mooi, bedoel ik, zegt John. Maar dat weet hij niet helemaal zeker. Hij weet dat er een baby op komst is, maar hij heeft zich geen voorstelling gemaakt van Janes lichaam. Hij heeft zich geen voorstelling gemaakt van deze strandbal waar ze van gaat waggelen, en de zachte blik op haar gezicht. Hij buigt voorover om zijn servet op te rapen en Jane denkt blijkbaar dat hij haar wil kussen, en zij buigt naar hem over en ze stoten met hun voorhoofd tegen elkaar. Dan probeert hij het er zo uit te laten zien dat hij haar wilde kussen, maar het is te laat. Een tafel verderop zitten twee vrouwen in zakelijke kleding naar hem te kijken.

Dan lijkt het alsof Jane iets hoort. Ze ziet er afwezig en geconcentreerd uit.

O, zegt ze. O. Ze pakt hem bij zijn pols en legt zijn hand op haar buik.

John voelt iets bewegen, een zachte bobbel.

Voelde je dat? vraagt Jane. Ze straalt. Ze verplaatst zijn hand een paar centimeter. Voel je dat?

Vrije val, december 2008

Helen doet de andere oorbel in. Ze gaat naar een voorstelling. Ze krijgen kerstliederen en er is een acrobaat en mannen verkleed als tinnen soldaatjes, en vijftig pubermeisjes in lycra kerstmanpakjes die zo zijn gesneden dat hun billen te zien zijn.

Ze doet haar ketting van bergkristal recht en ziet zichzelf even in de spiegel. Met het puntje van haar vinger raakt ze de huid onder haar oog aan. Wanneer is dit gebeurd? Er zijn tientallen jaren verstreken. Eeuwen.

Regen en hagel trommelen op het slaapkamerraam; ze spuit parfum op haar pols, wrijft haar polsen over elkaar.

Ik moet mijn kleinzoon ophalen, zei Barry vanmiddag. Het was dus zijn kleinzoon. Niet zijn vrouw of vriendin. Niet zijn geliefde. Ze was opgelucht. Zijn mobiel ging en hij zei: Ik kom je wel halen, Henry.

Mijn kleinzoon, zei hij tegen Helen. Met een kleine polsbeweging deed hij zijn telefoon dicht en plotseling stond hij heel stil. Daar, in het vogelhuisje bij het raam: een blauwe gaai. Waar kwam die ineens vandaan? Zo blauw. En toen vloog hij weg.

Hij liet het haar weten, alsof het haar iets aanging. Geen andere vrouw; een kleinzoon.

Vanavond gaat een meisje van tweeëntwintig, een acrobate, in twee golvende lappen witte stof klimmen die aan het plafond van het theater hangen. Een soort soepele, flexibele stof. Handje voor handje zal het meisje naar boven klimmen, totdat ze in het licht van een schijnwerper hangt. Helen zal haar handen voor haar ogen houden en doodsbenauwd op haar stoel zitten. Het is te hoog. De ketting van bergkristal van toen ze vijf jaar getrouwd waren; ze ziet er afgetobd uit in de spiegel.

Het leven scheurt voorbij; weg is het. Er stuift iets voorbij. De voordeur slaat dicht en dan slaat er achter een deur dicht; er brandt iets aan op het fornuis; verjaardagen, bruiden en doodskisten; baby's, faillissementen, enorme meevallers, de bomen vol ijzel; weg. Ze raakt haar ketting aan. Allemaal weg. Ze pakt de armleuning van haar stoel. Doet de lamp uit en kijkt naar een auto die de heuvel over komt. De koplampen boren zich door de vitrage. Een patroon op de muur. De auto staat even stil voor het stoplicht, dan gaat hij de hoek om en de schaduw van het gordijn glijdt de hele kamer door: haar dressoir, haar vest op het haakje, de spiegel, en Helens gezicht en armen.

De kerstvoorstelling is om geld op te halen voor de familie van soldaten die in Afghanistan zitten, en in de tweede akte is haar kleinzoon een engel. Timmy is een engel.

Bij de voorstelling ziet Helen Patience op de eerste rij, vóór Timmy. Helen heeft vleugels voor ze gekocht bij de voordeelwinkel. De kinderen zingen en draaien rond en trippelen weg.

Dan daalt er een veelbetekenende stilte neer. Het publiek weet al wat er komen gaat. Er rollen twee witte banen stof van het plafond naar beneden. Er gaat een nevelmachine aan en de balletdansers sluipen op hun tenen over het podium, de coulissen in. Op het toneelgordijn is het noorderlicht afgebeeld en er dalen sterren neer vanaf de balken, en er is geen vangnet, dames en heren. Ziet u dat goed? Er is geen vangnet.

Het meisje in het wit, in flitsende lovertjes, is in de golvende banen stof geklommen. Ze zit te hoog. Het meisje heeft zichzelf in de doeken gewikkeld en ze houdt zich niet vast. Ze zwaait haar armen in een boog over haar hoofd.

Het applaus komt in golven, bereikt een hoogtepunt en wordt weer minder, en dan sterft het weg.

Als ik Barry nou eens te eten vraag, denkt Helen. Ze heeft haar hand voor haar ogen; ze kan niet kijken naar dit meisje dat tien meter boven hen zweeft. In plaats daarvan ziet Helen zichzelf een kaars op de eettafel zetten. Ze ziet het mooie zilver voor zich.

Ze kan hem niet uitnodigen.

Het meisje zwaait met een been zodat de stof eenmaal, twee-maal om haar dij slaat. Ze zwaait met het andere been zodat zich ook daar stof omheen wikkelt.

Ik kan niet met kaarsen komen aanzetten, denkt Helen. Dat zou veel te formeel overkomen, en vol verwachting. Ze schaamt zich rot. Kaarsen? Kaarsen zijn romantisch en intiem, en ze gaat geen kaarsen neerzetten, ze zal de dimmer zo ver mogelijk open-zetten. Ze zal het eten net zo belichten als in een winkelcentrum.

Zou Barry zijn basketbalpet afzetten?

Hij zei dat de kamer ergens op begon te lijken. Wat vind je, zei hij. Ze stonden samen in de lege kamer.

Ik ben bijna klaar, Helen, zei hij.

Het ziet er prachtig uit.

Inderdaad, beaamde hij. Hij knikte naar het plafond.

Plotseling valt het meisje, ze tuimelt op het podium af, ze tui-melt en wikkelt los, tolt, buitelt naar het podium, en er hangt geen net en het publiek schreeuwt het uit, en halverwege hangt ze plotseling stil. Ontzet slaat Helen met haar arm opzij en raakt Louise, die naast haar zit. Geeft haar een klap op haar borst.

Het meisje bungelt triomfantelijk in de lucht. Woest applaus zwelt in golven aan.

Louise grijpt Helen bij haar pols. Het hoort bij de voorstel-ling, fluistert Louise.

Helen gaat Barry te eten vragen. Ze waagt het erop. Met kaar-sen en al. Wat maakt het uit. Als zij zin heeft in kaarsen dan waagt ze het er verdomme op.

NIEUWJAAR

Vuurwerk, januari 2009

Het vuurwerk was van de haven verplaatst naar het Quidi Vidi-meer, omdat iemand had bedacht dat je op moest passen met de olietanks aan de Zuidoever. Barry zei dat ze de truck konden parkeren in de White Hills.

Ik kom je wel halen, zei hij.

Dat lijkt me leuk, zei Helen.

Je weet wel, daar bij die school, dat ene gebouw daarboven.

Dat gebouw daarboven, zei Helen.

Daar heb je een mooi uitzicht, zei Barry.

Dat lijkt me de ideale plek, zei Helen.

Rond een uur of half twaalf dan.

Barry had de verbouwing drie weken eerder afgerond. Hij had zijn gereedschap laten staan en gezegd dat hij het zou komen ophalen. Een paar dagen later waren zijn spullen verdwenen en lag Helens huissleutel blinkend op de borstelige deurmat.

Je moet er niet aan denken dat er een vonk van dat vuurwerk op die olietanks terechtkomt, zei Barry. Helen zat aan de telefoon en keek uit het raam van haar slaapkamer. Langs de steile kliffen van de South Side Hills hingen lange, gevaarlijke ijspegels. Op de gladde kale rotsen verderop lag hier en daar sneeuw. De vijf witte tanks staken plomp en onverbiddelijk af tegen de blauwe lucht.

Zal ik van tevoren iets lekkers koken? vroeg Helen. Ze was niet van plan geweest om het te vragen. Ze hoorde iets kraken. Vast een leeg blikje frisdrank. Barry had een blikje samengeknepen in zijn hand.

Ik wil je niet tot last zijn, zei hij.

Als je al andere plannen hebt, zei ze.

Hoe laat? vroeg hij.

Iedereen in de stad was op hetzelfde idee gekomen. Er was zoveel verkeer op de weg dat Helen en Barry niet eens bij de White Hills konden komen. Ze parkeerden, en het sneeuwde zachtjes en de grond kraakte en knerpte van de verse sneeuw. Ze liepen naar beneden, naar het meer. Er stonden lange rijen auto's en de sneeuw viel tussen de voortkruipende auto's, lichtte op in de zachte waaiers van de gele koplampen.

Er hing een stel tieners uit een busje op de parkeerplaats van het arbeidsbureau en de immigratiedienst. De deuren van het busje stonden open en er bonkte muziek de koude lucht in. De pubers hadden nepijsblokjes met knipperlichtjes in hun drankjes. De meisjes klonken schril. Een bazige blondine in een bomberjack met konijnenbont schreeuwde gelukkig nieuwjaar tegen Helen en hief haar glas zodat er bier over de rand klotste en er vonkjes licht van de feestijsblokjes tussen haar vingers door flitsten.

Eerder die avond had Helen opengedaan toen de bel ging en zij had iets moois aan maar Barry niet. Hij droeg een spijkerbroek vol verfvlekken en een houthakkershemd. Ze waren bijna meteen aan tafel gegaan, omdat er niets te zeggen viel. De risotto was plakkerig en koud. Het rundvlees grijs. Helen had zichzelf net opgeschept en duwde haar stoel van tafel, en dat piepte over het hardhout. Barry keek verschrikt en schuldbewust op. Hij zat zijn bord al schoon te vegen met een stuk brood terwijl zij nog niet eens was begonnen.

Midden in de eetkamer had een gat in de grond gezeten en alles wat een man en een vrouw tegen elkaar konden zeggen was in dat gat gevallen, en nu was het dicht; de nieuwe hardhouten vloer lag zwijgend te glanzen. Het was een stilte vervuld van hun verwachtingen, en wat ze verwachtten stond op volle sterkte, en het was seksueel en vol behoefte en te veel om te verwachten. Helen had de droger achter in huis aanstaan en Barry en zij zaten te luisteren naar de kleren die ronddraaiden. Iets met drukknopen kraste en werd gedempt en kraste weer, telkens opnieuw.

Toen begon Barry over zijn ex-vrouw. Hij maakte het allemaal wat mooier dan het in werkelijkheid was gegaan. Hij legde zijn ene hand op de rand van de tafel, duwde zijn stoel achteruit en streek met zijn andere hand over de voorkant van zijn overhemd, en er dansten broodkruimels op de grond. En toen begon hij heel terloops over zijn ex-vrouw.

Ze legde het aan met mijn beste vriend, zei hij. Het oude liedje. Heel lang geleden. Tegenwoordig verzamelen ze meteoren in Nevada.

Helen had nog een bord vol eten waar ze helemaal geen zin in had, maar ze kon het ook niet laten staan. De jus over de koude risotto was gestold tot een glanzende craquelélaag.

Je bedoelt komeetstaarten of zo, zei ze. Ze prikte een slap stronkje kleurloze broccoli op haar vork en schudde het er weer vanaf.

Hun gewicht in goud waard, zei Barry. Brokstukken zo groot als je hoofd. Staan ze daar met z'n tweeën te wroeten in het zand. Ze hebben een huis laten bouwen dat bijna helemaal uit glas bestaat. Ze doen het niet om de kost te verdienen, zei hij. Ze doen het omdat ze het leuk vinden.

En dat was de treurige slotopmerking over zijn ex-vrouw. De moeder van zijn zoon. Hij misgunde zijn ex-vrouw geen vallende sterren.

Plotseling dacht Helen eraan om muziek op te zetten. Uit een soort recalcitrantie of decadentie koos ze voor Frank Zappa. Barry schonk hun allebei nog een glas wijn in.

Ik meen het, Helen, zei hij. Je hebt heerlijk gekookt.

Helen had haar mond vol. Ze kauwde en slikte en wapperde met haar witte servet naar de keuken.

Toe maar, zei ze. Ga je gang.

Echt? vroeg hij.

Ze legde haar hand op haar borst en slikte en nam een flinke slok wijn. Alsjeblieft, zei ze.

Barry kwam terug met een volgeschept bord en hij begon over

de journalist die een schoen naar Bush had gegooid. Heb je dat gezien op het nieuws? Toen begon hij over de burgemeester die jaren geleden had overgegeven in haar tas. Hij had ook bij haar vloeren gelegd. Dat was me d'r eentje, zei Barry. En toen had de nieuwe burgemeester erop gestaan dat een raadslid hem een soepkom met DDT en een lepel bracht, en hij zou dat rotspul opvreten als ontbijt. Want er was niets mis mee. DDT zou nog geen vlieg kwaad doen, had die burgemeester op tv gezegd.

Hou op, zei Helen. Hou nou op. Ze moest lachen. Barry had zijn hand in zijn zak gewurmd en toen haalde hij een aansteker tevoorschijn en stak de kaarsen aan. Hij liep naar het lichtknopje en dimde al pratend de lampen.

Helen hief haar hand met haar servet erin en stak een vinger op om hem het zwijgen op te leggen. Ik moet je iets laten zien, zei ze.

Wat dan?

Ze liep de trap al op en hij kwam met twee treden tegelijk achter haar aan.

Dit moet je zien, zei Helen. Ze liep struikelend het donker in en deed de zwanenhalslamp op haar dressoir aan. De trouwjurk waaraan ze had zitten werken lag over de armleuning van een stoel. Hij was af.

Kijk nou zeg, zei Barry.

En dan dat meisje dat hem gaat dragen, zei Helen.

Wat een mooi ding, zei Barry.

Helen had een peertje van honderd watt in die lamp en het licht ketste tegen het witte satijn en de jurk was verblindend wit. Parels en lovertjes die fonkelden, licht dat langs de plooien stroomde, dat als bolletjes kwik opwelde en in alle richtingen werd verstrooid.

Toen realiseerde Helen zich dat ze op haar slaapkamer waren, en ze voelde de wijn ineens ook. Haar bed was weerzinwekkend. De kussens waren weerzinwekkend en de intieme spulletjes op haar dressoir waren weerzinwekkend: haar deodorant, een panty waar de vorm van haar voet nog in zat, glanzend van het vuil en de rest als een afgestroopte reptielenhuid, half glanzend en smerig; een zwart laktasje waarvan het riempje stuk was. Ze was haar slaapkamer binnengelopen zonder erbij stil te staan dat het haar slaapkamer was. Ze was hem per ongeluk binnengelopen. Ze deed het licht uit om het bed niet te hoeven zien, en Barry zei haar naam.

Toen stonden ze in het donker. Gewoon in het donker, en Barry wist niet goed wat hij moest doen. Helen zocht op de tast naar het lichtknopje en deed het weer aan. Het was een niets verhullend licht. Barry keek op zijn horloge.

Tijd om naar het meer te gaan, zei hij. Anders lopen we het vuurwerk nog mis.

En nu stonden Helen en Barry in de menigte bij het meer. Er klonk een knal tegen de lage heuvels en ze draaiden zich allebei om. Het leek of de explosie van licht door de duisternis naar hen toe kwam. Het kwam snel op hen af. Op de knal volgde een stilte die steeds dieper en toen peilloos werd. Het licht vloog in hun gezicht, geruisloos als iets op de zeebodem. Helen deed een stap achteruit. De sneeuw knerpte onder haar voeten. Toen kwam de ene knal na de andere. Het vuurwerk zag eruit als waterplanten. Zeesterren, fosforescerende bloemen met meeldraden en blaadjes en zaden. Ze spoten uit het donker omhoog en werden erdoor verzwolgen voordat ze elkaar konden raken of bij haar in de buurt konden komen.

Een eendenfamilie op een ijsschots probeerde snel waggelend weg te komen, allemaal op een kluitje bij elkaar, en toen bleven ze staan. Roerloos staan. Ze stonden te wachten, en bij de volgende knal draaiden de eenden zich allemaal om en waggelden de andere kant op. Helen stond dichtbij genoeg om de eenden te kunnen horen, maar ze maakten geen enkel geluid. Een rode fontein spoot een enorme straal witte spiralen de lucht in. Nog meer bloemen boven hun hoofd die hun blaadjes lieten vallen.

Een paar meter achter hen stond een meisje af te tellen met haar vriend. Vijf, vier, drie, twee, een. En toen riep het meisje: Gelukkig nieuwjaar! en ze sprong op en neer. *Boem, knal, boem, knal, boem* en Barry trok Helen naar zich toe en duwde zijn mond op de hare en ze omhelsden elkaar heel stevig, en ze voelde zijn tong en de pure kracht van zijn lichaam en zijn hand onder haar jas op de rug van haar kasjmier trui. Ze bleven een hele tijd zoenen.

Toen ze zich van elkaar losmaakten dreven er wolken rook door de donkere lucht en begon de menigte de heuvel weer op te klimmen, en Helen vroeg: Heb je zin om nog even koffie of whisky of iets anders te komen drinken? En Barry zei: Ja, graag.

In de keuken schroefde Helen de espressokan in elkaar en zette die op het fornuis. Ze had slagroom in de ijskast en een fles Baileys, en zette het allemaal klaar. Barry zat op de bank in de woonkamer en Helen liep naar hem toe en plofte naast hem neer, en het voelde heel gewoon. Ze waren vrienden en het was ver na middernacht en ze had koude bovenbenen.

Toen lag zijn hand op haar kruis en ging heen en weer, en ze bracht haar heupen omhoog naar zijn hand. Hij keek in haar ogen. Het wás niet gewoon. Ze had het mis. Zijn duim op de naad van haar spijkerbroek ging hard heen en weer. De reflectie van de wijzerplaat van zijn horloge, een rondje van licht, danste over de verschoten roze bloemetjesbekleding van de bank. Het was een koortsachtige, razende dans.

De espressokan op het fornuis begon te pruttelen. Helen had de bovenkant niet goed aangedraaid. Er ontsnapte stoom door een schroefdraad die niet goed aansloot. De metalen bovenkant ging heel hoog fluiten en begon toen als een motor te puffen. Toen floot het weer idioot hoog. Helen duwde heel hard tegen Barry's hand en draaide haar gezicht weg, naar de bank.

Ik ga komen, zei ze. Ze had het niet tegen Barry, en hij gaf geen antwoord. Het dansende ovaaltje van zijn horloge flitste vlak bij haar mond over een bloem op de bekleding. Helen duwde haar gezicht in het kussen zodat hij haar niet kon zien. Ze stak haar tong uit om het rondje van licht aan te raken. Ze kon de textuur van de bank voelen, die met meubelreiniger was schoongemaakt. Het smaakte naar zaagsel.

Toen rukte Barry haar spijkerbroek naar beneden. Hij was een beetje ruw. Helen pakte zijn billen beet en hun voeten haakten in elkaar. Hij had gladde nylon sokken aan. Toen hij klaarkwam trok hij een grimas zoals ze hem ook eens had zien doen toen hij een plank multiplex op zijn plek tilde en met zijn schouder tegenhield, terwijl hij in de zak van zijn timmermansschort naar een spijker zocht. En hij gromde. Het was zo instinctief en kwam van zo diep dat ze het geweldig vond. Godallemachtig, zei hij. Ze voelde de opwinding van top tot teen door haar lichaam sidderen, als een plens ijskoud water. Toen zei hij: Godverdomme. Godverdomme. Hij deed zijn ogen dicht en haalde diep adem en zoende haar op haar sleutelbeen.

De koffie moet even worden afgezet, zei Helen. Maar de espressokan bleef maar fluiten. Uiteindelijk stond Barry op, trok zijn spijkerbroek omhoog en maakte zijn leren riem vast. Hij liep naar het raam en deed de gordijnen een stukje open. Er kwamen mensen aanlopen vanuit de stad. Er reed een politieauto voorbij die het zwaailicht aan had en de sirene een paar keer kort aanzette.

Helen liep de keuken in en de onderkant van de espressokan gloeide oranje op, alsof hij elk moment kon smelten.

Wat zei hij

Er lagen heel veel mannen in het water. Er was niet veel tijd, Helen. We probeerden ze eruit te halen.

Wat had Cal gezegd? Had hij iets gezegd? Helen wilde horen dat Cal haar naam had gezegd. Ze wilde horen dat hij wist dat ze van hem hield. Ze wilde horen: zeg dit of dat tegen Helen.

Het hoefde niet over liefde te gaan.

Het hoefde niet haar naam te zijn.

Gewoon een soort schreeuw om duidelijk te maken dat hij wist wat hij achterliet. Een schreeuw om te bevestigen dat ze nu in haar eentje vier kinderen moest opvoeden. Dat ze zonder liefde verder moest. Dat ze zwanger was. Ze wilde graag weten dat hij het op de een of andere manier wist of aanvoelde, of dat een soort paranormale kracht hem duidelijk had gemaakt dat er een baby op komst was.

Helen wilde graag weten dat Cal begreep hoe donker de rest van de winter zou zijn, en dat de foetus in haar buik lag te schoppen en zorgde dat ze moest overgeven, en dat de baby de navelstreng om haar nek zou hebben en blauw zou zijn, blauwig, anders dan de andere drie, en de doodsangst dat Helen de baby nu zou verliezen, en dat ze haar niet mocht verliezen.

Voordat Cal doodging had Helen niet geloofd in een leven na de dood, en ze dacht er nog steeds niet over na. Maar ze luisterde of ze Cal kon horen toen hij dood was. Ze luisterde of ze hem de trap op hoorde komen; ze luisterde of ze zijn raad hoorde. Ze luisterde of ze hem cornflakes uit de doos hoorde schudden en het geluid van zijn lepel hoorde; ze luisterde of ze de nagels van de hond op de hardhouten vloer hoorde als Cal zijn voer op de veranda zette. 's Nachts luisterde ze of ze hem hoorde ademhalen. Als ze geconcentreerd zat te naaien en de ketel floot, dan verwachtte ze dat Cal hem zou uitzetten. Ze vroeg hem wat hij van de meisjes vond.

En toen klonk er gemompel, iedereen haalde opgelucht adem, en haar dochtertje bleek helemaal in orde te zijn, prima in orde, wat een flinke meid, en Helen dacht bij zichzelf: kijk, Cal, kijk. Ze had het fijn gevonden als hij haar bepaalde dingen zou vertellen, en ze weet precies wat:

Ik ben niet bang.

Bedank Helen.

Zeg tegen de kinderen dat ik van ze hou.

Zeg tegen Helen; zeg tegen Helen.

Alle mannen schreeuwden. *We moesten de touwen doorsnijden waar ijs op zat.* De touwen waren ontzettend koud. De mannen konden ze niet meer vasthouden.

Wat Helen niet kan bevatten of verkroppen: in de dood zijn we alleen. Natuurlijk zijn we dan alleen. Het is een geraffineerde eenzaamheid die we niet kunnen ervaren als we nog leven; het is te uitzonderlijk, te krachtig. Het is net een drug, die eenzaamheid, je bent er meteen aan verslaafd. Ultiem egoïsme, zo arrogant dat alles wat daarvoor kwam eraan wordt opgeofferd. Cal was alleen in die kou. Moederziel alleen, en dat was de dood. Daar kwam de dood uiteindelijk op neer.

Midden in de nacht als het sneeuwt wil Helen in zee springen om te kijken hoe dat voelt.

Soms, zoals vanavond, is ze zo wakker dat ze denkt dat ze nooit meer kan slapen. Ze is zich er pijnlijk van bewust dat de theepot blijft voortbestaan. De theepot gaat door, de gouden sportschoen van vinyl van haar kleindochter blijft een gouden sportschoen van vinyl, de telefoon blijft een telefoon.

Het is heel koud buiten en heel donker, en Helen verlangt naar wat leven in de duisternis, een taxi die voorbijrijdt. Buiten op straat is het asfalt door en door zichzelf. Het zal altijd zichzelf blijven. Het huis aan de overkant is het huis aan de overkant met zijn kale peertje voor het raam op de tweede verdieping. En daar is Helen. Maar Helen weet niet zeker of ze zichzelf is.

Ze schuift haar slaapmasker omhoog en de meubels gonzen en haar voet slaapt en ze voelt een golf van paniek die steeds groter wordt; ze is moederziel alleen. Ze is net zo alleen en verkild en intens afgestompt als de boom in de achtertuin, als de bumper van de auto onder de straatlantaarn, als de appel in de schaal op de keukentafel, als de kerk aan de overkant, als de torenspits die aan één kant bedekt is met sneeuw; ze is Helen niet, en wie is Helen eigenlijk? Een flard van een droom, gefragmenteerd, rafelig – en dan gaat de telefoon, hij knalt de kamer in en hij blijft maar rinkelen. Er ligt iemand naast haar in bed en ze verstijft van angst. Het is Cal; Cal is terug, maar hij is dood.

Maar het is Cal niet. Het is Cal niet.

Barry doet het licht aan. Hij is zo'n man die pantoffels draagt en sloffend loopt. Ze kan hem in de wc aan het eind van de gang horen plassen. En ze neemt de telefoon op en haar hart springt op. Wat je moet worden. Het is John. Hoe laat is het, drie uur? Drie uur 's nachts?

Mama, zegt John. Hij huilt.
Mama, zegt John. We hebben een dochtertje.

Ze ziet het voor zich

Ze denkt weer aan de poort. Er zat een metalen luik op waarmee de twee vensterruiten konden worden afgesloten, maar niemand deed het luik naar beneden. Als dat metalen luik dicht was gedaan, was er geen water op het controlepaneel terechtgekomen.

Helen kent alle alternatieven uit haar hoofd en ze kan ze opdreunen als een rozenhoedje. Als de mannen de juiste informatie hadden gehad, als ze het luik naar beneden hadden gedaan, als het water geen kortsluiting had veroorzaakt op het controlepaneel, als Cal een andere dienst had gedraaid, als Cal die baan überhaupt niet had aangenomen, als ze niet verliefd waren geworden. Als ze geen kinderen had gekregen. Als.

Ze wil graag geloven dat Cal tijd had om een spelletje te kaarten.

Helen weet dat Cal na het eten graag een potje ging honderdtwintigen als hij geen dienst had, en daar was alle tijd voor. De vuist van water was binnengedrongen, dat wel, maar uit de teruggevonden stemopnames wordt onomstotelijk duidelijk dat niemand zich echt zorgen maakte.

Helen wil precies weten wat er is gebeurd, want ze kan het idee niet verdragen om het niet te weten. Ze wil bij Cal zijn als het booreiland zinkt.

Er was kortsluiting opgetreden in het PA-systeem, het omroepsysteem, en misschien was de mannen wel een nauw waarneembare afwezigheid van geluid opgevallen. Misschien zat Cal aan een tafel kaarten te delen en was hem de stilte opgevallen, alsof de ijskast was uitgevallen. Wat ze niet wil is dat hij ligt te slapen. Ze wil niet dat hij wakker is geworden toen er al paniek heerste. Had iemand maar kunnen vertellen waar hij was.

Iemand in de controlekamer zei: We moeten dat water even laten opruimen.

Of: Laat iemand komen om dat glas op te ruimen.

Iemand zei: Het paneel is nat.

Iemand zei: De kleppen gaan vanzelf open.

En een stem zei: Ik ben ermee bezig.

Die stemopnames hadden ze later teruggevonden, en de mannen klonken totaal niet bezorgd.

Ga eens naar beneden en zorg dat het wordt opgeruimd, zei iemand.

En dit is het gekke. Het zeewater kwam op het paneel terecht en zorgde ervoor dat een stroom van 115 volt de andere kant op ging. De stroom moest de ene kant op maar zette zijn hakken in het zand; hij veranderde van gedachten.

Is die stroom wel zo anders dan een menselijke gedachte of emotie? vraagt Helen zich af. Een gevoel dat plotseling de kop opsteekt. Een vlaag van onbezonnen besluiteloosheid? In een van die lampjes flitste in een gloeidraad een oranje streepje licht op dat blauw werd en toen tot as verpulverde. De gloeidraad hield nog even dezelfde vorm en veranderde toen. En dat is de eerste van een reeks veiliger alternatieven waar Helen zichzelf elke keer mee kwelt dat ze slaperig is of alleen in de auto zit of voor zich uit zit te staren: als de stroom nou eens niet dol was geworden?

Misschien was er rook maar misschien ook niet. Misschien zweven er heel even een paar blauwe vonkjes als vuurvliegjes boven het paneel totdat ze uitdoven. Helen stelt zich geen rook voor, maar ze hoort het geknetter in de piepkleine lampjes, alsof je met je vulling op aluminium bijt, eerder een aanraking dan een geluid. Dat minieme geluidje hoort ze, of voelt ze, diep in haar hoofd.

De stroom was een rusteloze energie die in paniek raakte en een spoor van gesprongen tere gloeidraden achterliet, en er vielen lampjes uit op het controlepaneel.

Of ze flikkerden.

Het PA-systeem viel uit. Een van de mannen in de controlekamer had misschien hulp ingeroepen, maar het PA-systeem werkte niet vanwege al het water op het paneel.

Als je luistert naar de stemopnames uit de controlekamer, dan klinken de mannen ontspannen, en er is alle reden om aan te nemen dat Cal een handjevol kleingeld van de kaarttafel oppakt en geen flauw idee heeft wat er te gebeuren staat. Helen wil dat het zo voor hem is, dat hij zich van geen kwaad bewust is.

Een radiotelefoon ving iets op dat tussen de naburige booreilanden over zee zweefde. Een of twee zinnen kwamen op de verkeerde golflengte terecht. De mannen op het andere vaartuig, de Seafort Highlander, vingen dat gesprek op en noteerden wat ze hoorden. Waar de mannen op de Ocean Ranger van op de hoogte waren, waren de weersomstandigheden. Ze wisten dat de golven meer dan elf meter hoog waren en dat de wind een snelheid had bereikt van tachtig of negentig knopen. Of de golven waren meer dan zevenentwintig meter hoog en de wind nam in kracht toe.

Op een van de andere booreilanden werd een metalen opberghok dat aan de boorvloer zat vastgeklonken weggeslagen.

Ze zullen alle helikopters voor ons moeten inzetten die ze hebben, zei iemand van de Ocean Ranger. Dat was de zin die doorkwam. De hoop die daaruit spreekt.

Of de zin die doorkwam was: Zeg dat ze alle helikopters moeten sturen die er zijn.

Ze zeiden: Stuur alles wat je hebt. Iemand die het hoorde was opgevallen hoe rustig het klonk. Het was een rustige stem die zei dat er helikopters moesten komen. Er waren natuurlijk helemaal geen helikopters want er zat rijp in de wolken, want het wolkendek hing te laag, want helikopters kunnen niet vliegen in dat weer, en dat moeten de mannen hebben geweten.

De mannen op de Ocean Ranger deden een noodoproep. *We maken slagzij en kunnen het niet verhelpen*. Ze gaven de coördinaten. Ze zeiden: Zo snel mogelijk. Ze zeiden: Vierentachtig man.

De mannen op de Seafort Highlander hoorden de noodoproep en ze trapten hem op zijn staart. Volle kracht vooruit. Ze
voeren met acht of negen knopen. Ze lagen acht mijl bij hen vandaan. Voor ze het wisten waren ze bij het booreiland. Eerst konden ze niks zien, en toen zagen ze wel iets, er lag een reddingsboot en – dat konden ze in het duister onderscheiden – er
beefden lichtstralen. De mannen waren aan het hozen. Dat ding
was aan het zinken maar er waren mannen aan boord en ze waren aan het hozen.

Iemand zei: Niet slepen.

Iemand had ooit iets soortgelijks meegemaakt en wist dat zo'n
boot kan kapseizen als hij wordt gesleept. Ze hadden een net uit-
gespreid op het dek van de Seafort Highlander en dat werd zo
weggeblazen. Weggespoeld. Alles wat de mannen deden zat onder het ijs, en ze braken door het ijs heen. Er zat ijs op de touwen, en op de gezichten van de mannen. Elke grimas, elk gebaar
brak door het ijsmasker van de laatste kreet of schreeuw heen.
Wangen en wimpers en monden en alle plooien en kreukels in
hun jas, en elk nieuw gebaar kwam krakend uit de schil van het
vorige gebaar en brak open om weer door het ijs te worden be-
laagd. Het waren mannen in een film die shot voor shot werd gedraaid.

Maar in een reddingsboot zaten mannen die nog leefden, en
sommigen van hen hadden weinig kleren aan. Die mannen stonden te hozen want er moest flinke schade zijn aan hun boot, en
ze hadden een systeem bedacht en ze deden wat nodig was. Ze
gingen langzaam en methodisch te werk. De methode was om
koste wat kost te blijven drijven. En toen kapseisden ze.

Die mannen lagen in het water en de mannen op de Seafort
Highlander moesten zich losmaken zodat ze verder konden reiken, en ze liepen het risico zelf overboord te slaan en ze gooiden
de touwen uit, maar de mannen uit de reddingsboot konden hun
armen niet optillen. Er dreven reddingsvesten binnen handbe-
reik, maar die mannen konden er niet bij.

De bemanning van de Seafort Highlander moest de motor afzetten want de mannen in het water mochten niet in de schroef terechtkomen, anders konden ze onder water worden getrokken en aan flarden worden gereten. Maar zonder schroef waren ze binnen een paar minuten weggedreven van de mannen in het water. En dan is het afgelopen, denkt Helen. Hij is er niet meer.

Maar dat is geen waarheidsgetrouwe weergave van wat Cal doormaakt, en dat weet Helen donders goed. Ze kan zich maar beter aan het echte verhaal houden, anders moet ze het blijven navertellen totdat het klopt. Ze wil proberen het echte verhaal onder ogen te zien.

In de bergwand van water ontstaat een kloof die, zoals dat gaat, verandert in beton. Is het beton of is het glas? Het is geruisloos en oorverdovend, woedend en kalm.

Zo uniek en zo anders dan al het andere. Zo anders dan een reuzenrad of een hond die jankt in zijn slaap of popcorn in de magnetron of kijken naar je geliefde die klaarkomt, een voet die krampachtig om een kuit is geklemd of een vierkantje zonlicht op de hardhouten vloer. Oud worden. Daar lijkt het allemaal totaal niet op. In de verste verte niet.

Of je vastklampen aan een beijzelde reling terwijl die gigantische brok metaal begint over te hellen. Zo anders.

Die muur van water is er altijd geweest. Hij heeft zichzelf niet geschapen en is nergens anders uit voortgekomen en heeft zichzelf nooit gevormd. Er is nooit iets gevormd. Hij ís alleen maar.

Hij is roerloos en zelfverzengend. Uitgehongerd en verzadigd van liefde. Vervuld van mysterie, vervuld van leegte.

Vervuld van God. Voor dit wezen ga je vanzelf op de knieën.

Het is de kern van *buiten*.

Die golf is de dood. Als we spreken over de dood dan hebben we het over iets waar we geen woorden voor hebben. De golf – want uiteindelijk is het alleen maar water, niet meer dan water, pure kracht, enkel kracht –, de golf is een spiegelbeeld van de dood, niet de dood zelf; maar het heeft voordelen om er niet naar te kijken. Niet in de spiegel kijken als dat lukt. Net doen alsof je ergens anders mee bezig bent. Weg. Wegwezen.

De dood wil graag worden voorgesteld. Hij is bereid om beleefd te zijn. Hij heeft alle tijd. Als de muur zich boven Cal heeft gesloten, is hij als een vlieg in barnsteen, een raadsel van de tijd, een museumstuk. Hij zal niet meer verlangen naar ontsnapping. De obsessie om in leven te blijven zal hem voorkomen als een zinloos tijdverdrijf. Je stilhouden wordt nu je van het.

De zee zijgt onophoudelijk in elkaar, het is haar lot zichzelf grondig te vernietigen, maar heel even komt ze recht overeind. Ze neemt de houding aan van iets wat zich niet laat verwoesten.

Deze golf heeft sinds het begin der tijden toegewerkt naar het kapotkauwen en doorslikken van de wereld. *Smak. Smak.* Want wat stelt de wereld nou eigenlijk voor? Wat stellen zonlicht en liefde en de geboorte van een kind en alle kleine passies die ontvlammen en oplaaien en zo ontzettend belangrijk zijn nou eigenlijk voor?

Zichzelf helemaal opslokken is de dood, of hoe je het eind van het leven ook wilt noemen of bestempelen of betitelen. Maar we weten niet hoe we het moeten noemen want het gaat alle verstand te boven.

Alleen die mannen weten het.

Cal weet het. Het is een glitterend iets, groot en mooi als een discobal, compleet overdonderend, en hij heeft haar ervoor in de steek gelaten.

Zo is Helen erover gaan denken: de dood moet een soort belofte inhouden.

Als ze hoopvol is gestemd kan ze soms geloven dat het meer is dan verrotting. Soms denkt ze dat er een belofte moet zijn. Meer belofte dan de koude grond en een schedel en wijwater dat op een kist wordt gesprenkeld en de met goud geborduurde kazuifels van de priester en een vlucht duiven en de straat die glinstert na de regen en sneeuwbanken die na het donker van de kerk zo helder oplichten in de avondschemering dat het pijn doet aan je ogen.

Ze hoorde Cal die avond in de badkamer zijn tanden poetsen.

Hij zei iets tegen haar, maar hij was er niet.

Hij was onderweg. Hij kwam haar opzoeken, daar is Helen van overtuigd. Kijk eens uit het raam, zei hij. Of iets in die geest. Kijk eens uit het raam. Het booreiland is aan het kapseizen en al het water spoelt over het dek en de mannen houden zich aan de reling vast. Ze klampen zich vast.

Het komt steeds schuiner te hangen en de kaarttafel glijdt opzij en al het kleingeld rolt op de grond, dubbeltjes en kwartjes en stuivers, en nu is ze eindelijk bij hem.

Helen zit in zijn huid. Ze is Cal en ze beleeft dit elke avond opnieuw, of soms in een flits als ze staat af te wassen, en de onweerlegbaarheid ervan is te zien op de gezichten van haar kinderen. Het is de deurbel die gaat en de hitte die uit de oven komt als ze de stoofschotel eruit haalt, het is de geur van ketchup en het geluid van ketchup als die uit de knijpfles komt, het zit in het gezuig en geklots van de afwasmachine, het is een regelrechte doodsangst waar ze elke nacht van wakker schrikt. Een doodsangst die zichzelf heeft genesteld in alle microgloeidraadjes van haar wezen, in elke gedachtegang en elke gedachteflard. Hoe zou ze zonder dat alles zijn?

Ze is bij hem. Helen is bij hem.

Maar ze is er niet bij, want niemand kan erbij zijn.

De dubbeltjes rollen weg en de speelkaarten glijden van tafel en de tafel valt om. Cal baant zich een weg naar het dek. Hij hijst zich stukje bij beetje aan de trapleuning omhoog. In de betonnen zee zit een gigantische kloof die een angst vol kalmte inboezemt.

Ze wisten het al die tijd al. Het moest zo zijn.

Eén kant van het booreiland helt over en glijdt soepel het water in. Eerst is het er en dan is het er niet.

Volgens de Royal Commission had er een fatale reeks gebeurtenissen plaatsgevonden die voorkomen had kunnen worden als het personeel beter was opgeleid en er meer handleidingen en technische informatie beschikbaar waren geweest. En dat is het ware verhaal. Het was de schuld van de oliemaatschappij.

Maar er is ook die ondoordringbare muur van water, die

maakt dat Helen haar zorgvuldige opsomming van de fatale reeks gebeurtenissen uiteindelijk zal staken.

Cal staat op het dek en hij is bijna weg. Ga, denkt ze. Ga alsjeblieft, dan is het voorbij.

Want zijn paniek neemt bezit van haar, net zoals hij met haar heeft gevreeën en zoals ze zijn vier kinderen heeft gebaard, net zoals ze hem heeft zien slapen en eten voor hem heeft gekookt en zich een idee heeft gevormd van wat liefde zou kunnen zijn, een idee waar ze zich aan heeft gehouden.

Ze had besloten dat liefde er misschien wel zo uitzag: een schets, een ding, een plan. Ze had het uitgedokterd en toen gaf ze het vorm. Blies het leven in.

Cal en zij waren tot laat opgebleven en hadden gezegd: zo moet het eruitzien. Ze waren het eens geworden en toen hadden ze volgehouden.

Als ze het bij het verkeerde eind hadden, dan zei niemand er iets van. Helen kende Cals stemmingen en ze zaten samen te roddelen en verhalen te verzinnen en ze hielden elkaar vast en maakten ruzie en pasten op hun woorden, zelfs als ze kwaad waren. En ze voelt zijn paniek. De paniek om de dood onder ogen te zien.

Dat moet een van de dingen zijn geweest die ze hadden afgesproken: als Cal op dat booreiland zou sterven, dan zou Helen hem nooit vergeten. Dat was de belofte. Ze zal hem nooit vergeten.

Een maansverduistering op huwelijksreis, februari 2009

De zon is een constante. De zon beweegt niet. Het gaat een kwartier duren. In totaal.

Iedereen mompelt de woorden *in totaal*. Daar is iedereen het over eens. Ze staan op een straathoek in Puerto Vallarta. Eén man in de groep heeft een tandenstoker. Na een paar drankjes in het café zijn ze allemaal weer op weg naar hun appartement. Een paar margarita's. Senioren. Het zijn Amerikanen met een *timeshare* appartement, en sommigen uit Quebec.

Pas over dertig jaar weer, zegt een vrouw. We moeten het nu zien. De volgende keer zijn we dood.

Hartstikke dood, zegt de man met de tandenstoker. Hij laat de stoker op en neer gaan.

De laatste kans, zegt iemand. Iedereen grinnikt. De laatste kans is ergens wel een grappig idee.

We maken maar een schaduw, zegt een man.

Meer niet, zegt iemand. Een schaduw.

Eén man houdt allebei zijn vuisten voor zich, en de ene cirkelt langzaam om de andere heen, en hij knikt om aan te geven welke van de twee de zon is, iets verder naar buiten toe.

Dit is de aarde die tussen de zon en de maan schuift.

Of de maan die tussen de aarde en de zon schuift, zegt een vrouw.

Het wordt een totale verduistering, beamen ze allemaal.

Ze hebben hun armen over elkaar geslagen en staan met hun gezicht schuin naar boven, en de taxi's die de straat uitkammen toeteren als de meute afwezig de stoep af stapt. Waar de schaduw al voor het maanoppervlak is geschoven, zie je een donkere, honingkleurige gloed.

Helen was in haar eigen woonkamer met Barry getrouwd. John had haar weggegeven; Lulu had als een gek zitten huilen. Gabrielle was per vliegtuig overgekomen uit Nova Scotia en kwam een kwartier voor de plechtigheid aan. Cathy en haar man, Mark, en Claire. Timmy met de ringen op een satijnen kussentje. Helen had Patience en haar moeder uitgenodigd. Patience kreeg een rieten mandje vol rozenblaadjes die ze moest rondstrooien. Dat was zo'n gewichtige taak dat Patience de hele ceremonie stokstijf naar de grond stond te staren. Toen gooide ze als een werper bij honkbal grote proppen blaadjes in het rond. Helens dochters waren blij voor hun moeder, of ze hielden hun mening voor zich. Het was een korte ceremonie.

Zolang de liefde standhoudt, zeiden Helen en Barry tegen elkaar. Cathy had de trouwbelofte geschreven. Gabrielle had de ringen ontworpen en ze waren gemaakt door een plaatselijke juwelier. Helen droeg blauwe zijde, tot net onder de knie en zonder tierelantijnen, want Lulu had gezegd dat het eenvoudig moest zijn.

Na afloop probeerde John Helen te vertellen hoe je een luier moet verschonen. Je doet het verkeerd, snauwde hij. Toen duwde hij haar opzij.

Nou moet je eens goed naar me luisteren, knul, zei Helen. Je gaat mij niet vertellen hoe ik een luier moet verschonen.

Jane zat de hele ceremonie met een pak diepvrieserwten tegen haar linkerborst. Ze had een verstopt melkkanaaltje. We zijn allebei kapot, zei Jane.

De baby slaapt gewoon niet, zei John. Ze waren allebei naar St. John's verhuisd, elk in een eigen appartement, maar John bleef meestal bij Jane op de bank slapen om haar te helpen met de eerste ochtendvoeding.

John wilde ze de geboortevideo laten zien.

Jezus, uitgerekend nu, zei Cathy.

John sloot zijn computer aan en ze gingen er allemaal omheen zitten, behalve Jane, die in de logeerkamer in slaap was gevallen, en Barry, die het niet wilde zien.

John stopte de dvd in het laatje, het zwarte scherm werd blauw en hij drukte op start. Plotseling werd alles wazig groen en klonk er geknetter en een onregelmatige ademhaling en John die zei: Oké, oké, nou ga ik, nou ga ik, nu, nu, en toen begon hij te schreeuwen. En ze zagen blauwe lucht en wolken en hij ging omlaag en omhoog en zijn handen zwaaiden heen en weer aan de randen van het scherm. Hij drukte op pauze.

Wat was dat in godsnaam? vroeg Lulu.

Verkeerde dvd, zei John. Het was de tokkelafdaling die hij in Tasmanië had gedaan.

Na de ceremonie at de hele familie fish-and-chips van Ches's, en toen moesten Helen en Barry halsoverkop vertrekken om een avondvlucht te halen.

Barry had voorgesteld om naar Mexico te gaan, want daar was hij nog nooit geweest, en Helen ook niet. Ze wilden naar een bestemming die ze geen van beiden kenden.

In Mexico namen ze een taxi vanaf het vliegveld. Een briesje door het raam en toeterend verkeer en vervuiling. Het hotel was prima. Helen rukte de deken van het bed en de lakens waren schoon, en Barry en zij vreeën en gingen onder de douche. Barry wreef Helens rug en armen en de achterkant van haar bovenbenen in met lotion, en zij deed hetzelfde bij hem. Voor het hotel was er druk verkeer op straat en het was heel warm, en na wat zoeken vonden ze het strand, hoewel het al laat in de middag was.

Ik ga erin, zei Barry.

Duik jij er maar in, zei Helen. Ik blijf wel kijken. Het water was groen, behalve bij de kustlijn, waar het door het losgewoelde zand de kleur van thee met melk had gekregen. Verderop was het water net nikkel en een en al glinstering. Na afloop gingen ze eten op een terrasje, en iemand begon over de maansverduistering. Iemand zei: Moet je kijken.

De volgende keer dat dit gebeurt zijn we er niet meer, zegt iedereen op de stoep. De vrouwen dragen een witte capribroek met een geborduurde blouse en turkooizen en zilveren sieraden die ze die middag op het strand hebben gekocht. De mannen dragen shorts – geruit of donkerblauw – tot op de knie en hebben mocassins aan.

Er zijn ook leernichten met tatoeages en een glanzende schedel en een ietwat gekrenkte blik, en ze hebben een schoothondje tegen hun borst geklemd met een halsband met noppen of met een strikje. Er zijn ook andere homo's, gezonde jonge zakenlui in een onberispelijk gestreken overhemd, cargoshorts en onelegante sandalen. En op de stoep zitten kinderen te knikkeren.

Een bruinverbrande oudere vrouw met een geblondeerde paardenstaart staat te roken, en het puntje van haar sigaret gloeit oranje op.

Het is saai om naar de maan te staan kijken. Een saaie maar ontzagwekkende gebeurtenis. Er loopt een statige vrouw voorbij, gevolgd door haar man die de hand vasthoudt van een jongen met downsyndroom die eruitziet als hun zoon. Op de hoek zit een juwelier die verlicht is als een aquarium, en het meisje achter de toonbank zit de krant te lezen.

Het is nu al veertig minuten aan de gang, zegt een man op lijzige toon.

Ik denk niet dat het een totale verduistering is, zegt iemand. En dan is de maan eindelijk verdwenen. Weggevaagd. Iedereen begint te klappen. Ze beginnen spontaan te klappen. Een kort, bedeesd applausje.

Helemaal weg, zegt iemand.

Maar hij komt terug, zegt Barry. Hij staat achter Helen en ze leunt achterover en hij trekt haar tegen zich aan.

Hij komt weer terug.

Eerder die middag was Barry het water in gelopen totdat hij dreef. Hij wiegde op en neer en er sloeg een golf over zijn schouders. Hier en daar dreven andere mensen bij hem in de buurt die allemaal een silhouet waren. De zee was nu heel donkerblauw en het hele wateroppervlak glinsterde. Elke golf had een zilveren kop. Het leek net geklopt metaal, poreus van fonkelend licht.

Plotseling voelde Helen een schaduw over zich vallen, en het werd kil. Het was een scherpomrande schaduw die haar handdoek bedekte, recht boven haar hoofd. De kilte was huiveringwekkend, en ze dacht aan Cal. Er slenterden vier mannen naast elkaar die voor haar bleven staan, allemaal tegelijk, en ze deden allemaal een hand boven hun ogen om naar de lucht kijken, vlak boven haar hoofd. Ze hoorde een schril fluitje en het was een parasailer, een man in een tuigje met een parachute eraan die ging landen, en hij zweefde pal boven haar. Er rende een groep Mexicaanse mannen zijn kant op die gebaarden en riepen dat hij aan het touw moest trekken. Dat deed de man en hij daalde neer op drie meter van waar Helen zat, waar de Mexicanen hem in hun uitgestrekte armen opvingen. Ze zetten hem aan de grond, waarna ze de slap geworden parachute opvouwden. En Helen keek uit over zee en zag Barry niet meer.

Ze zag hem niet meer.

Ze keek naar de plek waar hij had gedobberd, maar daar was hij niet.

Toen trok de golf zich bulderend terug en daar was hij. Hij stond en hij stak donker af tegen de zon, behalve een glans op zijn arm en in zijn haar, en hij zwaaide zijn hoofd achterover en de druppels vlogen als een handvol zilver in het rond. Hij dook nog één keer onder en waadde toen tegen de stroming in naar de kust en liep over het strand naar haar toe.

Dankwoord

Zoals altijd ben ik Steve Crocker dankbaar voor alles. Datzelfde geldt voor Eva Crocker, Theo Crocker en Emily Pickard.

Lynn Henry van Anansi is een oneindig wijze en gulle redacteur. Ik ben intens dankbaar voor de gelegenheid met haar aan deze roman te hebben kunnen werken, voor haar inzicht en stimulans en pure genialiteit.

Dank je wel Sarah MacLachlan voor je vriendschap en toewijding aan het uitgeversvak. Ook wil ik Matt Williams en Julie Wilson bedanken, eveneens van Anansi.

Dank je wel Anne McDermid, mijn agent, voor je enthousiasme en harde werk en charisma.

Nan Love en Claire Wilkshire en Lynn Moore hebben me geholpen en bijgestaan, moed ingepraat en bevestigd. Ik heb hun adelaarsogen geleend. Bijzonder veel dank daarvoor.

Dit boek is in een vroeg stadium door enkele mensen gelezen die ik met een enorme dosis dankbaarheid wil overladen: Bill Coultas, Dede Crana, Eva Crocker, Rosemary Crocker, Steve Crocker, Libby Creelman, Ramona Dearing, Susan Dodd, Barbara Doran, Jack Eastwood, Mark Ferguson, Jessica Grant, Mike Heffernan, Holly Hogan, Mary Lewis, dr. John Lewis, Nan Love, Elizabeth Moore, Christine Pountney, Lawrence Mathews, Sarah MacLachlan, Beth Ryan, Bob Wakem, Claire Wilkshire, Michael Winter. Al deze mensen ben ik eeuwig dankbaar.

Veel dank ben ik verschuldigd aan de *Royal Commission on the Ocean Ranger Disaster*, geschreven door de edelachtbare T. Alex Hickman, o.c., q.c. De verzameling ooggetuigenverslagen van Douglas House, *Who Cares Now: The Tragedy of the Ocean Ranger*, was een waardevolle bron. Mike Heffernans *Rig: The Story of the Ocean Ranger* is een zeer belangrijk en aangrijpend verslag van de ramp, waarvoor ik erg dankbaar ben. Socioloog Susan Dodd, die ook schrijft over de Ocean Ranger, was enorm behulpzaam. Ik heb diep respect voor de auteurs van al deze werken.

Ik zou ook graag de dappere mannen willen noemen die zijn omgekomen op de Ocean Ranger, en de dappere families van die mannen.